Grazia Avitabile

ITALIAN FOR THE ENGLISH-SPEAKING

6ª edizione

BONACCI EDITORE

Printed in Italy

Bonacci editore srl
Via Paolo Mercuri, 8
00193 ROMA (Italia)
tel:(++39)06.68.30.00.04
fax:(++39)06.68.80.63.82
e-mail: info@bonacci.it
http://www.bonacci.it

TABLE OF CONTENTS (Sommario)

LEZIONE IV

LEZIONE V

LEZIONE VI

LEZIONE VII

LEZIONE VIII

LEZIONE IX

LEZIONE X

LEZIONE XI

LEZIONE XII

LEZIONE XXIII

LEZIONE XXIV

LEZIONE XXV

LEZIONE XXVI

APPENDIX: The Verb

VOCABULARY

VOCABULARY

NOTES

1. A **dot** placed under a vowel indicates the accented syllabe of each word. For example: altoparlạnte, the accent is on -lan-.

2. The grave accent (ˋ, gioventù) is the only accent used in this textbook.

3. **The sign** * after a verb indicates that the verb (-ire) is conjugated like **partire.**

4. **Abbreviations:**

(adj)	—	adjective
(adv)	—	adverb
(coll)	—	collective noun
(conj)	—	conjunction
(f)	—	feminine
(fig)	—	figurative
(impers)	—	impersonal
(invar)	—	invariable
(irr)	—	irregular verb, consult pp. 313-323
(m)	—	masculine
(n)	—	noun
(plur)	—	plural
(prep)	—	preposition
(pron)	—	pronoun
(v)	—	verb

5. **Singular and plural of nouns and adjectives:**

    a. Nouns ending in **à** are feminine and are invariable in the plural.
    b. Nouns and adjectives ending in **o** or **a** are respectively masculine and feminine unless otherwise noted.
    c. Feminine nouns and adjectives ending in **ca** or **ga** have the plural **che** or **ghe.**
    d. Masculine nouns and adjectives ending in **co** or **go** are often irregular in the plural; the plural will be given.
    e. Masculine nouns and adjectives in **cio** or **gio** have the plural **ci** or **gi** unless otherwise noted.
    f. Masculine nouns and adjectives ending in **a** have the plural in **i** unless otherwise noted.

PREFACE

The present textbook has been used in offset form for several years and with considerable success by Wellesley College and Tufts University students. During the period it has undergone several revisions dictated by experience.

The book covers all the structures of the Italian language, but not all the refinements. Every lesson, except review ones, introduces with many examples one or more structures, accompanied by essential explanations and followed by exercises. In some cases no explanation precedes or follows the examples, because the student will be able to deduce the rule by him/herself, with the assistance of the teacher. At the end of every lesson there are exercises to practice further the structures of the lesson and to review earlier ones, with at least one exercise from English into Italian. Reading passages, additional vocabulary and phrases, questions to be answered orally or in writing in Italian, and a vocabulary list complete each lesson.

The readings, and indeed most of the exercises, have been prepared or selected in order to introduce the students to the civilization of modern Italy and to enable them to acquire a working vocabulary, useful both for getting along in Italy and for conversation in general, and also to serve as basis for further study in Italian literature or in other fields. The glossary is normally given in the margin. At the end there are an appendix on the verb, a vocabulary of words used in the book, and the index.

Since academic institutions have different schedules and terms, it is impossible to say whether or not the material contained in the textbook can be covered in one academic year. By completing lesson twenty-nine, one has covered the most important structures. The remaining lessons could be studied at the intermediate level. Each lesson is rather full and it is advisable to introduce it and assign it to the students in sections.

I wish to express my gratitude and indebtedness to my many students who offered criticism and suggestions, who performed painstaking clerical work, and who encouraged me to publish the book. It is a pleasure to thank a number of colleagues who supplied me with ideas and valuable comments. Among them are Mrs. Giovanna Merola of Wheaton College, Mr. Anthony J. Oldcorn of Brown University, and my current colleagues in the Italian Department of Wellesley College, Mrs. Mei-Mei Ellerman and Mrs. Cecilia Mattii. To Mrs. Mattii and to Mrs.

Marjorie Kelk, Ph. D. in Italian Literature from the Johns Hopkins University, go my very special thanks for encouraging me to persist in trying to find a publisher. I am also extremely grateful to my publisher, Dr. Giorgio Bonacci of Rome, Italy, for his constant thoughtfulness and cooperation.

Wellesley College
July 1976

GRAZIA AVITABILE

ACKNOWLEDGEMENTS

I wish to thank the Arnoldo Mondadori Publishing House of Milan, Italy, for granting permission to include *Non gridate più* by Giuseppe Ungaretti (*Il dolore,* 1947), and *Alle fronde dei salici* by Salvatore Quasimodo (*Giorno dopo giorno,* 1947).

In addition my thanks go to the publisher Giulio Einaudi of Turin, Italy, and to the Roslyn Targ Literary Agency, Inc., of New York City, for permission to include Italo Calvino's *Il bosco sull'autostrada* (from *I Racconti,* 1958).

G. A.

Introductory lesson

Pronunciation and Spelling (Pronuncia e ortografia)

GENERAL REMARKS:

There are no sounds in Italian which cannot be approximated by English speaking persons in spite of the fact that pronunciation and intonation are different in the two languages. It is of the greatest importance, when speaking Italian, to give full value to every vowel and to avoid slurring and gliding.

Pronunciation (which includes intonation: phrasing and accenting) is best learned by practice with the help of a teacher who can tell the student how to use his organs of speech in order to achieve the desired sounds, who can give immediate correction, and who can demonstrate the proper intonation.

Language tapes made by native speakers are very useful to supplement the training given by the teacher because they provide the student with hearing practice and with examples to imitate.

The student, however, will never improve his pronunciation unless he notices how he uses his organs of speech: where he places his tongue, how he rounds his lips, in what part of the mouth he utters the individual sounds. It takes effort and patience to accustom the mouth to making new sounds and one should practice every day for a few minutes at a time, looking in a mirror at the position of the lips and feeling where the tongue is placed. It is helpful, in pronouncing Italian sounds at first, to exaggerate the opening of the mouth and the rounding of the lips, and to speak as if one were irritated or were speaking to someone who refuses to understand. One then speaks quite unconsciously in a deliberate manner, articulating clear sounds, and this is the prerequisite of a good Italian pronunciation. To be sure one will feel awkward and self-conscious, but one should try to relax remembering that any person learning to speak a foreign language is in the same situation. If one makes the proper efforts from the very start one will achieve a good pronunciation in a relatively short time. A good pronunciation is that which is understood by natives unaccustomed to hearing foreigners, but is not necessarily perfect from the point of view of a native. One might add that perfection in pronunciation is hard to define even from the point of view of natives because of local differences and idiosyncrasies in speech. Clear sound and a good intonation will soon permit the beginner to communicate, with his limited vocabulary, in a very satisfactory manner with any Italian.

As compared with English, spelling in Italian presents only very few problems which can easily be mastered.

MOST IMPORTANT FEATURES OF ITALIAN PRONUNCIATION AND INTONATION:

1. In general, Italian is pronounced in the forward part of the mouth. The lips should be used to articulate clearly and to avoid slurring.

2. There are no nasal, guttural and aspirated sounds comparable to those in other languages, such as French or German. There are no neutral vowel sounds (like: it, got, put, officer, etc.).

3. The accent on words is learned by practice. Most words are accented on the next to the last syllable (penult), but there are innumerable exceptions. The vocabulary at the end of the textbook shows where the accent falls by means of a dot placed under the accented vowel. In writing, accents are normally marked only when they fall on the last syllable of a word terminating with a vowel. The grave accent (`) is the only accent used in this textbook.

4. It is of paramount importance to pronounce:
    a. each individual vowel, whether stressed or unstressed;
    b. double consonants as double, i.e., for a double length of time.

5. Italian groups of words are linked together as one word, there is not even a suggestion of a pause between as there is in English. Italian is a flowing language, not a staccato or explosive language.

6. Normally the voice drops at the end of a sentence, except in questions when, instead, the voice rises.

SPECIAL FEATURES OF ITALIAN PRONUNCIATION AND SPELLING:

In the Italian written language there are 21 letters.

j k x y w   are lacking although they are used in foreign words.

f   represents the English ph as well as f

h   is used:

    a. **with no sound** as an initial letter in four persons of the present indicative of the verb to have (**avere:** ho, hai, ha, hanno);

    b. **with no sound** in a few exclamations (ahi! ohimè! ah! oh!);

    c. after **c** and **g** before **i** and **e** to make the English sounds **k** and **g** as in go (see below, II, 3).

I Vowels (vocali):

Vowels have a definite, clear sound, are never pronounced with a slur or a glide. The position of the mouth remains the same throughout the uttering of any individual vowel.

a i u each keeps its respective sound regardless of its position in a word.

e o each has two sounds, one open (short) and one closed (long). Frequently but not always these vowels are open when accented. It is best to learn their sounds by practice.

There are, therefore, seven vowel sounds and five letters to represent them. The seven Italian vowel sounds are approximated in the following English words (remember: no slurring and no gliding):

father	a	casa	(house)
eight	e	nero	(black)
get, rest	e	festa	(feast)
tea, reel	i	rima	(rhyme)
cold, rope	o	conto	(account, bill)
caught, salt	o	lode	(praise)
ooze, choose	u	tutto	(everything)

II Consonants (consonanti):

Individual consonants are pronounced in general as in English.

1. A few present some difficulty in pronunciation:

    r is vibrated on the tip of the tongue which points upward behind the upper teeth:

        tre (three)   Roma (Rome)   Torino (Turin)

s   single, between vowels or initial followed by certain consonants (b d g l m n r v), is usually voiced and has almost the English sound **z**, or **s** as in prose:

> rosa (rose)   cosa (thing)   sbaglio (mistake)   snello (slender)

otherwise, and always when double, is unvoiced as in hiss or post:

> senso (sense)   presto (soon, quickly, early)   rosso (red)

z   single or double is voiced approximately as **ds** in reds or unvoiced as **ts** in pots:

> rozzo (rough)   zona (zone)
> pizza   piazza (city square)

d t   are tighter in Italian than in English: the tip of the tongue presses the back part of the upper teeth and no air is let through:

> tutto (everything)   tatto (tact)   tanto (so much)
> dadi (dice)   dato (given)   udire (to hear)

l   is pronounced in the forward part of the mouth with the tip of the tongue held firmly against the edge of the upper gums:

> lana (wool)   parlare (to talk)   bello (beautiful)

2. Some individual sounds are represented by a combination of letters and present some difficulty in pronunciation as well as in spelling:

gn   is similar to the sound **nyon** in the word canyon:

> ogni (each)   ognuno (each one)   signore (Mr.)

gli   is similar to the sound **llion** in the word million:

> figlio (son)   meglio (better)   gli (definite article)

except for the definite article **gli** and for **gli** meaning "to him", initial "gli" is pronounced as in English (glycerin: glicerina).

qu (**q** is always followed by **u**) has the sound **qw** as in quality:

quanto (how much)   quale (which) quando (when) questo (this)

3. Sounds which present no difficulty in pronunciation but are spelled differently in Italian from the English:

English sound and spelling:		Italian words with corresponding sound:	
sh	shadow	sciarpa	(scarf)
	shame	scelgo	(I choose)
	sheen	scintilla	(spark)
	shot	sciocco	(foolish)
	shoe	sciupare	(to spoil, to waste)
k	care	chela	(scorpion's claw)
	came	che	(that, which)
	kit	chilo	(kilogram)
	cart	carro	(cart)
	cone	con	(with)
	caught	costo	(cost)
	coon	cuna	(crib)
	check	certo	(certain)
	chin	Cina	
	charm	ciarla	(gossip)
	chocolate	cioccolato	(chocolate)
	choose	ciuco	(donkey)
g	game	traghetto	(ferry)
	geese	ghiaccio	(ice)
	garment	gatto	(cat)
	gone	regola	(rule)
	goose	gusto	(taste)

j	jest	gesto	(gesture)
	jeep	giro	(tour)
	jam	già	(already)
	jot	Giotto	
	jury	giuria	(jury)

Summary:

a. Written **sci** and **sce** have the English sound **she** and **sha**(me); **sca sco scu** have the sound **sk**. To harden **sci** and **sce** an **h** is inserted, to soften **sca sco scu** an **i** is inserted.

b. Written **c** and **g** before **a o u** are hard sounding: before **e i** they are soft sounding. To harden **c** and **g** before **e i** an **h** is inserted, to soften **c** and **g** before **a o u** an **i** is inserted.

4. Double consonants (consonanti doppie):

In order to pronounce a double consonant one holds the sound for a double length of time. It is helpful to note that in the case of **b c d g p t** and **q** one places the tongue in the position of the consonant but releases the sound an instant later.

ro-ba	(stuff)	bab-bo	(daddy)
ba-co	(worm)	Bac-co	(Bacchus)
ca-di	(you fall)	cad-di	(I fell)
pre-go	(I pray)	reg-go	(I hold)
re-gia	(royal, fem.)	reg-gia	(royal palace)
pa-pa	(pope)	pap-pa	(baby food)
tu-ta	(worker's overalls)	tut-ta	(all, fem.)
So-fia	(Sophia)	sof-fia	(it blows)
be-la	(it bleats)	bel-la	(beautiful, fem.)
fu-mo	(smoke)	fum-mo	(we were)
no-no	(ninth)	non-no	(grandfather)
pi-rico	(igneous)	pir-rico	(pyrrhic)
le-so	(injured)	les-so	(boiled, especially of meat or fish)
pio-ve	(it rains)	piov-ve	(it rained)

It is almost impossible to distinguish double from single **z**, hence one must note the spelling when reading.

The double sound of **q** is normally written **cq**, occasionally **qq**:

acqua (water)   acquisto (acquisition)   soqquadro (confusion)

ELISION AND APOCOPATION:

1.   In certain cases, as will be seen in future lessons, the last vowel of a word is dropped when the following word begins with a vowel; the dropped vowel is replaced by the apostrophe in writing. In some cases elision is optional, in others it is required. Whenever elision occurs the two words are pronounced as one:

l'uomo   (the man)   c'è   (there is)
il bell'uomo   (the handsome man)   nell'aula   (in the classroom)
l'insegnante   (the teacher)   all'alba   (at dawn)

2.   In some cases (usually the infinitive of verbs) the final vowel of a word is dropped regardless of the initial letter of the following word. Apocopation occurs because of euphony or simply through custom. Apocopation should not be used by a beginner unless he is sure of the correct usage. No mark is used to indicate apocopation: **aver fame** (to be hungry), **esser vero** (to be true).

DIVISION IN SYLLABLES:

1.   Each syllable has at least one vowel, two in the case of diphthongs, three for triphthongs. Diphthongs, in Italian, are composed of unaccented **i** and **u** in combination with another vowel.

le-a-le   (loyal)   au-la   (classroom)   aiu-to   (help)
ma-e-stro   (teacher, master)   cuo-re   (heart)   suoi   (his, plur.)
                                   cie-lo   (sky, heaven)
                                   piu-ma   (feather)

2. Single consonants belong to the following vowel:

    ca-sa   gi-ro   ciu-co   vo-ca-le

3. Double consonants belong one to the preceding and one to the following vowel:

    bab-bo   ros-so   ac-qui-sto   reg-go   peg-gio-re (worse)

4. When **l m n r** are followed by another consonant, they belong to the preceding vowel:

    cer-to   gen-te (people)   al-to (tall)   bam-bi-no (child)

5. Any other combination of two consonants belongs to the following vowel:

    fi-glio   giu-sto (just, right)   ri-chie-sta (request)   in-se-gnan-te

6. When there are three consonants together, the first belongs to the preceding vowel, except when it is **s** in which case all three belong to the following vowel:

    at-tra-ver-sa-re (to traverse)   com-pra-re (to buy)   ri-schia-re (to risk)

PRONUNCIATION EXERCISES

I

Buona sera, Signor Rossi.
  Good evening, Mr. Rossi
Buona sera, è una bella sera.
          it is a beautiful evening.
Buon giorno, Signora Targioni.
  Good morning, Mrs. Targioni.
Buon giorno, come sta?
          how are you?
Non c'è male, grazie.
  Not bad, thank you.
Signorina Rosati, Le presento un amico, il Signor Stipetti.
  Miss Rosati, I introduce a friend to you, Mr. S.
Piacere, Signor Stipetti.
  Pleased to meet you.

Molto piacere, signorina. Sa, conosco alcuni suoi parenti a Roma.

Very pleased to meet you. You know, I know some relatives of yours in Rome.

Davvero? Chi? Giorgio e Gina Zonta?

Indeed? Who? George and Jean Z?

Sì, proprio loro. Le porto i loro saluti e questo pacco.

Yes, they. I bring you their greetings and this package.

Grazie. Lei è molto gentile.

Thank you. You are very kind.

Prego, signorina, è un piacere.

You are welcome, it is a pleasure.

Mi dispiace, ma ora devo andare a insegnare. Ci vedremo più tardi.

I am sorry, but now I must go to teach. We shall see each other later.

ArrivederLa, signorina.

Good-by.

Arrivederci a più tardi.

Good-by until later.

II

Cominciamo la lezione.

Let's begin the class (lesson).

Siamo alla lezione d'italiano.

We are in the Italian class.

Come si dice buon giorno in inglese?

How does one say good morning in English?

Si dice "good morning".

One says

Come si pronuncia buon giorno?

How does one pronounce

Si pronuncia così.

thus.

Bisogna pronunciare bene tutte le vocali.

One must pronounce well all the vowels.

Ripeta buon giorno.

Repeat

Ripetano queste parole.

Repeat (plur.) these words.

E ora pronuncino buona sera.

And now pronounce

Signor Pizzetti, pronunci sera.
> *pronounce*

Bene, ora leggiamo.
> *Good, now let us read. (Now we shall read)*

Signorina, non capisco. Che cosa vuol dire "ora leggiamo?"
> *I don't understand. What does "now we shall read" mean?*

Vuol dire "we shall read now".

Leggiamo tutti insieme.
> *all together.*

Signor Filippetti, Lei non legge?
> *you are not reading?*

No, signorina, non leggo perchè non so pronunciare g l i.
> *No, I am not reading because I don't know how to pronounce g l i.*

Ascolti, Signor Filippetti, ascoltino tutti, gli gli gli.
> *Listen   Listen all*

Ora ripetano con me: gli, **gli,** gli uomini, gli amici, gli insegnanti, gli studenti.
> *with me   the men   friends   teachers   students*

È difficile.
> *It is difficult.*

Sì, è difficile, ma diventerà facile.
> *but it will become easy.*

III

Legga, Signorina Pasetti.
> *Read*

Bene. Ora leggano tutti insieme... Basta. Ora scrivano le frasi che leggo.
> *Good. Now read all together... That is enough. Now write the sentences I shall read.*

Scusi, signorina, non ho la penna.
> *I am sorry, I do not have my pen.*

Mi dispiace, ma io non ho un foglio di carta.
> *I am sorry, but I don't have a sheet of paper.*

Ecco una matita e ecco un foglio di carta. Bisogna sempre portare la carta e la penna a lezione.
> *Here is a **pencil.**   One should always bring paper and pen to class.*

Capiscono quello che leggo?
> *Do you (plur.) understand what I am reading?*

Un poco; quasi tutto; io no, non capisco quasi nulla.
   A little; almost everything; I don't, I don't understand almost anything.
Che cosa non capisce?
   What don't you understand?
La parola prima di esercizio e le parole dopo lungo.
   The word before exercise and the words after long.
Legga quelle parole.
   Read those words.
Bisogna pronunciare meglio. Legga di nuovo.
   It is necessary to pronounce better. Read again.
Ora capisco; quando leggo bene capisco.
   Now I understand; when I read well I understand.
Hanno domande?
   Do you have questions?
Signorina, ho una domanda. Come si dice "blackboard"?
Si dice "lavagna". "Chalk" si dice gesso.
Anche io ho una domanda. Qual'è la risposta quando si dice grazie?
   I too have a question. What is the answer when one says thank you?
La risposta è prego.
Altre domande? Se non ci sono altre domande, basta per oggi.
   Any other questions? If there are no other questions it is enough for today.
È la fine della lezione. Per piacere studino bene queste frasi. Arrivederci.
   It is the end of the class (lesson). Please study well these sentences.

Lesson (Lezione) I

SINGULAR AND PLURAL OF ARTICLES, NOUNS AND ADJECTIVES
(Il singolare e il plurale degli articoli, dei sostantivi e degli aggettivi).

PATTERN I

Masculine (Maschile)		Feminine (Femminile)	
il libro	**i** libri	**la** scuola	**le** scuole
(the book)	(books)	(the school)	(schools)
il libro nero	**i** libri neri	**la** scuola piccola	le scuole piccole
(black)		(small)	

Remark (Osservazione):

Most masculine and feminine nouns and adjectives follow pattern one: -o, -i; -a, -e.

Models (Modelli):

	Singolare	Plurale	
1.	**il** libro (m)	**i** libri	
2.	**il** *quaderno aperto*	**i** quaderni aperti	*notebook/open*
3.	**la** *scuola* (f)	**le** scuole	*school*
4.	**la** scuola *rossa*	**le** scuole rosse	*red*
5.	**il** *bravo ragazzo*	**i** bravi ragazzi	*able, good/boy*
6.	**la** *brutta casa*	**le** brutte case	*ugly/house*

Complete according to the appropriate model (Completare secondo il modello appropriato):

1.	il *tavolo*	....	*table*
2.	la *penna*	....	*pen*
3.	....	i ragazzi *spagnoli*	*Spanish*
4.	....	le ragazze *americane*	*American*
5.	il quaderno *nero*	....	*black*
6.	la *porta chiusa*	....:	*door/closed*
7.	....	le *finestre aperte*	*window/open*
8.	....	i *giorni festivi*	*day/festive, holiday*

PATTERN II

il lume	i lumi	la luce	le luci
(lamp, light)	(lamps, lights)	(light)	
il lume verde	i lumi verdi	la luce verde	le luci verdi

Osservazione:

Nouns and adjectives ending in -e *in the singular are either masculine or feminine and have the plural in* -i.

Modelli:

1.	**la** *luce*	**le** luci	*light*
2.	**il** *lume*	i lumi	*lamp*
3.	**la** *lezione facile*	**le** lezioni facili	*lesson/easy*
4.	il *signore francese*	i signori francesi	*gentleman (Mr.)/French*
5.	**la** *signora inglese*	**le** signore inglesi	*lady (Mrs.)/English*
6.	**il** libro *verde*	i libri verdi	*green*
7.	**il** *grande* tavolo	i grandi tavoli	*large, big, great*
8.	**la** lettura *difficile*	**le** letture difficili	*reading passage/difficult*

Completare secondo il modello appropriato:

1.	il lume verde	....	
2.	la *signorina* francese	....	*young lady (Miss)*
3.	....	le ragazze *grandi*	*big, grown up, great*
4.	....	i signori *italiani*	*Italian*
5.	la signora inglese	....	
6.	la brutta lezione	....	
7.	....	le lezioni difficili	
8.	....	i grandi quaderni	

Complete with the article, then give either the plural or the singular (Completare con l'articolo, poi dare il plurale o il singolare):

1. .... *parola* facile, ...	*word*
2. .... *frase* italiana, ...	*phrase*
3. .... luci *gialle*, ...	*yellow*
4. .... *professore* spagnolo, ...	*professor*
5. .... *professoresse* inglesi, ...	*professor (f)*
6. .... *giovane* italiano, ...	*young*
7. .... *vestito* rosso, ...	*dress*
8. .... *guanti* neri, ...	*gloves*
9. .... *cappotto* pesante, ...	*coat / heavy*
10. .... *settimana seguente*, ...	*week / following*
11. .... giorni seguenti, ...	
12. .... *lezione prossima*, ...	*lesson, class / next*
13. .... *domanda* facile, ...	*question*
14. .... *risposta* difficile, ...	*answer*
15. .... frasi difficili, ...	
16. .... libri pesanti, ...	
17. .... vestito *leggero*, ...	*light weight*
18. .... ragazzi bravi, ...	

Osservazione:

Adjectives normally follow the noun they modify, especially adjectives denoting nationality, color, shape, religion. A few adjectives follow or precede the noun and their meaning changes somewhat according to their position, as will be learned mostly by practice.

	PATTERN III		
lo anno l'anno (the year)	**gli** anni (years)	**la** aula l'aula (the classroom)	**le** aule
l'altro anno (the other year)	**gli** altri anni	l'altra aula	**le** altre aule
l'insegnante (teacher)	**gli** insegnanti (teachers)	l'insegnante	**le** insegnanti
lo studente (student)	**gli** studenti	**la** studentessa (student)	**le** studentesse
lo zero (zero)	**gli** zeri	**la** zebra (zebra)	**le** zebre
lo stesso zero	**gli** stessi zeri	l'altra zebra	**le** altre zebre

Osservazioni:

1. *When the word* **immediately** *following the article begins with a vowel and is singular, the article* **l'** *is used, meaning either* **lo** *for the masculine or* **la** *for the feminine, as the case may be; the plural is* **gli** *for the masculine and* **le** *for the feminine:*

               l'insegnante, **gli** insegnanti   l'insegnante, **le** insegnanti

   BUT   il bravo insegnante, i bravi insegnanti   la brava insegnante, le brave insegnanti
            (able, skilful)

2. **Lo** *and* **gli** *must take the place of* **il** *and* **i** *when the word* **immediately** *following begins with* **s** **followed by a consonant** *or with* **z**:

             lo studente, **gli** studenti   lo zero, **gli** zeri

   BUT   il bravo studente, i bravi studenti   il brutto zero, i brutti zeri

Modelli:

1.	l'*aula*	**le** aule	*classroom*
2.	**la** *spiegazione intelligente*	**le** spiegazioni intelligenti	*explanation/intelligent student (f)*
3.	**la** *studentessa*	**le** studentesse	
4.	l'*altra* studentessa	**le** altre studentesse	*other*
5.	l'italiana *gentile*	**le** italiane gentili	*kind*
6.	**lo** *zero*	**gli** zeri	*zero*
7.	**lo** *scherzo*	**gli** scherzi	*joke*
8.	**il** brutto scherzo	**i** brutti scherzi	
9.	l'*anno*	**gli** anni	*year*
10.	**lo** *stesso anno*	**gli** stessi anni	*same*
11.	l'*anno bisestile*	**gli** anni bisestili	*leap year*
12.	l'*altro scherzo*	**gli** altri scherzi	
13.	**lo** *stesso libro*	**gli** stessi libri	

Completare secondo il modello appropriato:

1.	lo *studente* francese	....	*student (m)*
2.	l'altro *insegnante*	....	*teacher*
3.	....	gli stessi *zingari*	*gypsy*
4.	....	i bravi studenti	
5.	la *vecchia* zingara	....	*old*
6.	il giovane *scrittore*	....	*writer (m)*
7.	....	le altre signorine	
8.	....	le brave studentesse	
9.	l'insegnante spagnola	....	
10.	.... *studioso povero*	....	*scholar/poor*
11.	....	.... grandi inglesi	
12.	.... *zigomo sporgente*	....	*cheek bone/protruding (high)*
13.	.... altra lezione	....	
14.	....	.... altri studenti	
15.	.... *impermeabile* nero	....	*raincoat*
16.	.... ragazzo *straniero*	....	*foreign*
17.	....	.... studenti francesi	
18.	....	.... spiegazioni difficili	
19.	.... signore *svedese* (m)	....	*Swedish*
20.	.... grande *scaffale* (m)	....	*shelf, book shelf*
21.	....	.... **giovani stranieri**	
22.	.... studioso *svizzero*	....	*Swiss*
23.	....	.... impermeabili verdi	
24.	.... stesso *rumore*	....	*noise*
25.	.... *mese* (m) seguente	....	*month*
26.	.... aula *piena*	....	*full*
27.	....	.... altre case *vuote*	*empty*
28.	....	.... stesse spiegazioni	
29.	....	.... aule vuote	

30.	.... studente *attento*	....	*attentive*
31.	.... porta chiusa	....	
32.	.... *brutto* zero	....	*ugly, bad*
33.	.... scherzo *stupido*	....	*stupid*
34.	.... ragazzo *confuso*	....	*confused*
35.	....	.... scaffali pieni	
36.	....	.... altri professori	
37.	.... *scienziato* intelligente	....	*scientist*

PRESENT AND FUTURE INDICATIVE OF THE VERB TO BE (Indicativo presente e futuro del verbo **essere**).

Presente		Futuro	
sono	**siamo**	**sarò**	**saremo**
sei	**siete**	**sarai**	**sarete**
è	**sono**	**sarà**	**saranno**

Subject pronouns (Pronomi soggetto).

Singolare (Singular)	Plurale (Plural)
io	noi
tu	voi
lui	loro
lei	
esso	essi
essa	esse
Lei	Loro

Osservazioni:

1. **TU** *in the singular and* **VOI** *in the plural are used in addressing members of one's own family, children, friends and colleagues. Normally, if one calls someone by the first name one uses the* **TU** *form when addressing one person and* **VOI** *when addressing more than one.*
2. **LEI** *in the singular and* **LORO** *in the plural are the polite forms of address. They are usually capitalized in formal correspondence. To distinguish them from* **she** *and* **they** *they are capitalized throughout this textbook.*
3. *Normally subject pronouns are used only for emphasis or to avoid ambiguity. One should use them, however, during the first lessons to gain familiarity with them.*

Subject pronouns with the **presente** and **futuro** of verb **essere**.

Subject pronouns (pronomi soggetto)		ESSERE	
		Presente	Futuro
io	I	**sono** (I am, I am being)	**sarò** (I shall be, I am going to be)
tu	you, singular familiar form of address	**sei**	**sarai**
lui	he (also **egli**)		
lei	she (also **ella**)		
esso	it, (m) primarily for animals and things	**è**	**sarà**
essa	it, (f) primarily for animals and things		
Lei	you, singular polite form of address		
noi	we	**siamo**	**saremo**
voi	you, plural of **tu**	**siete**	**sarete**
loro	they, (m f)		
essi	they, used also for persons	**sono**	**saranno**
esse	they, used also for persons		
Loro	you, plural of **Lei**		

Examples. Note the agreement of the adjective with the gender and number of the subject. (Esempi. Notare l'accordo dell'aggettivo con il soggetto):

Presente

1. Io (Carlo) sono italiano.
2. Tu (Anna) sei italiana.
3. Paolo è confuso.
4. Maria è confusa.
5. Noi (Maria e Anna) siamo attente.
6. Noi (Carlo e Paolo) siamo poveri.
7. Voi (Anna e Carlo) siete confusi.
8. I ragazzi sono studenti.
9. Le porte sono aperte.
10. I vestiti sono rossi.

Futuro

1. Io (Carlo) sarò italiano.
2. Tu (Anna) sarai italiana.
3. Paolo sarà confuso.
4. Maria sarà confusa.
5. Noi (Maria e Anna) saremo attente.
6. Noi (Carlo e Paolo) saremo poveri.
7. Voi (Anna e Carlo) sarete confusi.
8. I ragazzi saranno studenti.
9. Le porte saranno aperte.
10. I vestiti saranno rossi.

Inserire la forma dovuta del **presente** di **essere** (Insert the proper form of the present of **essere**):

1. La Signora Rossi .... qui?
2. Paolo, tu .... italiano?
3. Noi studenti .... attenti.
4. I Signori Lenti .... svizzeri.
5. Le spiegazioni .... confuse.
6. L'aula .... grande.
7. Io .... stupido.
8. Gli studenti .... giovani.
9. Voi .... studenti?
10. Professore, Lei .... americano?

Inserire la forma dovuta del **futuro** di **essere**:

1. Le ragazze .... qui.

2. Io .... bravo.

3. Le porte .... aperte?

4. Voi .... attenti.

5. Tu .... qui.

6. Noi .... professori.

7. Le aule .... vuote.

8. Noi .... confusi.

9. Io .... insegnante.

10. Voi .... bravi.

Note (notare):

1. The future, unless it refers to an event which will occur at a future time, indicates probability or possibility:

> io sarò attenta
> il Signor Romero sarà spagnolo

> I *shall be*, I *am going to be*, attentive
> Mr. Romero *may be* Spanish

2. In English one says: I am **an** American, he is **a** doctor, Mr. Cini is **a** Catholic. In Italian one says: **sono americano**, **è dottore**, **il Signor Cini è cattolico**, provided there is **no modifier**:

> sono americano
> Marco è studente

> *BUT*
> *BUT*

> sono *un* cittadino americano
> Marco è *un* bravo studente

Completare con il **presente** di **essere**:

1. Le ragazze .... stranier........

2. Tu (Anna) .... gentil........

3. Gli studenti .... confus........

4. La *scrittrice* spagnola .... brav........   *writer (f)*

5. Noi (Lia e Anna) .... american........

6. Lei, Signor Rossi, ... professore?*

7. I *racconti* di Moravia .... interessant........   *story*

8. Voi, ragazzi, ... confus........?

9. Tu (*Carlo*) .... italian........?   *Charles*

10. I guanti di Rita .... ner........

11. Io (Lia) .... confus........

12. Le lezioni .... facil........

13. Tu (Carlo) .... brav........

14. Voi (Carlo e Lia) .... spagnol........

15. Loro (Anna e Paolo) .... confus........

---

* *In an interrogative sentence the subject may be placed before the verb or at the end of the sentence.*

Completare con il **futuro** di **essere**:

1. Le ragazze .... stranier........

2. Tu .... gentil........

3. Gli studenti .... confus........

4. La scrittrice spagnola .... brav........

5. Noi .... american........

6. Lei .... professore?

7. I racconti di Moravia .... interessant........

8. Voi .... confus........?

9. Tu .... italian........?

10. I guanti di Rita .... ner........

11. Io .... confus........

12. Le lezioni .... facil........

13. Tu .... brav........

14. Voi .... spagnol........

15. Loro .... confus........

Examples. Note the use of the subject pronouns. (Esempi. Notare l'uso dei pronomi soggetto):

1. Il cappotto è *nuovo?*	*Sì,* **esso** è *nuovo.*	*new/yes*
La casa è grande?	No, **essa** è *piccola.*	*small*
2. I guanti sono neri?	Sì, **essi** sono neri.	
Le porte sono aperte?	Sì, **esse** sono aperte.	
3. *Paolo,* **tu** sei confuso?	Sì, **io** sono confuso.	*Paul*
Anna, **tu** sei francese?	No, **io** sono italiana.	
4. Paolo e *Giorgio,* **voi** siete confusi?	Sì, **noi** siamo confusi.	*George*
Anna e Rita, **voi** siete confuse?	Sì, **noi** siamo confuse.	
Giorgio e Rita, **voi** siete spagnoli?	No, **noi** siamo italiani.	
5. Signor* Tardini, **Lei** è italiano?	No, **io** sono americano.	
Signora Finzi, **Lei** è americana?	Sì, **io** sono americana.	
6. *Signori*** Rossi, **Loro** sono stranieri?	Sì, **noi** siamo stranieri.	*Mr. and Mrs.*
Signorine, **Loro** sono inglesi?	No, **noi** siamo americane.	

* *In direct address the article is not used before a title. Masculine titles ending in* -ore *drop the final vowel when followed by the name:*

Il *Dottor Neri è qui.*   **Il** *dottore è qui.*
Il *Professor Ricci è qui.*   **Il** *professore è qui.*

** **Signori** *is used in addressing a man and his wife, two or more men, or a mixed audience.*

7. Paolo e Anna sono americani?   No, **loro (essi)** sono spagnoli.
   Le signorine sono qui?   Sì, **loro (esse)** sono qui.
8. I guanti sono neri?   Sì, **essi** sono neri.
   Le porte sono aperte?   Sì, **esse** sono aperte.

Esercizio. Dare il pronome soggetto (Exercise. Give the subject pronoun):

1. .... siete americani?   5. .... sono svizzeri.

2. No, ... siamo spagnoli.   6. .... sono studente.

3. .... sei confuso?   7. .... sei bravo.

4. Sì, ... sono confuso.   8. ...., Signora, è straniera?

SOME EXPRESSIONS AND THE USE OF SOME PREPOSITIONS (Alcune espressioni e l'uso di alcune preposizioni):

A 1. Il professore è **in ritardo.**   The professor is late.
   2. Tu e io saremo **in orario.**   You and I will be on time.
   3. Anna è **in anticipo.**   Anne is ahead of time.
   4. Carlo non sarà **in orario.**   Charles will not be on time.
   5. È **presto**, sei **in anticipo.**   It is early, you are ahead of time.
   6. È **tardi**, siamo **in ritardo.**   It is late, we are late.

B 1. Roma è **in** Italia.*   Rome is in Italy.
   2. Parigi è **in** Francia.   Paris is in France.
   3. I Signori Tozzi sono **in** Spagna.   Mr. and Mrs. Tozzi are in Spain.
   4. Londra è **in** Inghilterra.   London is in England.

C 1. Il Colosseo è **a** Roma.*   The Colosseum is in Rome.
   2. Domani sarete **a** Parigi.   Tomorrow you will be in Paris.
   3. Carlo e Lia sono **a** Boston.   Charles and Lia are in Boston.
   4. Noi saremo **a** Madrid **in** Spagna.   We shall be in Madrid in Spain.

D 1. Il libro **di** Carlo è qui.   Charles' book is here.
   2. Il libro è **di** Carlo.   The book is Charles' (belongs to).
   3. Le vie **di** Roma sono strette.   The streets of Rome are narrow.

E 1. Maria **non** sarà in orario.   Mary will not be on time.
   2. Sarai qui? **No, non** sarò qui.   Will you be here? No, I shall not be here.
   3. I Signori Rossi **non** sono a Londra.   Mr. and Mrs. Rossi are not in London.

---

* *Note that in Italian one uses the preposition* **in** *with the name of countries and the preposition* **a** *with the name of cities.*

ESERCIZI

A   I   Give the singular or the plural of the following phrases. (Dare il singolare o il plurale delle seguenti frasi):

1. la domanda
2. il cappotto pesante
3. i rumori
4. le scrittrici
5. gli zingari francesi
6. l'aula piena di studenti
7. le risposte stupide
8. l'anno bisestile
9. lo studente straniero
10. le insegnanti americane
11. gli scrittori italiani
12. la porta aperta
13. la frase difficile
14. il quaderno di Paolo
15. le studentesse inglesi

II   1. Le parole italiane saranno difficili.
2. I vestiti di Anna non sono nuovi.
3. Tu sei confuso?
4. Noi saremo in ritardo.
5. Signorina, Lei non è in orario.
6. Il professore di Carlo è bravo.
7. Le aule sono piene di studentesse.
8. Voi non sarete in anticipo.
9. Domani i ragazzi saranno a Madrid in Spagna.
10. Io sono francese, voi siete americani.
11. L'impermeabile di Giorgio è nero?
12. Gli altri ragazzi saranno stranieri.
13. Lo scherzo di Lia è stupido.
14. I grandi scaffali sono verdi.
15. Voi siete studenti e noi siamo professori.

B   I   Give the Italian equivalent. (Dare l'equivalente italiano):

1. I shall be a teacher.
2. The lesson is interesting.
3. You (tu) will be late.
4. Paul and I are American.
5. Tomorrow we shall be in Paris.
6. The sentences are easy.
7. Italian words are difficult.
8. Will you (Loro) be in Spain?

9. Anne will not be here on time.
10. Lia's dress is yellow.
11. Are you (Lei, f) confused?
12. Tomorrow the teacher will be here.

II Copy and complete. (Copiare e completare):

1. Roma è .... Italia.

2. Il cappotto nero è .... Anna.

3. Lo zio domani sarà .... Parigi.

4. Il professore è .... ritardo.

5. Gli zii .... Paolo sŏno .... Spagna.

6. Siete confusi? No, ... siamo confusi.

7. Non siamo in anticipo, siamo ....

8. I quaderni e i libri .... Maria .... qui.

C Lettura (reading passage). Leggere ad alta voce più volte (Read out loud several times).

Saluti (Greetings).

— *Buon giorno.*	*good morning, good day*
— Buon giorno. *Come sta* Signor Giorgini?	*how are you*
— *Bene, grazie, e Lei?*	*well, thank you, and you*
— *Non c'è male,* grazie.	*not bad*
— *Buona sera,* Signora Celia.	*good evening (often used at any time in the afternoon)*
— Buona sera, Signorina Cirio. *Le presento il Signor Gentile.*	*I introduce Mr. Gentile to you*
— *Piacere,* Signor Gentile.	*pleased to meet you*
— *Molto piacere,* Signorina.	*very pleased*
— *Arrivederci.*	*good by*

TO THE STUDENT:

The exercises that follow (and which will follow the reading passage in subsequent lessons) are intended to help you to become fluent in Italian by asking you to check on your mastery of part of the vocabulary, by encouraging you to make up sentences of various types, and, at times, by adding some vocabulary that you may find useful.

In performing these exercises try to use your imagination and ingenuity, but **don't ever** attempt to use what you have not yet studied. Especially at first, the questions and your answers will be simple, but gradually you will be able to formulate more meaningful sentences and to express yourself more adequately.

D   Alcuni (some) altri colori (colors):

1.   **marrone** (brown), **rosa** (pink), **viola** (violet, purple) are invariable:

> le scarpe (shoes) marrone
> le luci viola
> il vestito rosa

2.   **celeste** (pale blue, sky blue), **azzurro** (blue), **arancione** (orange), **vermiglio** (vermilion):

> i vestiti celesti
> i cappotti azzurri

E   I   Answer with complete sentences in Italian (Rispondere con frasi complete in italiano):

1.   Come (how) è Paolo?
2.   Come è il cappotto?
3.   Come è il vestito?
4.   Come sono le finestre?
5.   Come sono le luci?
6.   Lei è spagnolo?
7.   È straniero Lei?
8.   Dove è Roma?
9.   Chi (who) è l'insegnante d'italiano?

II   In answering give the opposite (Nel rispondere dare il contrario):

1.   Silvia Brown è in **ritardo**?
2.   L'aula è **grande**?
3.   Il tavolo è **leggero**?
4.   Sono **stupidi** gli studenti?

III   Prepare (preparare):

1.   Exchange of greetings.
2.   Introduction of someone.

VOCABOLARIO

anno   *year*
aula   *classroom, great hall*
cappotto   *coat, overcoat*

casa   *house*
cattolico   *Catholic*
Colosseo   *Colosseum*

domanda   *question*
domani   *tomorrow*
dottore (m)   *doctor*
finestra   *window*
Francia   *France*
frase (f)   *phrase, sentence*
giorno   *day*
guanto   *glove*
impermeabile (m)   *raincoat*
Inghilterra   *England*
insegnante (m f)   *teacher*
Italia   *Italy*
italiano   *Italian*
lezione (f)   *lesson, class*
libro   *book*
luce (f)   *light*
lume (m)   *lamp, light*
mese (m)   *month*
Parigi   *Paris*
parola   *word*
penna   *pen*
porta   *door*
professore (m)   *professor*
professoressa   *professor*
quaderno   *notebook*
racconto   *short story, story, tale*
ragazza   *girl*
ragazzo   *boy*
risposta   *answer*
Roma   *Rome*
rumore (m)   *noise*
scaffale (m)   *shelf*
scarpa   *shoe*
scherzo   *joke*
scienziato   *scientist*
scrittore (m)   *writer*
scrittrice (f)   *writer*
scuola   *school*
sera   *evening*
settimana   *week*
signora   *Mrs., lady*
signore (m)   *Mr., gentleman*
signorina   *Miss, young lady, unmarried woman*
Spagna   *Spain*
spiegazione (f)   *explanation*
studente (m)   *student*
studentessa   *student*

studioso   *scholar*
tavolo   *table*
vestito   *dress, suit*
via   *street*
zebra   *zebra*
zero   *zero*
zigomo   *cheek bone*
zingaro   *gypsy*

altro   *other*
americano   *American*
aperto   *open*
arancione   *orange (color)*
attento   *attentive, careful*
azzurro   *blue*
bisestile, anno bisestile   *leap year*
bravo   *good (able, skillful)*
brutto   *ugly*
chiuso   *closed*
confuso   *confused*
difficile   *difficult*
facile   *easy*
festivo   *festive*
francese   *French*
gentile   *kind, polite*
giallo   *yellow*
giovane   *young*
grande   *large, big, great*
inglese   *English*
intelligente   *intelligent*
interessante   *interesting*
italiano   *Italian*
leggero   *light (weight), frivolous*
marrone (invar)   *brown*
nero   *black*
nuovo   *new*
pesante   *heavy*
piccolo   *small, little*
pieno   *full*
povero   *poor*
prossimo   *next, coming*
rosa (adj invar)   *rose, pink*
rosso   *red*
seguente   *following*
spagnolo   ***Spanish***
sporgente   *protruding*
stesso   *same*

straniero *foreign*
stretto *narrow*
stupido *stupid*
svedese *Swedish*
svizzero *Swiss*
vecchio *old*
verde *green*
viola *purple, violet*
vuoto *empty*

di *of*
e, ed *and*
in *in, at*
no *no*
non *not*
presto (adv) *early, soon, quickly*
qui *here*

sì *yes*
tardi (adv) *late*

essere in anticipo *to be ahead of time (for an appointment, etc.)*
essere in orario *to be on time (for an appointment, etc.)*
essere in ritardo *to be late (for an appointment, etc.)*

a Roma (a Parigi, Washington, Madrid) *in Rome*
in Italia (in Francia, Spagna, etc.) *in Italy*

Lesson (Lezione) II

GLI AGGETTIVI: QUELLO (that), **BELLO** (beautiful), **QUESTO** (this).

QUELLO (notare l'ortografia):

quel libro	**quei** libri	**quello** stesso libro	**quegli** stessi libri	
quell'anno	**quegli** anni	**quel** *felice* anno	**quei** felici anni	*happy*
quello scherzo	**quegli** scherzi	**quel** brutto scherzo	**quei** brutti scherzi	
quell'altro dottore	**quegli** altri dottori	**quel** bravo dottore	**quei** bravi dottori	
quella penna	**quelle** penne	**quella** stessa penna	**quelle** stesse penne	
quell'aula	**quelle** aule	**quella** grande aula	**quelle** grandi aule	
quella *stanza*	**quelle** stanze	**quell'**altra stanza	**quelle** altre stanze	*room*

Osservazione:

QUELLO *always precedes the noun it modifies, it* **replaces** *the article.*

Give the appropriate form of the adjective **quello** (dare la forma appropriata dell'aggettivo **quello**):

1. .... tavolo
2. .... casa
3. .... anno
4. .... scienziato
5. .... scrittrice
6. .... impermeabili
7. .... guanti
8. .... finestre
9. .... giorno
10. .... altra ragazza

11. .... vestiti nuovi
12. .... domande difficili
13. .... studente straniero
14. .... cappotti leggeri
15. .... insegnanti spagnoli
16. .... zigomi sporgenti
17. .... porta aperta
18. .... studioso francese
19. .... lezioni interessanti
20. .... stesso professore

BELLO:

il **bel** ragazzo	i **bei** ragazzi	il ragazzo **bello**	i ragazzi **belli**	
il **bello** *studio*	i **begli** studi	lo studio **bello**	gli studi **belli**	*study*
il **bell'**uomo	i **begli** uomini	l'uomo **bello**	gli uomini **belli**	
la **bella** donna	le **belle** donne	la donna **bella**	le donne **belle**	
la **bella** studentessa	le **belle** studentesse	la studentessa **bella**	le studentesse **belle**	
la **bell'**azione	le **belle** azioni	l'azione **bella**	le azioni **belle**	*action*

Osservazioni:

1. **BELLO** *usually precedes the noun it modifies; it may follow for emphasis.*
2. *Both* **QUELLO** *and* **BELLO**, *when they precede the noun, follow the pattern of the definite article. Their spelling (and pronunciation) is determined by the beginning letter or letters of the word* **immediately** *following.*

Dare la forma appropriata dell'aggettivo **bello** preceduto dall'articolo (preceded by the article):

1. .... guanti
2. .... scrittrici
3. .... luce
4. .... scherzo
5. .... insegnanti americane

6. .... anno
7. .... giorni festivi
8. .... risposte
9. .... scaffali
10. .... tavolo rosso

Modelli:

1. quel bel ragazzo   quei bei ragazzi   quel ragazzo bello   quei ragazzi belli
2. quel bello scherzo   quei begli scherzi   quello scherzo bello   quegli scherzi belli
3. quella bell'aula   quelle belle aule   quell'aula bella   quelle aule belle

Insert the adjectives **quello** and **bello** in the blank spaces. (Inserire gli aggettivi **quello** e **bello** negli spazi in bianco):

1. .... ragazza
2. .... libri
3. .... vestiti ....
4. .... lezione ....
5. .... aula

6. .... impermeabili
7. .... cappotto leggero
8. .... uomo ....
9. .... zingari
10. .... mese

QUESTO:			
questo *francobollo*		**questi** francobolli	*postage stamp*
questo *esame*	**quest'**esame	**questi** esami	*examination*
questo studente		**questi** studenti	
questa *busta*		**queste** buste	*envelope*
questa *ora*	**quest'**ora	**queste** ore	*hour*

Osservazioni:

1. **QUESTO**, *like* **quello**, *always precedes the noun it modifies and is never preceded by an article.*

2. *It presents no problems of spelling except that before a vowel the elision is rather common in the singular, especially in speech.*

Dare la forma appropriata dell'aggettivo **questo**:

1.	.... *idea*	5.	.... *aule*		*idea*
2.	.... quaderno	6.	.... *racconti*		*stories, tales*
3.	.... studio	7.	.... insegnante (f)		
4.	.... zingari	8.	.... scrittore		

THE PRONOUNS QUELLO AND QUESTO (I pronomi **quello** e **questo**).

Modelli:

A

1.	questi libri non **quelli**	7.	quell'anno non **questo**
2.	quei libri non **questi**	8.	quest'anno non **quello**
3.	questo studente non **quello**	9.	quella scuola non **questa**
4.	quello studente non **questo**	10.	questa scuola non **quella**
5.	questi scrittori non **quelli**	11.	queste aule non **quelle**
6.	quegli scrittori non **questi**	12.	quelle aule non **queste**

B

1.	il libro di Maria e il libro di Giorgio	il libro di Maria e **quello** di Giorgio Mary's book and George's
2.	la lezione d'italiano e la lezione di storia	la lezione d'italiano e **quella** di storia the Italian class and the history one
3.	gli impermeabili neri e gli impermeabili gialli	gli impermeabili neri e **quelli** gialli
4.	lo studio di Lia e lo studio di Stefano	lo studio di Lia e **quello** di *Stefano* *Stephen*

Notare: *As a pronoun* **QUELLO** *has only the four forms* **quello, quelli, quella, quelle.**

Inserire la forma appropriata del pronome **quello**:

1. *L'indirizzo* di Rita e .... di Paolo.   *address*

2. I vestiti rossi e .... gialli.

3. Queste idee non .... di *Franco.*   *Frank*

4. La *madre* di *Arturo* e .... di Vanna.   *mother/Arthur*

5. Il *padre* di *Luigi* e .... di *Lucia*   *father/Louis/Lucy*

6. La *stoffa* di *seta* non .... di *lana*.   *cloth/silk/wool*

7. Gli esami d'italiano e .... di storia.

8. I professori di francese e .... di *filosofia*.   *philosophy*

Modelli:

1. *Quale colore?*   **Quello** rosso *chiaro*.   *which/color/ clear, light*
2. Quali studenti?   **Quelli** stranieri.
3. Quali finestre?   **Quelle** dell'aula.
4. Quale penna?   **Quella** di Luigi.

Answer the questions according to the appropriate model (Rispondere alle domande secondo il modello appropriato):

1. Quale signore? .... francese

2. Quali buste? .... rosse

3. Quale lezione? .... italiano

4. Quale storia? .... Roma *antica*   *ancient*

5. Quali professori? .... filosofia

6. Quali scienziati? .... inglesi

7. Quale stoffa? .... lana

8. Quale indirizzo? .... Arturo

PREPOSITIONS COMBINED WITH THE ARTICLES (Preposizioni articolate).

The prepositions listed below combine with the article as follows:

Article preceded by:	**a** (to, at)	**da** (from, by)	**di** (of)	**in** (in)	**su** (on)
il	al	dal	del	nel	sul
lo	allo	dallo	dello	nello	sullo
l'	all'	dall'	dell'	nell'	sull'
i	ai	dai	dei	nei	sui
gli	agli	dagli	degli	negli	sugli
la	alla	dalla	della	nella	sulla
l'	all'	dall'	dell'	nell'	sull'
le	alle	dalle	delle	nelle	sulle

Esempi:

1. Il libro è **dello** studente.
2. I francobolli sono **sulla** busta.
3. Il *giornale* è **nello** studio.   *newspaper*
4. Le luci **delle** aule sono *accese* **dagli** insegnanti.   *lighted*
5. Parlo (I speak) **agli** studenti.
6. Le frasi sono **nel** quaderno di Lia.

Premettere la preposizione articolata:

a   .... studentessa

         .... esame di filosofia

         .... lezioni di storia

         .... zingari

di   .... racconto

         .... insegnanti (m)

         .... *libro di lettura*   *reading book*

         .... giorni festivi

in   .... anni bisestili

         .... buste aperte

         .... *corridoio*   *corridor*

         .... studio del dottore

su   .... tavolo

         .... quaderni di Stefano

         .... porta dell'aula

         .... scaffali della *biblioteca*   *library*

da   .... studenti

         .... professore

         .... finestre

         .... giornali di *oggi*   *today*

ESERCIZI

A I Dare il singolare o il plurale delle seguenti frasi:

1. il bravo studente
2. i grandi scrittori francesi
3. quel nuovo indirizzo
4. quelle lezioni interessanti
5. tu sarai brava
6. quei signori saranno svedesi
7. quelle stoffe sono di seta
8. i francobolli sono sulle buste
9. questo insegnante non quello
10. il bel cappotto di Vanna è nuovo
11. queste sono le idee degli studenti stranieri
12. questa luce è bella quando è accesa
13. quegli studenti sono in Francia
14. quali insegnanti? quelle di storia
15. quale libro? quello aperto

II Substitute the subject pronoun for the subject given (Sostituire il pronome soggetto al soggetto dato). Modello: questi ragazzi sono spagnoli,
loro sono spagnoli.

1. Quei ragazzi sono poveri.
2. Quelle ragazze saranno in ritardo.
3. Lucia, sei in anticipo.
4. Giorgio e tu sarete insegnanti.
5. La madre di Arturo è scrittrice.
6. Questo lume non è acceso.
7. Quelle stanze sono belle.
8. Maria e io siamo italiane.
9. Quella finestra non è chiusa.
10. Quell'esame sarà difficile.
11. Signora, non è felice?
12. Il Dottor Gianelli non sarà nello studio domani.

III Re-write the following sentences inserting the adjective **bello** before the
noun and making the necessary changes (Riscrivere inserendo l'aggettivo
bello e facendo i cambiamenti necessari). Modello: quel quadro, quel bel
quadro (picture).

1. Quei   ragazzi
2. Il   libro spagnolo
3. Questa   casa
4. Quegli   studenti
5. Le   luci
6. Quell'   ora
7. Quegli   anni felici
8. Questo   scaffale

B   Dare l'equivalente italiano:

1. That book is Mary's.
2. Which book? The one on the table.
3. Professor Ricci is in the classroom.
4. Which newspaper is it? Today's.
5. The sentences (phrases) are in Luigi's notebook.
6. That woman is a writer.
7. Mr. Zonta today is not on time.
8. Tomorrow we shall be in Paris.
9. Those classrooms are full of students.
10. Lewis' jokes are stupid.
11. Will you be in Spain next year? (you: four ways)
12. How are you, Miss Mancini?
13. Not bad, thank you, and you?
14. This story is from Moravia's book **Racconti romani.**
15. The classroom windows and the ones in the corridor are open.

C   Leggere più volte ad* alta voce.

Impariamo alcune frasi utili (let us learn some useful sentences):

— *Per piacere, come si dice* in italiano...?   *please, how does one say*
— *Scusi, non capisco.*   *sorry, I don't understand*
— *Ripeta,* per piacere.   *repeat* (**Lei** *form*)
— Ripetano *di nuovo.*   (**Loro** *form*) *again*
— Scusi, come si dice «you are welcome»?
— Si dice: prego.
— Ripetano *tutti insieme.*   *all together*
— *Che cosa vuol dire* «insieme»?   *what does it mean*
— Vuol dire: «together».
— *legga,* signorina.   *read* (**Lei**)
— Leggano, signorine. Leggano tutte insieme.   (**Loro**)
— *Scriva,* Signor Tenca.   *write* (**Lei**)
— Scrivano *nel quaderno.*   (**Loro**) *in the notebook*
— *Ascolti,* Professor Cerquetti.   *listen* (**Lei**)
— Ascoltino *con attenzione*   (**Loro**)/ *with attention*
— Signora Baldoni, legga *tutte le parole.*   *all the words*
— Ascolti *bene,* signore.   *well*
— Ascolti di nuovo e ripeta tutta la frase.
— *Basta per oggi.* Arrivederci.   *it is enough for today*

_____

* *When immediately followed by a vowel,* e *(and) and* a *(at, to) are pronounced and written* **ed** *and* **ad** *at the discretion of the speaker or writer.*

D Alcuni altri *paesi* e il nome dei cittadini (the name of their citizens): **paese** *(m): country, village.*

(la) Svizzera (Switzerland)	svizzero
(lo) Egitto (Egypt)	egiziano
(il) Giappone (Japan)	giapponese
(la) Russia (Russia)	russo
(il) Marocco (Morocco)	marocchino
(il) Canadà (Canada)	canadese
(il) Messico (Mexico)	messicano
(lo) Israele (Israel)	israeliano
(la) Repubblica Ceca	ceco
(la) Repubblica Slovacca	slovacco
(lo) Iran (Iran)	iraniano, persiano
(la) Turchia (Turkey)	turco
(la) India (India)	indiano
(la) Africa (Africa)	africano
(la) Asia (Asia)	asiatico, orientale
(la) Australia (Australia)	australiano
(la) Europa (Europe)	europeo

E I Rispondere con frasi complete in italiano:

1. Che cosa (what) è quello?
2. Che cosa è questo?
3. Chi è in Italia?
4. Dove siamo?
5. Dove sono i libri?
6. Dov'è la penna?
7. Qual è il colore delle rose (roses)? delle viole (violets)? dei crisantemi (chrysanthemums)?
8. Dove è il professore?

II Dare il contrario:

1. Quelle domande sono **facili.**
2. Questa è una **brutta** azione.
3. Il quaderno è **aperto.**
4. La domanda è **intelligente.**

III Preparare in italiano (Prepare in Italian). Pretend that you are the teacher and ask your students to do various things. Use **essere** and the verbs in the **lettura** but add something, such as: **leggano questa frase, scriva nel quaderno.** You are free to use your imagination but must be restricted to what you have studied.

VOCABOLARIO

Arturo   *Arthur*
azione (f)   *action*
biblioteca   *library*
busta   *envelope*
colore (m)   *color*
corridoio   *corridor*
crisantemo   *chrysanthemum*
donna   *woman*
esame (m)   *examination*
filosofia   *philosophy*
Franco   *Frank*
francobollo   *postage stamp*
giornale (m)   *newspaper*
idea   *idea*
indirizzo   *address*
lana   *wool*
Luigi   *Louis, Lewis*
madre   *mother*
Maria   *Mary*
oggi   *today*
ora   *hour, time*
padre   *father*
Paolo   *Paul*
rosa   *rose (flower)*
seta   *silk*
stanza   *room; stanza (poem)*
Stefano   *Stephen*
stoffa   *cloth*
storia   *history, story*
studio   *study*

uomo, uomini   *man*
viola   *violet (flower)*

acceso   *lighted, ignited*
antico   *ancient*
bello   *beautiful*
chiaro   *clear*
felice   *happy*
orientale   *oriental*

quale (adj pron)   *which, which one*
questo (adj pron)   *this, this one*
quello (adj pron)   *that, that one*
bene (adv)   *well*
ascolti, ascoltino (imper)   *listen*
basta per oggi   *enough for today*
che cosa vuol dire...?   *what does... mean?*
con attenzione   *with attention*
di nuovo   *again*
legga, leggano (imper)   *read*
per piacere, come si dice ...?   *please, how do
   you say ...?*
prego   *you are welcome*
ripeta, ripetano (imper)   *repeat*
scriva, scrivano (imper)   *write*
scusi, non capisco   *excuse me, I dont't understand*
tutti insieme   *all together*

Lezione III

PRESENTE E FUTURO DEL VERBO AVERE (to have):

Presente	Futuro
io **ho** (I have, I am having)	**avrò** (I will -shall -have), I am going to have)
tu **hai**	**avrai**
lui **ha**	**avrà**
noi **abbiamo**	**avremo**
voi **avete**	**avrete**
loro **hanno**	**avranno**

Esempi:

Presente	Futuro	
1. Io ho l'indirizzo di Pia.	Io avrò l'indirizzo di Pia.	
2. Tu hai lezione.	Tu avrai lezione.	
3. Stefano ha la *matita*.	Stefano avrà la matita.	*pencil*
4. Lei, Signorina, ha gli esami?	Lei, Signorina, avrà gli esami?	
5. Franca ed io abbiamo lezione.	Franca ed io avremo lezione.	
6. Franco e tu non avete lezione.	Franco e tu non avrete lezione.	
7. Quelle case hanno le luci accese.	Quelle case avranno le luci accese.	
8. Loro, Signori, hanno la penna?	Loro, Signori, avranno la penna?	

NUMERI da due a dodici (Numbers from two to twelve):

due (2), tre (3), quattro (4), cinque (5), sei (6), sette (7),
otto (8), nove (9), dieci (10), undici (11), dodici (12).

Esempi:

1. Ho cinque frasi da scrivere.	*I have five sentences to write (must be written)*
2. Per domani Loro avranno due *capitoli da leggere*.	*chapters to read*
3. Avrò dodici frasi *da tradurre*.	*to translate*
4. Avrete dieci risposte *da preparare*.	*to prepare*
5. Per *dopodomani* avremo tre verbi *da studiare*.	*day after tomorrow/to study*
6. Ho quattro *domande da fare*.	*questions to ask*
7. Avrà undici *ospiti a pranzo*.	**ospite** *(m f): guest/for dinner*
8. Quel libro *avrà* otto o nove capitoli.	*perhaps has*

Complete the following sentences by inserting the proper form of the **present** or **future** of **avere** and writing out the number given in parentheses (Completare inserendo la forma appropriata del presente o del futuro di **avere** e scrivendo in lettere il numero dato fra parentesi):

1. Dopodomani tu .... (3) .... lezioni.

2. Paolo e Valeria .... (4) :........................ case.

3. La settimana prossima gli studenti .... (6) .... esami.

4. Quel libro .... (10) .... capitoli.

5. Il mese prossimo noi .... (5) .... racconti da leggere.

6. Il padre e la madre di Lia .... (7) .... indirizzi.

7. Quella professoressa .... (12) .... studenti.

8. Per domani tu .... (8) .... frasi da scrivere.

9. Questa sera io .... (2) .... ospiti a pranzo.

10. Le aule .... (2) .... porte e (3) .... finestre.

ESPRESSIONI CON AVERE:

1. io ho fretta	I am in a hurry (literally: I have hurry)
2. tu hai freddo	you are cold
3. lui ha caldo	he is warm, hot
4. lei ha sete (f)	she is thirsty
5. Lei avrà fame (f)	you must be hungry, you will be hungry
6. noi non abbiamo sonno	we are not sleepy
7. voi avrete paura	you will be, may be (probably are), afraid
8. loro hanno ragione (f)	they are right; **la ragione:** reason
9. loro hanno torto	they are in the wrong; **il torto:** wrong, fault
10. essi hanno molta pazienza	they are very patient
11. voi avete molta sete? (f)	are you very thirsty?
12. abbiamo poca fame ma molta sete	we are not very hungry but we are very thirsty

Notare: aver fretta, etc. Frequently, in certain expressions, the final vowel of an infinitive is dropped.

MOLTO, POCO, TROPPO: Aggettivi e avverbi (adverbs).

Esempi:

1.	Hai *molte* frasi da tradurre? no, *poche.*	*many/few*
2.	Hanno due case *molto* belle.	*very*
3.	Ho due libri *poco* interessanti da leggere.	*not very*
4.	*Pochi* studenti stranieri sono qui.	*few*
5.	Avrete *molto da fare?* No, *poco.*	*a lot, a great deal/to do/little*
6.	Avrai molto da fare quest'anno. *Troppo.*	*too much*
7.	Ha *troppe* domande da fare.	*too many*
8.	Queste *scarpe* sono *troppo strette.*	*shoes/too narrow*
9.	Arturo sarà *molto* in ritardo.	*very*

Osservazione:

Molto, poco, troppo *agree in gender and number with the noun they modify, but are invariable when they modify other parts of speech.*

Inserire la forma appropriata della parola data in margine (given in the margin):

molto	1.	Quelle ragazze sono .... belle.	
poco	2.	Noi abbiamo .... fretta.	
molto	3.	Quei ragazzi sono .... bravi.	
troppo	4.	Questa *sedia* è .... *bassa.*	*chair/low*
troppo	5.	Tu hai .... idee.	
troppo	6.	Queste spiegazioni sono .... confuse.	
molto	7.	I due ragazzi inglesi sono .... interessanti.	
poco	8.	La Signorina Ricci è .... gentile.	
troppo	9.	.... studenti sono in ritardo.	
poco	10.	Franco ha .... domande da fare.	
molto	11.	Il Professor Bargellini non ha .... pazienza.	

INDEFINITE ARTICLE (Articolo indeterminativo).

Esempi:

1.	**un** racconto	**un** bel racconto	
2.	**un** esame	**un** *vero* esame	*true*
3.	**uno** straniero	**uno** zingaro	
4.	**una** scarpa gialla	**una** bella ragazza	
5.	**un'**ora	**una** *lunga* ora	*long*

Osservazioni:

1. *The masculine indefinite article is* **UN** *except when the letter immediately following is* **z** *or* **s** *followed by a consonant. In this case* **UNO** *is used.*
2. *The feminine indefinite article is* **UNA** *except when the letter immediately following is a vowel. In this case* **UN'** *is used.*
3. *The indefinite article is used also for the numeral* **one**: **un** anno ha dodici mesi; **uno** studente non è qui; ho **una** domanda da fare, non due.

Substitute the indefinite article for the definite (Sostituire l'articolo indeterminativo all'articolo determinativo):

1. l'indirizzo ....
2. la stoffa di seta ....
3. la matita rossa ....
4. il lungo racconto ....
5. lo straniero interessante ....
6. l'altra scrittrice ....
7. lo zingaro gentile ....
8. l'ospite americano ....
9. lo stesso capitolo ....
10. la grande stanza ....

GLI AGGETTIVI BUONO E NESSUNO

Modelli:

un buon * ragazzo	i buoni ragazzi	quel ragazzo è buono
un buon insegnante	tre buoni insegnanti	questi insegnanti sono buoni e bravi
il buono scrittore	i buoni scrittori	molti scrittori sono buoni
una buona parola	alcune buone parole	queste tre studentesse sono buone
la buon'idea	le buone idee	le idee di Giorgio sono buone e interessanti

---

* **Buono,** *like* **bello,** *usually precedes the noun; when it follows it is emphatic.*

non ho nessun * quadro	*not any, not one*
nessu**no** scaffale è *vuoto*	*empty*
nessu**n** anno sarà bello *come* questo	*like*
nessu**na** studentessa ha i libri	.
non hanno nessun'idea	*no ideas*
oggi non siamo *liberi* in nessun'ora	*free*

Completare secondo il modello appropriato (use **buono** or **nessuno**):

1. I .... scienziati sono a Parigi.

2. Non hai .... zero.

3. .... aula è vuota.

4. Lucia non ha .... vestito di seta.

5. Franco è un .... ospite.

6. Quegli studenti sono .... e bravi.

7. Pia e Lucia avranno molte .... idee.

8. Noi non abbiamo .... idea.

9. Anna sarà ....

10. Non avete .... spiegazione?

11. .... studentessa è nell'aula.

12. Quello è un .... scherzo *da fare a* Stefano.   *to play on*

13. Quel dottore è molto ....

14. Questi due ragazzi non sono ....

CHE ORA È? CHE ORE SONO? (what time is it?) A CHE ORA? (at what time?).

Esempi:

1. è *l'una*	all'una	*one o'clock*
2. sono le due	alle due	
3. sono le dieci	alle dieci	
4. sono le dodici	alle dodici	
5. è *mezzogiorno*	a mezzogiorno	*noon*
6. è *mezzanotte*	a mezzanotte	*midnight*
7. è *l'una meno cinque minuti*	all'una meno cinque	*5 minutes to one*
8. sono *le quattro e dieci*	alle quattro e dieci	*10 minutes past four*
9. è *mezzanotte meno un quarto*	a mezzanotte meno un quarto	*a quarter to midnight*
10. sono *le undici e mezzo*	alle undici e mezzo	*half past eleven*
11. sono *le otto e tre quarti*	alle otto e tre quarti	*a quarter to nine*

---

* *Note the double negative. Whenever the negative word follows the verb, the verb must be preceded by* **non.** *If the negative word precedes the verb,* **non** *is not used. When the negative word precedes the verb, it is more emphatic.*

Rispondere alle domande secondo l'ora indicata fra parentesi (in parentheses):

	Che ora è?	**A che ora?**
1. (5:00)	....	....
2. (2:50)	....	....
3. (12:00)	....	....
4. (7:05)	....	....
5. (10:15)	....	....
6. (10:00)	....	....
7. (6:45)	....	....

ESERCIZI

A Without making the following sentences meaningless, give the plural or the singular of as many words as possible:

1. Quel bravo ragazzo è in anticipo.
2. Questa risposta è molto confusa.
3. Abbiamo le frasi da tradurre.
4. La professoressa di Anna è molto difficile.
5. Hai il giornale di oggi?
6. Voi avrete quei bei cappotti dopodomani.
7. Gli ospiti hanno sete.
8. Non avrai paura.
9. Quei libri di lettura sono interessanti.
10. Queste ragazze sono spagnole, non quelle.
11. Il vestito di lana rossa è di Lucia.
12. Le lezioni di storia sono poco belle.

B Dare l'equivalente italiano:

1. Mr. and Mrs. Giannelli are in a hurry because (perchè) they are late.
2. It is early, it is three o'clock.
3. Those students haven't any ideas.
4. We shall have the philosophy class (lesson) at ten minutes past four.
5. This is a good dinner.
6. I am not thirsty but I am very hungry.
7. Do you (tu) have much to do? Not too much.
8. Those beautiful dresses are Mary's.
9. These stories are not too interesting and they are difficult.
10. Will you (tu) have Paul's address tomorrow?
11. I don't have any black dress.
12. What time is it? It is seven thirty.
13. Day after tomorrow you (voi) will have the answer.
14. Those shelves have few books.
15. Which professor is Italian? The history one.

16. The students are confused. Which ones? Professor Rossi's.
17. Do you (Lei) have many good students?
18. Do you (tu) have a raincoat?
19. This evening we shall have five guests for dinner.
20. It will be a good examination.

C Leggere più volte ad alta voce:

— Sono le undici e tre quarti. Cominciamo la lezione d'italiano. Quali studenti hanno una domanda? *Bene,* Signor Tozzi, qual è la domanda?   *good (well)*

— Sono confuso. *Si può dire* «no ideas» al plurale?   *can one say*

— No. Nessuno è *sempre* al singolare. Per esempio, non ho nessuna idea vuol dire «not one idea» e *anche* «no ideas»; «no foreigners are here» si dice «nessuno straniero è qui». Anche il verbo, *naturalmente,* è al singolare.
    always (usually follows the verb)
    also (always precedes the word it modifies)
    naturally

— Professore, qual è la posizione degli aggettivi in italiano?

— È una buona domanda, signorina. Alcuni aggettivi, pochi, sono sempre *prima* del sostantivo, *cioè* precedono il sostantivo, come questo, quello, i numeri, gli aggettivi di *quantità.* Altri precedono *o seguono, come* bello, buono, grande, piccolo, giovane, *vecchio, cattivo,* brutto... Se questi aggettivi sono *modificati, però,* seguono il sostantivo: una bella ragazza, una ragazza molto bella. *Di solito* gli aggettivi seguono il sostantivo: gli ospiti **stranieri,** la matita **verde,** le scarpe **strette,** i giorni **festivi...**
    before
    that is
    quantity
    or/follow/like
    old/bad, naughty
    modified
    however
    usually

— Grazie, professore.

— Prego, signorina. Altre domande? No? *Allora, facciamo un dettato.* Il *titolo* è **A lezione.**
    then
    *let's do a dictation/title/***In Class**

D Alcuni oggetti (objects) in un'aula:

1. Sui *muri* sono:
   la *lavagna* con il *gesso* e il *cancellino;*
   il *cartellone* e l'*illustrazione (f);*
   un *orologio;* la *carta geografica.*
       walls
       blackboard/chalk/eraser
       poster/illustration
       watch, clock/map

2. Sul *soffitto* sono i lumi, accesi per la lezione, *spenti dopo* la lezione.
       ceiling
       extinguished, unlit/after

3. *Dietro* al tavolo, o alla *scrivania,* è l'insegnante, *davanti* al tavolo sono gli studenti.
       behind/desk
       before, in front

E   I   Rispondere con frasi complete in italiano:

     1.   Che cosa hai?
     2.   Che (what) hai da fare?
     3.   Quali lezioni ha Lei oggi?
     4.   Che avete da leggere per domani?
     5.   Che ora è?
     6.   A che ora ha Lei la lezione d'italiano?
     7.   Come è il vestito di Lucia?
     8.   Perchè (why) sei stanco?
     9.   Io sono spagnolo, i cittadini dell'India sono? della Russia? dell'Inghilterra? dell'Egitto?
    10.   Qual è il nome del paese degli egiziani? dei cechi? degli inglesi? dei francesi? dei turchi?

II   Dare il contrario

     1.   I ragazzi hanno **freddo**.
     2.   Abbiamo **molti** libri.
     3.   Ho **molta** fame.
     4.   Arturo è un ragazzo **buono**.
     5.   I lumi sono **spenti**.
     6.   Le porte sono **aperte**.
     7.   Luisa è **davanti** a Giorgio.

III   Preparare alcune domande da fare in classe (Prepare some questions to ask in class). Se possibile, preparare anche le risposte (If possible, prepare also the answers).

VOCABOLARIO

cancellino *eraser (blackboard)*	matita *pencil*
capitolo *chapter*	mezzanotte (f) *midnight*
carta geografica *map*	mezzogiorno *noon*
cartellone (m) *poster*	muro *wall*
cittadino *citizen, townsman; of a town*	orologio *watch*
contrario *contrary*	ospite (m f) *guest, host*
dettato *dictation*	paese (m) *country, village*
dopodomani *day after tomorrow*	paura *fear*
fame (f) *hunger*	pazienza *patience*
fretta *haste, hurry*	posizione (f) *position*
gesso *chalk*	pranzo *noon meal, dinner*
illustrazione (f) *illustration*	quantità *quantity*
lavagna *blackboard*	quarto *fourth*

ragione (f) *reason*
scrivania *desk*
sedia *chair*
sete (f) *thirst*
soffitto *ceiling*
sonno *sleep*
titolo *title*
torto *fault, wrongness*

basso *low, short (in height)*
buono *good*
caldo *warm*
cattivo *bad*
freddo *cold*
libero *free*
lungo *long*
mezzo *half*
modificato *modified*
molto *much, many*
nessuno *not one, none*
poco *little, few*
spento *extinguished*
troppo *too much, too many*

avere *to have*
avere caldo *to be hot*
avere fame *to be hungry*
avere freddo *to be cold*
avere fretta *to be in a hurry*

avere paura *to be afraid*
avere pazienza *to be patient*
avere ragione *to be right*
avere sete *to be thirsty*
avere sonno *to be sleepy*
avere torto *to be wrong*
fare *to do, to make*
leggere *to read*
preparare *to prepare*
studiare *to study*
tradurre *to translate*

davanti (adv) *ahead, before, in front of*
dietro (adv) *behind*
dopo (adv) *afterwards, later; after*
molto (adv) *much, very*
naturalmente (adv) *naturally*
prima (adv) *before, earlier*
sempre (adv) *always*
troppo (adv) *too*

anche *also*
a pranzo *at mealtime, at dinner*
che ora è? *what time is it?*
cioè *that is, namely*
come *as, like*
di solito *usually*
perchè *why, because*
però *but, however*
si può dire *one can say*

Lezione IV

VERBI: Italian verbs are recognized by their infinitive endings. There are three conjugations:

first conjugation	—ARE, parlare	(to speak)
second conjugation	—ERE, ripetere	(to repeat)
third conjugation	—IRE, dormire	(to sleep)

PRIMA CONIUGAZIONE, VERBI IN -ARE, PARL-ARE:

	Presente	Futuro
io	parl-o	parl-erò
tu	parl-i	parl-erai
lui	parl-a	parl-erà
noi	parl-iamo	parl-eremo
voi	parl-ate	parl-erete
loro	parl-ano	parl-eranno

Esempi:

1. Noi ascoltiamo il professore.
   We listen to the professor.
2. Loro ascolteranno il nastro d'italiano.
   They will listen to the Italian tape.
3. Voi ascoltate le notizie alla radio.
   You are listening to the news on the radio.

4. Per domani imparerai questa poesia.
   For tomorrow you will learn this poem.
5. Io imparo il cinese.
   I am learning the Chinese language.

6. Il signore domanda una spiegazione.
   The gentleman asks for an explanation.
7. Tu domanderai il permesso all'insegnante.
   You will ask the permission of the teacher.

8. Inviterà Paolo e Pia a pranzo?
   Will you ask Paul and Pia to dinner?
9. Inviti anche i Signori Rolli?
   Will you invite also Mr. and Mrs. Rolli?

10. Ricorderò l'appuntamento a Luigi.
    I'll remind Lewis of the appointment.
11. Non ricordo la Signora Tosi.
    I don't remember Mrs. Tosi.

12. Maria insegna le regole ai ragazzi.
    Mary teaches the rules to the boys.
13. Insegneremo alle bambine.
    We'll teach the children (f).

14. Compri quel libro per lo zio?
    Are you buying that book for uncle?
15. Comprerete il giornale di oggi.
    You will buy today's newspaper.

16. Domani continueremo queste spiegazioni.
    Tomorrow we shall continue these explanations.
17. **Il rumore continua.**
    The noise is continuing.

18. Signora, desidera qualcosa?
    Madam, do you wish something?
    Madam, may I help you?
19. Desiderano il Signor Zonta.
    They wish (to see) Mr. Zonta.
    They are looking for Mr. Zonta.

Osservazione:

In a foreign language, the use of prepositions is a difficult thing to master and requires constant observation and practice. **Per esempio:**

I listen **to** the professor.	Ascolto il professore.
She teaches children.	Insegna **ai** bambini.

Notare l'uso delle preposizioni quando segue un verbo all'infinito. (Note the use of prepositions before an infinitive).

Esempi:

1. Domanderò al professore **di** spiegare la regola.
2. Ricorderai a Maria **di** ascoltare il nastro.
3. Impariamo **a** parlare italiano.
4. Insegnerà al bambino **a** camminare.
5. Tu continui **a** studiare la storia?
6. Invitano Giorgio **a** studiare con loro.
7. Desiderano (di) * fare una domanda.   They wish to ask a question.
8. Desiderano avere un giorno di riposo.   They want a day of rest.

Ricapitolazione   (Recapitulation):

desiderare (di)	ricordare **di** fare	imparare **a** fare
	domandare **di** fare	insegnare **a** fare
		continuare **a** fare
		invitare **a** fare

Osservazione:

Some verbs take the preposition **di** before a verb in the infinitive, some take the preposition **a**, and some take **no preposition:**

— most verbs take the preposition **di**;
— several verbs take the preposition **a**, most of them are verbs in -**are** which express motion or lack of motion;
— only a few verbs take **no preposition.**

Since their number is small, note carefully which verbs take the preposition **a** or **no preposition** before an infinitive. In the lessons hereafter verbs taking **a** or **no preposition** will be followed by (a) (no p); all other verbs should be assumed to take the preposition **di.** See p. 307 for a list of verbs governing an infinitive with or without preposition.

---

* With **desiderare** the use of the preposition before the infinitive is at the discretion of the user.

Completare le frasi che seguono con **la preposizione** se (if) è necessaria (necessary):

1. Domani insegnerò .... scrivere queste parole.

2. Signorina, impara .... leggere lo *spagnolo?*   *Spanish language*

3. I ragazzi continuano .... fare le stesse domande.

4. Ricorderò .... ascoltare il nastro.

5. Domanderai a Paolo .... comprare il giornale.

6. Inviteremo gli studenti stranieri .... ascoltare la radio con noi.

7. Desiderate .... leggere una poesia?

8. Ricordi .... la coniugazione del verbo fare?

9. Il professore parlerà .... racconti di Pirandello (add article).

10. Domanderemo .... *vigile* dove è la biblioteca (add article).   *(m) policeman*

11. Ascolterete .... la lezione del Professor Cantelli con attenzione.

12. Parleranno .... quel ragazzo .... dottore (add article).

Ortografia di alcuni verbi (spelling of certain verbs). Note that the ending (-are) of the following verbs is preceded by **c** or **g**. In order to preserve the hard sound, whenever the **c** or **g** is followed by **i** or **e** one must insert **h** :

1. Io *cerco i* guanti di Anna.   **cercare:** *to look for*
2. *Perchè* non *cerchi* la parola nel *dizionario?*   *why?/look up/dictionary*
3. *Cercheremo* di arrivare in orario.   *to try*
4. Maria *cerca* di ricordare una poesia.   *to attempt*
5. *Scusi, dimentichiamo* come si dice in italiano.   *sorry/***dimenticare:*** *to forget*
6. Dimenticano sempre *tutto.*   *everything*
7. Dimenticheranno tutto.
8. Perchè *spieghi* di nuovo quella regola?   **spiegare:** *to explain*
9. La professoressa spiega una poesia alle studentesse.
10. Ora spiegherò le notizie nel giornale.
11. Cercherai di *arrivare* in orario.   **arrivare** *(a): to arrive*

Note that the ending (-are) of the following verbs is preceded by **sci, ci, gi**:

1. Perchè lasci qui la radio?   **lasciare** *(no p): to leave*
2. Noi *lasciamo* studiare Paolo *perchè* ha un esame.   *to allow/because*
3. *Lascerò* riposare i bambini.   *I will let*
4. Lasceranno il padre e la madre.
5. La settimana prossima lasceremo Roma e arriveremo a Pisa.
6. Valeria ed io *cominciamo* a capire.   **cominciare** *(a): to begin/to*
                                                                   understand
7. La lezione d'italiano comincia alle quattro.
8. Domani cominceremo a leggere il racconto.
9. Perché *cominci* da qui?

Osservazioni:

1. *Verbs which have an **i** before the infinitive ending do not double the **i** if the tense ending starts with **i**:*

lasci-are: tu la**sci**   studi-are: noi stu**di**amo.

2. *Verbs which have **ci gi sci** before the infinitive ending (-are) drop the **i** in the future tense:*

cominci-are: comincerò   mangi-are: mangeremo   lasci-are: lasceranno.

Give the corresponding form of the verb in the future or in the present (Dare la forma corrispondente del verbo al futuro o al presente secondo il caso):

1. Il professore non *tralascia* nessuna regola. ....   **tralasciare:** *to neglect*

2. Gli studenti cercano di ricordare. ....

3. Tu lasci la radio sul tavolo? ....

4. Voi lasciate questo corso per quello? ....

5. L'insegnante non spiega le parole difficili. ....

6. Dopodomani comincerò a studiare. ....

7. Mangeremo insieme. ....

8. Studierai il francese? ....

9. Lascio il giornale nello studio. ....

10. Renzo dimentica tutto. ....

ALCUNI PLURALI IRREGOLARI   (Some irregular plurals).

Sostantivi e aggettivi con la desinenza (ending) **-io, -ia.**

Modelli:

1. il *figlio sveglio*	i figli svegli	*son/wide awake*
2. l'esempio *necessario*	gli esempi necessari	*necessary*
3. il *vecchio grigio*	i vecchi grigi	*old man/ gray*
4. il *personaggio immaginario*	i personaggi immaginari	*character, personage/imaginary*
5. lo *zio* (accent on -io)	gli zii	**uncle, gli zii:** *uncle and aunt*
6. il *leggio* (accent on -io)	i leggii	*reading stand*
7. la *figlia* sveglia	le figlie sveglie	*daughter*
8. la *zia straordinaria*	le zie straordinarie	*aunt/extraordinary*

Dare il plurale (the accent will be marked if it falls on -io):

1. il *proprio* studio ....   one's own

2. la propria sedia ....

3. lo *sbaglio inconscio* ....   mistake/unconscious

4. il vecchio dizionario ....

5. il *foglio di carta grigia* ....   sheet of paper/gray

6. l'*esercizio vario* ....   exercise/varied, **i vari esercizi:**
                                                                    several, diverse exercises

7. la *valigia ordinaria* ....   suitcase/ordinary

8. la notizia *ovvia* ....   obvious

9. l'*orario* è nell'*ufficio* ....   time table, schedule/office

10. l'*operaio serio* ....   workman

11. la *zia savia* ....   wise

12. il *vecchio negozio* ....   old/shop

13. il *pendio* irregolare ....   slope, gradient

14. la vecchia zia ....

15. l'*ozio* è la *fonte* del *vizio* ....   idleness/fount, source/vice

Sostantivi e aggettivi con la desinenza -**ca** e -**co**.

Modelli:

1. *amica simpatica*	amiche simpatiche	friend/nice, pleasant, congenial
2. *banca ricca*	banche ricche	bank/rich
3. *politica tedesca*	politiche tedesche	policy, politics/German

Notare: *In general, the plural of feminine nouns and adjectives is regular: in the plural one must remember to preserve the quality of the* **c** *or* **g** *before the final vowel.*

5. *affrèsco antìco*	affreschi antichi	fresco/ancient
6. *pàcco gigantèsco*	pacchi giganteschi	package/gigantic
7. *austrìaco simpàtico*	austriaci simpatici	Austrian
8. *mèdico austrìaco*	medici austriaci	physician
9. *periòdico scientìfico*	periodici scientifici	periodical/scientific

Notare: In general, the plural of masculine nouns and adjectives ending in -**co** is -**chi** if the word is accented on the next to the last syllable, otherwise it is -**ci**. There are some exceptions.

Eccezioni (exceptions):

amìco	amici	*friend*
nemìco	nemici	*enemy*
grèco	greci	*Greek*
càrico	carichi	*load, loaded*
incàrico	incarichi	*task, charge (to do something)*

Dare il plurale, l'accento è segnato (marked) per tutte le parole maschili (masculine):

1. la repubblica greca ....

2. il *pàrco frèsco* ....   *park/fresh, cool*

3. il *pùbblico stànco* ....   *public, audience/tired*

4. l'amìco *polàcco* ....   *Polish*

5. la *giacca sporca* ....   *jacket/dirty*

6. il nemìco *antipàtico* ....   *unpleasant, not congenial*

7. l'*ufficio telefònico* ....   *office/telephone (adj)*

8. il *mosàico clàssico* ....   *mosaic/classic, classical*

9. l'amìca *sciocca* ....   *foolish*

10. l'incàrico scientifico ....

11. la *camicia bianca* ....   *shirt/white*

12. il *vècchio càrico di pàcchi* ....

Sostantivi e aggettivi in -**go**, -**ga**.

Modelli:

il *dialogo lungo*	i dialoghi lunghi	*dialogue/long*
il *lago* largo	i laghi larghi	*lake*
la *riga larga*	le righe larghe	*line/wide*
il *teologo*	i teologi	*theologian*
l' *archeologo*	gli archeologi	*archeologist*

Notare: In general masculine nouns and adjectives ending in -**go** have the plural in -**ghi**. If the noun ends in -**ologo** and indicates a professional, the plural is -**gi**.

Dare il plurale:

1.	il grande *albergo*	*hotel*
2.	il lungo * *catalogo*	*catalogue*
3.	l'archeologo simpàtico	
4.	il *luogo* immaginàrio	*place*
5.	il vècchio *radiologo*	*radiologist*
6.	il *sàggio* molto lungo	*essay*
7.	il lago *magnìfico*	*magnificent*
8.	il dialogo scientifico	
9.	la *barca* larga	*boat*
10.	il lungo *prologo*	*prologue*

ESERCIZI

A   Copiare (Copy) dando (giving) il plurale di quante parole è possibile (of as many words as possible):

1.   Parlo al vecchio amico.
2.   Cerca quel foglio di carta verde.
3.   Domani spiegherà tutto.
4.   Lo studente lascia il saggio nello studio del professore.
5.   Questo sarà l'orario della lezione.
6.   Il bambino domanda quale grande lago è in Italia.
7.   Per domani imparerai la lunga poesia.
8.   Lo zio di Giorgio è archeologo.
9.   Quello è *un* ragazzo serio e molto simpatico.   *in the plural omit* **un**
10.   Tu studi il mosaico e l'affresco *gòtico*?   *gothic*
11.   Il figlio dell'amica della zia arriverà domani.
12.   Io sono molto stanco.
13.   Non ricordo l'esempio.
14.   L'esercizio è necessario per imparare.
15.   L'operaio dimentica di ascoltare la notizia alla radio.

B   Dare l'equivalente italiano:

1.   I am looking for an example *in order to* explain the rule.   *per*
2.   Do you (tu) always leave the children with Lia's aunts?
3.   He will look up these words in two or three dictionaries.
4.   You (voi) continue to make (fare) the same mistakes.

---

* **Lungo,** *when unmodified, may either precede or follow the noun.*

5. Stephen's uncles are not very rich.
6. We shall ask the professor to explain this poem.
7. She doesn't wish to buy that raincoat.
8. You (Lei) won't forget to invite those friends for dinner?
9. He will leave the newspapers in Mr. Trambusti's office.
10. You (voi) will learn to speak Italian.
11. The Greek Republic is not very old.
12. I will always remember the mosaics in Ravenna.
13. The guests are tired but they are not hungry.
14. The characters in the story are extraordinary.
15. We shall remind the professor to explain these words.

C   Leggere più volte ad alta voce.

La *lingua* italiana.   *language*

Desidero studiare l'italiano perchè è una bella lingua. L'italiano *deriva* dal *latino parlato dal popolo* romano antico dei *primi secoli* dell'era *cristiana*. Deriva dal latino volgare, volgare dal latino **vulgus**: popolo. L'italiano di oggi deriva dalla lingua parlata a *Firenze* e *usata* da tre grandi scrittori del *Trecento*: Dante Alighieri, Francesco Petrarca, e Giovanni Boccaccio.

derivare: *to derive / Latin / spoken / by population, populace / first / centuries Christian*

Florence / used
14th century

D   Alcune materie (fields) di studio.

Si studia (one studies):

la fisica	la matematica	la storia	l'ingegneria
la chimica	la psicologia	la linguistica	le belle arti
la geologia	la sociologia	la letteratura	l'archeologia
la biologia	le scienze politiche	la storia dell'arte	la legge
l'astronomia	le scienze economiche	la musicologia	la medicina

E   I   Rispondere alle domande:

1. Dove cerca il significato (meaning) delle parole?
2. Che cosa cerca Silvio?
3. Che cosa spiega l'insegnante?
4. Quali lingue parla Lei?
5. Che cosa comprano i ragazzi?
6. Quali materie studia Lei?
7. Quanti (how many) studenti non sono a lezione oggi?
8. Che cosa vuol dire latino volgare?
9. Quali altre lingue derivano dal latino?

II   Dare il contrario:

1. Quello scienziato è **sciocco.**
2. Quello studioso è **vecchio.**
3. Quella scrittrice è **povera.**
4. I guanti di Luciano sono **neri.**
5. Silvio è un ragazzo **simpatico.**
6. Quei quadri sono **brutti.**
7. Queste parole hanno il plurale **regolare.**
8. Giorgio e Luciano sono **nemici.**

III   Preparare la risposta alla domanda:

Fra l'italiano e l'inglese, quali sono alcune differenze (differences) che Lei già (already) nota?

VOCABOLARIO

affresco, -chi *fresco*
albergo, -ghi *hotel*
amica *friend*
amico, -ci *friend*
archeologo, -gi *archeologist*
arte (f) *art*
astronomia *astronomy*
austriaco, -ci *Austrian*
bambino *child, baby*
banca *bank*
barca *boat*
biologia *biology*
camicia *shirt*
carico, -chi *load, cargo*
catalogo, -ghi *catalogue*
chimica *chemistry*
corso *course*
dialogo, -ghi *dialogue*
differenza *difference*
dizionario *dictionary*
esercizio *exercise*
figlia *daughter*
figlio *son*
Firenze *Florence*
fisica *physics*
foglio *sheet (paper)*
fonte (f) *source, fount*
geologia *geology*

giacca *jacket*
greco, -ci *Greek*
incarico, -chi *task, charge, office*
lago, -ghi *lake*
latino *Latin*
leggio, leggii *reading stand*
letteratura *literature*
lingua *tongue, language*
linguistica *linguistics*
luogo, -ghi *site, place*
medico, -ci *physician*
mosaico, -ci *mosaic*
musicologia *musicology*
negozio *shop*
nemico, -ci *enemy*
notizia *news (one piece)*
operaio *worker, workman*
ozio *idleness*
pacco, -chi *package*
parco, -chi *park*
pendio, pendii *slope*
periodico, -ci *periodical*
permesso *permission, permit*
personaggio *personage, character (of fiction)*
poesia *poetry, poem (lyric)*
politica *politics, policy*
popolo *people, population, populace*
prologo, -ghi *prologue*

psicologia *psychology*
pubblico, -ci *public, audience*
radio (f invar) *radio*
radiologo, -gi *radiologist*
regola *rule, norm*
repubblica *republic*
riga *line; written, printed line; ruler (drawing)*
saggio *essay*
sbaglio *mistake*
scienza *science*
scienze politiche *political sciences*
secolo *century*
sociologia *sociology*
teologo, -gi *theologian*
tutto *everything*
ufficio *office*
valigia *suitcase, valise*
vecchio *old man*
vigile (m) *policeman*
vizio *vice*
zia *aunt*
zio, zii *uncle*

antipatico, -ci *uncongenial, disagreeable*
bianco, -chi *white*
classico, -ci *classic*
cristiano *Christian*
economico, -ci *economic*
fresco, -chi *cool, fresh*
gigantesco, -chi *gigantic*
gotico, -ci *gothic*
grigio *gray*
immaginario *immaginary*
inconscio *unconscious*
largo, -ghi *wide, broad*
magnifico, -ci *magnificent*
necessario *necessary*
ordinario *ordinary*
ovvio *obvious*
parlato *spoken*
polacco, -chi *Polish*
politico, -ci *political*
primo *first*

proprio *(very) own*
regolare *regular*
ricco, -chi *rich, wealthy*
savio *wise*
scientifico, -ci *scientific*
sciocco, -chi *foolish*
simpatico, -ci *congenial, agreeable, nice*
stanco, -chi *tired*
straordinario *extraordinary*
sveglio *wide-awake, alert, awake*
tedesco, -chi *German*
telefonico, -ci *telephonic*
vario *varied, various*

arrivare *to arrive*
ascoltare *to listen to*
camminare *to walk*
capire *to understand*
cercare *to look for, to try, to endeavor*
cominciare *to begin*
comprare *to buy*
continuare *to continue*
derivare *to derive*
desiderare *to desire*
dimenticare *to forget*
domandare *to ask*
imparare *to learn*
insegnare *to teach*
invitare *to invite*
lasciare *to leave, to let*
parlare *to speak*
ricordare *to remember*
spiegare *to explain*
studiare *to study*
tralasciare *to omit, to pass over*

già *already*

a, ad *at, to*
con *with*
per *for, in order to*

Lezione V

ALCUNI INTERROGATIVI:

Esempi.   Note here and below that when one uses an interrogative word the subject normally follows the verb.

1. **Come** si dice in italiano...? — *how?*
   Non so come si dice — *I don't know how*
2. **Dove** sono i guanti della zia? — *where?*
   Non so *dove* sono. — *where*
3. **Quando** arriveranno a Roma i Signori Zanetti? — *when?*
   Non so *quando* arriveranno. — *when*
4. **Perchè** non parli di questo al professore? — *why?*
   Perchè ho paura del professore. — *because*
5. **Perchè** non accetti *l'invito*? — *invitation*
   La *ragione* è che ho un altro *impegno*. — *reason, cause/ engagement*
6. **Quanto** *costano* quelle valigie? — *how much?* **costare:** *to cost*
   Costano molto.
7. **Quanti** ospiti inviterai? — *how many?*
   Inviterò dieci ospiti ma non so quanti *accetteranno* l'invito. — **accettare:** *to accept*
8. **Quante** poesie studieremo?
9. **Quanta** carta è necessaria per fare quel pacco?

Trasformare le frasi che seguono in domande. Change the following sentences into questions by substituting an interrogative for the word(s) in boldface:

1. L'impermeabile di Stefano è **qui**. ....
2. Lo zio arriverà **questa sera**. ....
3. Abbiamo **undici** frasi da tradurre. ....
4. Il saggio è **buono**. ....
5. I quadri di Rubens costano **molto**. ....
6. Desidero **otto** fogli di carta. ....
7. Arriveremo **alle cinque e tre quarti**. ....
8. Il dizionario è **sul tavolo**. ....

Esempi:

1. **Che cosa** comprerai? **Che** comprerai? **Cosa** comprerai?	*what?*
Comprerò una giacca grigia. Non so *che cosa* comprerò.	*what*
2. **Che** parola cerchi nel dizionario?	*which?*
Cerco la parola "impegno".	
3. **A che** riga siamo?	*at which?*
4. **Quale** lezione studiamo oggi?	*which?*
Non so *quale* lezione studiamo.	*which*
5. **Quali** libri comprerà Renzo?	
6. **Quali** cataloghi desidera Lei?	
7. In **quale** negozio comprerai il cappotto?	
8. Con **quali** amiche viaggerai?	
9. **Chi** ha una domanda?	*who? (always singular)*
Quelle ragazze hanno una domanda.	
10. **Di chi** è quella radio?	*whose?*
Quella radio è dello zio.	
11. **A chi** insegnerà a parlare francese?	*to whom?*
Insegna a parlare francese a quei ragazzi.	

Trasformare le frasi che seguono in domande:

1. **I ragazzi** desiderano il permesso. ....

2. **Lo zio** arriverà questa sera. ....

3. Imparo **a coniugare il presente del verbo essere.** ....

4. Impariamo **il** verbo **avere.** ....

5. Vanna parla a **Giovanni.** ....

6. Renzo spiega **le** poesie **di Ungaretti.** ....

7. Cerco nel dizionario **le parole difficili.** ....

8. Inviterò **gli** studenti **stranieri.** ....

ALCUNI PRONOMI RELATIVI (Some relative pronouns).

CHE, CUI. Modelli:

1. **Il ragazzo** è nel negozio.	Il ragazzo **che** è nel negozio...	*who*
2. **Le amiche** non continuano gli studi.	Le amiche **che** non continuano gli studi...	*who*
3. Comprerà **la valigia nera.**	La valigia nera **che** comprerà...	*that, which*
4. Continuerete a fare **gli sbagli.**	Gli sbagli **che** continuerete a fare...	*that, which*
5. Parliamo con **i ragazzi stranieri.**	I ragazzi stranieri con **cui** parliamo...	*whom*
6. Spiega la poesia allo **studente.**	Lo studente a **cui** spiega la poesia...	
7. Abitano nella **casa bianca.**	La casa bianca in **cui** abitano...	*white/ which*
8. Lascio le carte sul **tavolo.**	Il tavolo su **cui** lascio le carte...	
9. Comprerà il disco per **le ragazze.**	Le ragazze per **cui** comprerà il disco...	
10. Parlerai del **poeta Leopardi.**	Il poeta Leopardi di **cui** parlerai...	

Osservazioni:

1.   **CHE** *is the relative pronoun used both as subject and as direct object.*
2.   **CUI** *is used when the relative pronoun is preceded by a preposition.*

Trasformare le frasi che seguono secondo i modelli:

1.   Parliamo dell'**articolo.** ....   *article (newspaper)*

2.   Comprerai il giornale per **le zie di Paolo.** ....

3.   **I laghi** sono in Italia. ....

4.   Gli esercizi sono nel **libro.** ....

5.   **Le dieci righe** sono da tradurre. ....

6.   Dimentico il nome di **quella ragazza.** ....

7.   Ascolteremo **l'archeologo greco.** ....

8.   Il lume acceso è sul **tavolo.** ....

CHI,   QUELLO CHE.   Modelli:

1.   Paolo non ricorda **chi** parlerà questa sera.   *who, whoever, he (she) who*
2.   Il professore parla per **chi** ascolta.   *whomever, whom*
3.   *Viaggerà* con **chi** non ha paura di viaggiare in *aereo.*   **viaggiare:** *to travel/ airplane*

4.   Ricorderai domani **quello che** studi oggi?   *what, that which*
5.   Ascoltano **tutto quello che** spiega il professore.   *all that*
6.   Parlano di **quello che** desiderano domandare.

Osservazioni:

1.   **CHI,** *besides being an interrogative pronoun, is the relative pronoun that trans-lates* **he/she who,** **whoever,** *etc. Like* **whoever, CHI** *is a compound relative pronoun which does not refer to any preceding word or expression.* **CHI** *refers only to persons and can be used only in the singular. If* **CHI** *is the subject, the verb must be in the singular.*

2.   **QUELLO CHE** *translates* **what** *when* **what** *means* **that which.**

Inserire il pronome appropriato (che, cui, chi, quello che):

1. La Francia da .... arrivano è un bel *paese*.   *(m) country*

2. Preparerò .... desideri.

3. .... studia, impara.

4. Non so con .... viaggiano.

5. Le buste .... cerchi sono qui.

6. Le signore a .... parlo sono tedesche.

7. Ricorderemo .... insegnerà la professoressa.

8. Il paese in .... studiano è l'Inghilterra.

C'È, CI SONO, CI SARÀ, CI SARANNO   (there is, there are, there will be).

Esempi:

1. Il ragazzo è alla porta.	**C'è** il ragazzo alla porta.	Alla porta **c'è** il ragazzo.
2. Bei mosaici sono a Ravenna.	**Ci sono** bei mosaici a Ravenna.	A Ravenna **ci sono** bei mosaici.
3. Le zie saranno nel parco.	**Ci saranno** le zie nel parco.	Nel parco **ci saranno** le zie.
4. La carta sarà sul tavolo.	**Ci sarà** la carta sul tavolo.	Sul tavolo **ci sarà** la carta.

Notare: *When one says "there is Paul," "here are the books," "there are the girls," "here is the pen," meaning that the person(s) or thing(s) have just appeared or that one wishes to draw attention to them, the Italian equivalent is* **ECCO:** *"ecco Paolo," "ecco i libri," "ecco le ragazze," "ecco la penna."*

Espressioni con **PIÙ TARDI** (later), **POI** (afterwards, later, then), **DOPO (preposition:** after; **adverb:** afterwards, later), **ALLORA** (at that time, in that time; well, then; in that case).

Esempi:

1. Ora ascoltiamo, **poi** parleremo.
2. *Prima* viaggeremo in Spagna, **poi** in Francia.   *first (adverb)*
3. *Adesso* ascolto la *musica*, **dopo** studierò.   *now/music*
4. **Dopo** la lezione *torneremo* a casa.   **tornare** (a): *to return*

5. La *via* **dopo** questa è la Via Garibaldi.   *street*
6. Studierò i verbi uno **dopo** l'altro.
7. Ora siamo a Parigi, **poi** saremo in Spagna e *molto tempo*   *a long time*
    dopo torneremo in America.
8. *Suona* il campanello, **allora** cominciamo la lezione.   **suonare:** *to ring, to play music*
9. Domani sera arriverà la zia, **allora** saremo felici.
10. **Allora,** che cosa desiderate fare?
11. "Il Signor Gori non c'è ora". "**Allora** tornerò **più tardi.**"

Completare le frasi che seguono con le espressioni usate negli esempi:

1. Prima ascoltiamo il nastro .... studiamo la lezione.

2. Non siamo confusi .... queste spiegazioni.

3. La settimana prossima arriverà lo zio e .... inviterò i Signori Bianchi.

4. Adesso parla Stefano .... parleranno gli altri.

5. Bambini, ... *giocherete* con Vanna e Giorgio.   **giocare:** *to play (games)*

6. ...., sei un ragazzo sciocco.

7. Arriveremo alle otto, ... il pranzo.

8. Non c'è il professore, ... non ci sarà la lezione di storia.

Espressioni con **FRA** (in: an hour from now) e **IN** (in: within an hour). Esempi:

1. **Fra** *poco* spiegherò tutto.   *in a short while*
2. Torneranno **fra** *tre giorni*.   *three days from now*
3. Impara **in** *un momento*.   *in a moment*
4. Di solito preparo il pranzo **in** un'ora e mezzo.   *in (within)*

ESERCIZI

A   I Dare il plurale di quante parole è possibile:

1. L'ospite che è con lo zio di Renzo è polacco.
2. Di chi è quel bell'impermeabile?
3. Tu dimentichi sempre tutto.
4. Quell'affresco è straordinario.
5. Di quale archeologo parli?
6. Di quello che sarà in Spagna fra un mese.
7. Sul tavolo c'è il pacco della zia.

8. Quale libro è nello scaffale?
9. Quest'orario è troppo vecchio.
10. Quell'amico di Anna è stanco ma non ha sonno.
11. Quella radio continua a fare rumore.
12. Nell'albergo c'è l'operaio austriaco.

II Dare la forma dovuta (required) del verbo. Copy the sentences giving the proper form of the verb given in the infinitive. For the purposes of this exercise **adesso, ora, oggi** or no indication of time require the present:

1. Fra poco il professore (lasciare) l'ufficio.
2. Tu (spiegare) quella notizia?
3. Ora voi (ascoltare) e dopo (studiare).
4. Adesso è l'una e noi (mangiare) il pranzo.
5. Tu (studiare) molto,
6. La settimana prossima noi (cominciare) a studiare quella poesia.
7. Queste parole (derivare) dal greco.
8. Tu, che cosa (cercare)?
9. Domani io (cercare) di comprare la radio.
10. Gli zii (tornare) da Londra fra tre giorni.

B I Dare l'equivalente italiano:

1. Ten days from now there will be an examination.
2. First I shall study then I shall play.
3. After class they are always tired.
4. We shall not be late, we'll arrive at a quarter past seven.
5. You (tu) are not thirsty, then, are you hungry?
6. The boy to whom you (Lei) wish to speak is here.
7. Which girl are you looking for? The French one.
8. I don't know how many guests Mrs. Tilli will invite.
9. Stephen and I will buy what you (Loro) wish.
10. Who wants to ask a question?
11. I don't know who will prepare those catalogues.
12. You (voi) will learn the poem in ten minutes.

II Dialogo:

X - Are you very busy? (Do you have a lot to do?)
Y - No, this evening I don't have too much to do.
X - I have a lot to do, but it is early and I am not tired.
Y - What do you have to do?
X - I have to read three chapters for the history course, and I have two exercises and a story to read for Italian.
Y - Do you have Italian with Professor Nardini?
X - Yes, and you?

Y - I do too (Anch'io). He is a good teacher.

X - Yes, but he is not very patient.

Y - You are right, but the explanations of the other teacher of Italian are very confused. Mr. Nardini is not patient, but he is nice!

C Leggere più volte ad alta voce:

L'insegnante spiega il *compito* da fare.   *task, homework*

— Per la lezione prossima ascolterete un nastro magne-
tico per imparare il futuro dei verbi regolari, e *farete*   *will do*
la lettura a *pagina* quattro. Per la lezione seguente   *page*
studierete una *conversazione* e avrete da tradurre gli   *conversation*
esercizi a pagina undici. *È chiaro? Se* non avete do-   *Is it clear?/If*
mande parliamo insieme per alcuni momenti per fare
un esercizio di conversazione. Ci sono domande?
— Signorina, desidero *sapere* se in italiano si dice 'ascol-   *to know*
tare la musica' *oppure* se si dice 'listen **to** the music'   *or, otherwise*
come in inglese.
— Si dice: ascoltare la musica, ascoltare gli studenti. In
altre parole, in italiano non c'è la preposizione.
— Grazie, signorina.
— Scusi, come si dice 'on page seven'?
— A pagina sette.
— A pagina sette non capisco la frase numero dieci.
— Legga, Signor Smith.
— La conferenza sta per finire.
— *Pronunci* (imperative) bene la **i**, fi-ni-re... Conferenza   **pronunciare:** *to*
vuol dire 'lecture'; sta per finire: 'is about to end'. Sta-   *pronounce*
re per fare vuol dire 'to be about to do'. Per esempio,
noi, adesso, stiamo per finire la lezione.

D I negozi in Italia sono *specializzati*.   *specialized*

1. Compriamo i vestiti nei negozi di *abbigliamento*.   *wearing apparel, clothing*

2. Compriamo la *carta da scrivere* e le penne nelle car-   *writing paper*
   tolerie.

3. Compriamo i libri nelle librerie.

4. Compriamo le *medicine* nelle farmacie.   *medicines*

5. Compriamo le scarpe, le *pantofole* e gli *stivali*   *slippers/boots*
   nelle calzolerie.

6. Ci sono le *mercerie* per il *filo*, gli *aghi*, ecc.

    notions shops/thread
    needles
    supermarkets

7. Ci sono i *supermercati* ma tradizionalmente gli italiani comprano le cose da mangiare nei negozi specializzati: il *forno* o la panetteria, la *macelleria*, la *salumeria*, i negozi di *verdura e frutta*.

    bakery/butcher shop
    cold cuts and cheese shop
    vegetables and fruit

8. Gli italiani comprano i francobolli e i *tabacchi* nelle tabaccherie. Sono tutti e due *monopoli dello stato*. Naturalmente anche l'ufficio postale vende i francobolli.

    tobaccos
    state monopolies

9. Ci sono le pasticcerie per i dolci, i bar o i *caffè*, per le *bibite*, il caffè, i *gelati*, i *liquori* e le *bevande alcoliche*.

    cafès
    soft drinks/ice cream
    liqueurs/alcoholic beverages

E   I   Rispondere alle domande:

    1. Che cosa porta il postino?
    2. Chi sono gli ospiti?
    3. Perché non accettano l'invito i Signori Donini?
    4. Che cosa studia quello studente?
    5. Che cosa prepara una persona per viaggiare?
    6. Quando comincerai a studiare?
    7. Che cosa non dimenticherò?
    8. Che cosa non ricorda Carlo?

   II   Dare il contrario:

    1. Hai **torto.**
    2. Abbiamo **poca** pazienza.
    3. Arriveranno **tardi.**
    4. **Prima** studierò.
    5. Perché sono **accese** le luci?
    6. **Ricordano** tutto quello che studiano.

   III   Preparare una conversazione che ha luogo in classe (a conversation which takes place in class).

VOCABOLARIO

abbigliamento *wearing apparel*
ago, -ghi *needle*
articolo *article*

bar (m invar) *bar, coffee house*
bevanda alcolica *alcoholic beverage*
bibita *soft drink*

caffè (m)   *coffee*
calzoleria   *shoe shop*
carta da scrivere   *writing paper*
conferenza   *lecture*
compito   *assignment, task, homework*
conversazione (f)   *conversation*
dolce (m)   *any kind of sweet, cake*
farmacia   *pharmacy*
filo   *thread*
forno   *oven, bakery*
frutta   *fruit*
gelato   *ice cream*
impegno   *engagement, obligation, zeal*
invito   *invitation*
liquore (m)   *liqueur, liquor*
macelleria   *butcher's shop*
medicina   *medicine*
merceria   *notions shop*
monopolio   *monopoly*
musica   *music*
pagina   *page*
panetteria   *bread shop*
pantofola   *slipper*
pasticceria   *pastry shop*
preposizione (f)   *preposition*
sale (m)   *salt*
salumeria   *delicatessen*
stato   *state*
stivale (m)   *boot*
supermercato   *supermarket*
tabaccheria   *tobacco shop*
ufficio postale   *post office*
verdura   *vegetables, greens*

chiaro   *clear*
specializzato   *specialized*

accettare   *to accept*
coniugare   *to conjugate*

costare   *to cost*
giocare   *to play*
pronunciare   *to pronounce*
sapere   *to know*
suonare   *to play (musical instrument); to ring (bell)*
tornare   *to return*
viaggiare   *to travel*

adesso (adv)   *now*
poi (adv)   *later*
più tardi (adv)   *later*

a che?   *at which?*
a chi?   *to whom?*
che?   *what?*
che cosa?   *what?*
chi?   *who?*
di chi?   *whose?*
come?   *how?*
dove?   *where?*
quale?   *which?*
quando?   *when?*
quanto?   *how much?*
cui   *which (preceded by a preposition)*
quello che   *that which*
c'è   *there is*
ci sono   *there are*
ci sarà   *there will be*
ci saranno   *there will be*
allora   *then*
ecco   *here is, there is*
fra poco   *in a short while*
oppure   *or*
se   *if*

Lezione VI

VERBI IRREGOLARI DELLA PRIMA CONIUGAZIONE. I verbi sono quattro: **DARE** (to give), **STARE** (to stay in a condition or position), **ANDARE** (to go), **FARE** (to do, to make).

DARE (a)		STARE (a)	
Presente	Futuro	Presente	Futuro
do	darò	sto	starò
dai	darai	stai	starai
dà	darà	sta	starà
diamo	daremo	stiamo	staremo
date	darete	state	starete
danno	daranno	stanno	staranno

Esempi e alcune espressioni con **dare**:

1. Do il disco a Lia.
2. Darà il compito da fare per domani.
3. Daremo il vestito *da lavare* alla *lavanderia*.   *to be washed/laundry*
4. In Italia *danno del tu* agli amici e del Lei alle altre *persone*.   *to use the familiar form / persons*
5. Il professore *dà il buongiorno* agli studenti.   *greets*
6. In Italia danno la *mano* quando *salutano*.   **la mano le mani:** *hand/* **salutare:** *to greet, to say good-by*
7. Non dimenticherò di dare i *saluti* di Renzo a Vanna.   *greetings*
8. Domani gli studenti *daranno l'esame* di storia.   *will take/(m) exam*
9. I rumori troppo *forti danno noia*.   **forte:** *strong, loud/are bothersome,* **dar noia:** *to bother;* **noia:** *boredom, tedium*

Dare il plurale di quante parole è possibile:

1. Do del Lei al professore e del tu al *compagno* e alla *compagna*. ....   *fellow, school mate*

2. La settimana prossima darai l'esame *semestrale*. ....   **semestre** *(m): semester*

3. Dai noia al vecchio zio. ....

4. Darò i saluti della signorina a tutta la *famiglia*. ....   *family*

5. Lo studente dà la bella notizia all'amico di Carlo. ....

6. Darà la *lettera da impostare al postino*. ....   *the letter to be mailed to the postman*

7. Do sempre la mano quando saluto. ....

8. Quel rumore dà noia allo zio. ....

Esempi e alcune espressioni con **stare**:

1. Paolo sta in Italia a studiare storia dell'*arte*.	*art (f)*
2. *Dove stai di casa?* Sto in Via Garibaldi a Roma.	*where is your home, where do you live*
3. Staremo in *Grecia* per* due settimane.	*Greece*
4. Adesso noi *stiamo zitti* e parlate voi.	**stare zitto:** *to keep quiet, silent*
5. Voi state *seduti* e noi stiamo *in piedi*.	*sitting/ standing,* **piede** *(m): foot*
6. *Starò in piedi tutta la notte.*	*I'll stay up all night*
7. Lei *sta bene* in quell'albergo?	*are you comfortable*
8. *Stai per finire?*	**are you about to finish?**

Dare il singolare di quante parole è possibile:

1. Staremo nel parco due ore.	
2. Dove stanno di casa i Signori Zanetti?	
3. Se non state zitti date noia a tutti.	
4. Stiamo in piedi perché non ci sono *posti a sedere*.	*sitting room, space, place*
5. Come Lia, anche voi starete bene a Firenze.	
6. *Cambiano* di casa, staranno in Via Washington al numero sette.	**cambiare:** *to change*
7. I francobolli e anche le buste stanno nelle *scatole* sugli scaffali.	*boxes*
8. Se non sono qui, quelle giacche staranno *fra* i cappotti.	**fra:** *among, between*

IL BENE (good, good thing), **I BENI** (goods, wealth, property), **BENE** (well);
BUONO (adj).
IL MALE (evil, harm, misfortune), **MALE** (badly, poorly); **CATTIVO** (adj).
IL MEGLIO (the best thing), **MEGLIO** (better, best); **IL PEGGIO** (the worst thing), **PEGGIO** (worse, worst).

Modelli:

1. Come sta lo zio? **Male**, sta **peggio**.	
2. Come sta la zia? Meglio, sta *quasi* **bene**.	*almost*
3. *Come è andato l'esame?* **Male**, molto **male**.	*how did the exam go*
Come è andato l'esame? **Bene**, molto **bene**.	
4. Giorgio è **cattivo**: non studia, risponde **male** alle persone, *ruba*.	**rubare:** *to steal*

---

* The use of the preposition **per** is optional in this case.

5. È una ragazza **buona**: studia **bene**, è gentile, *aiuta*   **aiutare** *(a): to help*
   tutti.
6. È uno studente **bravo**: *lavora* **bene**, capisce *presto**   **lavorare:** *to work/quickly*
   e **bene**.
7. È **male** dire **male** delle. persone, ma è **peggio** fare **il**
   male alle persone.
8. È **bene** *acquistare* **i beni** però è **meglio** fare **il bene**   **acquistare:** *to acquire*
   anche *senza* **beni**.   *without*
9. Per uno studente **il peggio** è non *passare* agli esa-   **passare** *(a): to pass*
   mi.

Completare le frasi che seguono secondo i modelli (usare: **bene, beni, meglio, male, mali, peggio, buono, cattivo, bravo**):

1. Il compito è *pieno* di sbagli, il professore scrive sul   *full*

   compito:«........................»

2. Come sta la madre di Giovanni? Sta ....

3. Questo esercizio è ....

4. Al *mondo* ci sono persone .... e ....   *world*

5. Scrivo alla zia per *domandare scusa?*   *to ask to be forgiven*

   La risposta è: .... non scrivere.   *to apologize*

6. Renzo è intelligente e lavora molto, è ....

7. *Sono stato* male ma sto quasi bene, sto ....   *I have been*

8. Con tutto questo rumore *sentiamo* ....   *we hear*

9. È .... usare .... i .... che abbiamo.

10. È necessario *sopportare* i .... della vita.   *to endure*

11. Quell'uomo fa il .... a tutti, è molto ....

12. È .... arrivare a lezione in ritardo.

PASSATO PROSSIMO (Present perfect) di ESSERE, ARRIVARE, TORNARE, STARE.

ESSERE	ARRIVARE	TORNARE	STARE
sono stato (stata)	sono arrivato (arrivata)	sono tornato (tornata)	sono stato (stata)
sei stato (stata)			
è stato (stata)			
siamo stati (state)			
siete stati (state)			
sono stati (state)			

---

* **Presto** *is used for early, soon, quickly.*

Osservazioni:

1.   The **passato prossimo** *is a compound tense (tempo composto). Compound tenses are made by using a simple tense of either the auxiliary* **essere** *or the auxiliary* **avere** *with the past participle* (**participio passato**) *of a verb.*

2.   The **participio passato** *of regular verbs of the first conjugation, in* **-are**, *is* **-ato**: **arriv-are   arriv-ato.**

3.   The past participle of **essere** *and* **stare** *is the same:* **stato.**

4.   In general, verbs expressing motion (like **arrivare**) *or lack of motion (like* **stare**) *take* **essere** *as auxiliary. There are a few others, as will be seen. However, the great majority of verbs take* **avere** *as auxiliary.*

Esempi:

1. *Siete stati* in Italia?	*have you been, did you go, have you stayed*
2. *Siamo arrivati* a New York ieri.	*we arrived, we have arrived*
3. Maria *è tornata ieri l'altro* da Roma.	*returned day before yesterday*

Inserire la forma appropriata del passato prossimo dei verbi dati fra parentesi (in parentheses):

1.   Pia, dove (stare) .... *tutto questo tempo?*   *all this time*

2.   Io (essere) .... in quel negozio a comprare un vestito.

3.   Noi (stare) .... molto bene in Inghilterra.

4.   Il peggio (essere) .... che* il professore non (arrivare) ....

5.   Come (essere) .... la conferenza? Molto interessante.

6.   Voi (stare) .... due anni in Europa?

7.   Laura e Lucia (tornare) .... da Madrid?

8.   Ieri l'altro Stefano e io (arrivare) .... in Russia.

9.   Ci (essere) .... due notizie molto brutte.

10. Tu (tornare) .... con gli zii?

11. Il padre e la madre di Renzo (stare) .... poco bene.

12. Io (arrivare) .... troppo tardi.

---

* **che** *translates the conjunction that.*

ESERCIZI

A I Completare con l'aggettivo o il pronome **quello**:

1. Gli zii sono arrivati con .... aereo.

2. .... uffici sono troppo piccoli.

3. Ieri sera sono arrivati .... studenti stranieri di cui parliamo.

4. Quale personaggio è più interessante? .... sciocco, di cui non ricordo il nome (name).

5. Di chi sono .... valigie e .... impermeabili? Di .... signori.

6. .... radiologi sono molto bravi.

7. Quali giornali desidera? .... di ieri.

8. Sono molto ricchi .... zii di Stefano?

9. Darò il pacco a .... amica di Lucia.

10. Perchè .... lumi non sono accesi?

11. .... ragazze sono molto stanche.

12. Di quali scrittori parlano? Di .... inglesi.

II Trasformare le seguenti frasi in domande sostituendo (substituting) un interrogativo alla parola o alle parole in neretto (boldface):

1. Ieri è arrivata **a Roma.**
2. Aiuterò **Paolo** a scrivere la lettera.
3. Maria lava **i guanti.**
4. Il museo (museum) acquisterà **cinque** quadri.
5. Il rumore dà noia **allo zio.**
6. È necessario studiare bene i verbi **irregolari.**
7. Fra un mese arriveremo **in Australia.**
8. I Signori Tosi sono tornati dall'**Italia.**

III Come si dice in italiano?

1. We are thirsty.
2. They are listening carefully.
3. I introduce Mrs. Carli to you.
4. Very pleased to meet you.
5. Paul is about to return.
6. It is enough for now.

7. We are tired but we are not sleepy.
8. Anna is a nice (congenial) friend.
9. Read again all together.
10. There is no empty shelf.
11. Will you (tu) invite Professor Zanetti to dinner?
12. John is looking up the word in the dictionary.
13. I shall ask what I don't understand.
14. He is listening to the news on (at) the radio.

B   Dare l'equivalente italiano:

1. Which records do you (Lei) wish? The ones on that shelf.
2. She will ask who has arrived with the package.
3. Mrs. Rossi, how many daughters do you have?
4. I don't remember which poems we have to study.
5. Well, then, we shall return tomorrow with those friends.
6. The worst is that you (tu) will forget what I am explaining.
7. You (Lei) are giving a good idea of the characters in that story. Good.
8. Where do Mr. and Mrs. Gini reside?
9. Those are the boys whom I shall invite.
10. The exercises for tomorrow are on page twelve.
11. We shall keep quiet if he continues to play (music).
12. In the box there are the stamps and also the address book.

C   Leggere più volte ad alta voce.

Alla lezione d'italiano. La professoressa parla:

— Quando la lezione starà per finire spiegherò quello che
sarà il compito per dopodomani. Ora *leggiamo* insieme   *let us read*
un racconto di Italo Calvino. Calvino è uno scrittore italiano contemporaneo di cui parleremo *in seguito*.   *later on*

Gli studenti leggono uno dopo l'altro e la professoressa spiega
quello che essi non capiscono. Lei dice di pronunciare bene
tutte le vocali, ripete le parole e le frasi e dopo alcuni minuti la
noia è grande. Due studenti *cominciano a dormire*, tre a man-   *begin to sleep*
giare e gli altri non stanno attenti. L'insegnante continua con
la lettura per alcuni minuti e cerca di non *vedere*. Poi *dice*:   *to see/says*

— È meglio *non* leggere *più* per ora. Avete sonno e fame, ma   **non** *(verb)* **più**: *no longer, no more*
è presto; è necessario continuare la lezione. *Prepariamo*   *let us prepare*
insieme le domande per l'esame della settimana prossi-
ma... Ricordate che avrete un esame?

Uno studente dice:

— Sì, ricordiamo. *Che peccato!*   *what a pity, what a shame!*

L'insegnante:

— *Coraggio!* L'esame non sarà molto difficile.   *courage*

D   Nei negozi.

I negozi hanno un *padrone*, che è un *commerciante*, i *commessi* o le *commesse* che stanno al *banco e vendono la merce*, il *cassiere* o la *cassiera*, il *custode* e i *clienti*.	*owner/merchant* *clerk, salesman/counter/sell* *merchandise/cashier/watchman* **cliente** *(m & f): client*

E   I   Rispondere alle domande:

1. Dove sta di casa Lei?
2. Che cosa dà noia a quel ragazzo?
3. Quanto tempo ancora starà Lei in questo *istituto*?   *institution, college, school*
4. Quando sta in piedi in autobus una persona?
5. Che compito darà da fare il professore?
6. In quali città e paesi, oltre a quello in cui *abita*, è stato   **abitare:** *to inhabit, to reside*
   Lei?

II   Dare il contrario:

1. È **tardi.**
2. Siamo **in anticipo.**
3. Avranno **caldo.**
4. Stanno **bene.**
5. È **meglio** non invitare gli zii.
6. È una ragazza **antipatica.**

III   Elencare (list) tutto quello che c'è nell'aula.

VOCABOLARIO

banco, -chi *counter*
bene *good, good thing*
i beni *goods, wealth*
cassiera *cashier*
cassiere (m) *cashier*
cliente (m f) *client*
commerciante (m f) *merchant*
commessa *saleswoman*
commesso *salesman*
compagno *companion, schoolmate, roommate*
custode (m f) *custodian, guard*
famiglia *family*
ieri l'altro *day before yesterday*
istituto *institute*
lavanderia *laundry (place)*
lettera *letter*

male (m) *evil, harm*
mano (f) le mani *hand*
meglio *the best thing*
merce (f) *merchandise*
mondo *world*
museo *museum*
noia *boredom, tedium*
padrone (m) *boss*
peggio *the worst thing*
persona *person*
piede (m) *foot*
posto a sedere *sitting room, space, place*
postino *mailman*
saluto *greeting*
scatola *box*
semestre (m) *semester*

forte   *strong, loud*
seduto   *seated*

abitare   *to reside, to inhabit*
acquistare   *to acquire, to buy*
aiutare   *to help*
andare   *to go*
cambiare   *to change*
dare   *to give*
dare l'esame   *to take an examination*
dar noia   *to bother*
domandare scusa   *to ask to be forgiven*
dormire   *to sleep*
finire   *to finish*
impostare   *to mail*
lavare   *to wash*
lavorare   *to work*
passare   *to pass*
rubare   *to steal*
salutare   *to greet, to say good-bye*
sopportare   *to bear, to endure, to tolerate*
stare   *to stay, to remain*
stare bene   *to be comfortable*

stare zitto   *to be quiet*
usare   *to use*
vedere   *to see, to view*
vendere   *to sell*

fra (prep)   *among, between*
male (adv)   *badly*
meglio (adv)   *better, best*
non (non ... più) più   *no longer, no more*
peggio (adv)   *worse, worst*
quasi (adv)   *almost*

che peccato!   *what a pity!*
coraggio!   *courage!*
dove stai di casa?   *where is your home? where
    do you live?*
a piedi   *on foot*
in piedi   *standing*
senza   *without*
tutta la notte   *all night*
tutto questo tempo   *all this time*

Lezione VII

VERBI IRREGOLARI DELLA PRIMA CONIUGAZIONE. Verbo ANDARE:

Presente	Futuro	Passato prossimo
vado	andrò	sono andato (andata)
vai	andrai	
va	andrà	
andiamo	andremo	
andate	andrete	
vanno	andranno	

Esempi e espressioni con **andare (a)**; notare soprattutto (above all) le preposizioni:

1. Andremo **a** Tokio **in** Giappone.
2. Siete andati **da** *Mosca* **a** Vienna **in** aereo? — *Moscow*
3. Le *cose* vanno **di** *male* **in** *peggio*. — *things / from bad to worse*
4. Renzo va **a** comprare il giornale.
5. Il professore non c'è, è *andato via mezz'ora fa**. — *went away, left / half an hour ago*
6. È presto, *vai via?* — *are you leaving?*
7. Anna è andata via *poco* **fa**, *non molto tempo* **fa**. — *a short while ago*
8. Per arrivare **a** Washington andiamo **in** aereo o **in** *treno* o **in** *automobile* (in macchina) o **in** *pullman***. — *train / (f) car (m) (bus)*
9. **In** *città*** andiamo **a** *piedi*, **in** *autobus***, **in** *tram*** **in** *auto****, oppure **in** *tassì***. — *city / on foot; il piede / (m) bus / (m) trolley / car / (m) taxi*
10. **In** *campagna* andiamo **a** piedi, **a** *cavallo* e anche **in** *bicicletta*. — *in the country / horse bicycle*
11. **Sul** *mare* andiamo **in** *barca* o **in** *piroscafo*; **in** mare *nuotiamo* **per** non *affogare*. — *(m) sea, seashore / boat / ship* **nuotare:** *to swim / to drown*
12. Il padre va **in** ufficio, la zia va **in** *chiesa*, la madre va **in** *cucina* o **in** *salotto*, il figlio piccolo va **in** *giardino*, una figlia va **in** *camera* **a** studiare e l'altra figlia va **in** biblioteca. — *church kitchen / living room garden / room, bedroom (one's own)*
13. **In** *inverno* andiamo **in** *montagna* **a** *sciare*, **in** *estate* andremo **al** mare, **in** *primavera* e **in** *autunno restiamo* **a** casa. — *winter / mountain / to ski summer (f) / spring / autumn to stay (remain)*

---

* **Mezz'ora fa, due anni fa, un momento fa, ecc.:** *half an hour ago, two years ago, a moment ago.*

** *Nouns ending with an accented vowel or with a consonant do not change in the plural:* **i tram, gli autobus, le città, i tassì.**

*** **Auto** *is short for* **automobile** *(f). It is feminine but does not change in the plural:* **le auto.**

14. Ora vado **a** piedi; dopo le lezioni tornerò **a** casa **a** mangiare e dopo andrò **a** cavallo per due ore.

15. Il Dottor Cini non è **in** casa, è andato **all'***ospedale*. Sarà **in** ufficio questo *pomeriggio*.

    hospital (m)
    afternoon

16. Non siamo andati **al** *cinema*, siamo andati a *teatro*.

    the movies, **il cinema:** *cinema theatre*

Ricapitolazione (recapitulation):

1.	Andare, viaggiare (to travel), stare, restare, essere, ecc.	**IN**	automobile (auto, macchina), treno, tram, autobus, pullman, barca, piroscafo, aereo, bicicletta
		A	piedi, cavallo
2.	Andare, stare, restare, essere, ecc.	**IN**	città, chiesa, ufficio, biblioteca, giardino, casa (inside), cucina, salotto, camera (one's own), campagna, montagna
		A	casa, scuola, lezione, teatro; **al** mare, **al** cinema, **all'**ospedale

Notare che i sostantivi sono modificati:

1. Vado **nell'***automobile dello zio.*
2. Siamo **nella** *chiesa di San Paolo.*
3. I bambini sono **nel** *giardino della Signora Rossi.*
4. Sono stato **nella** *camera di Renzo.*
5. Vado **alla** *lezione di filosofia.*

Completare con la preposizione e anche con l'articolo se è necessario:

1. Domani andremo .... chiesa.

2. Scusi, è .... casa la signora?

3. Vado .... casa .... lasciare i libri.

4. Un anno fa siamo arrivati .... America.

5. I bambini vanno .... scuola .... piedi oppure .... autobus?

6. Andate sempre .... mare in estate?

7. Non sempre, andiamo anche .... campagna.

8. Vanna non è .... ufficio del professore, è andata .... biblioteca .... cercare un libro.

9. I ragazzi sono .... salotto .... ascoltare i nuovi dischi.

10. Tutto va .... male .... peggio. No, va .... bene .... meglio.

11. Staremo .... Lisbona per quattro giorni.

12. Noi viaggiamo sempre .... aereo.

ALCUNI USI DEGLI ARTICOLI.

Esempi:

1. **La** Francia è un paese dell'Europa.
2. **L'**Asia, l'Africa, l'America del *nord*, l'America del *sud*, l'Australia, e l'Europa sono *continenti*.   *north/south*   **continente** *(m): continent*
3. **La** Toscana è una delle *regioni* dell'Italia.   **regione** *(f): region*
4. **Il** lago di Como è in Italia, nell'Italia *settentrionale*.   *northern*
5. Viaggeremo in India, nell'India *meridionale*.   *southern*
6. **Il** Po è il *fiume più lungo* dell'Italia.   *river/longest*
7. **Gli** italiani sono simpatici.
8. **I** ragazzi sono ragazzi e non desiderano lavorare troppo.
9. **L'**uomo è un animale che ragiona.   **ragionare:** *to reason*
10. **Lo** spagnolo non è difficile come *lingua*.   *language, tongue*
11. **Il** *cibo* è necessario.   *food*
12. **L'**ultimo re* in Italia è stato Umberto *secondo*, il figlio di Vittorio Emanuele *terzo*.   *last/king/second*   *third*
13. **La** *virtù* è il contrario **del** *vizio*.   *virtue/vice*

Osservazioni: L'articolo determinativo è usato in italiano ma **non** *in inglese:*

1. Before the name of continents, countries, regions, islands, lakes **except** *when these names are singular, unmodified and preceded by the preposition* **in:** **vado in Spagna; vado negli Stati Uniti;**

2. Before abstract nouns;

3. Before nouns denoting a whole class or used in a general sense;

4. Before titles of persons **not** *in direct address.*

ALTRI VERBI COMUNI (common) **CHE USANO** ESSERE **COME AUSILIA-RE** (oltre a -besides- essere, stare, arrivare, tornare e andare):

restare (a)	to stay, to remain
diventare	to become; diventare scrittore, professore (to become a writer, etc.)
sembrare (no p)	to appear, to seem, to look like; sembrare confuso, chiaro, interessante
entrare (a)	to enter, to go inside; entrare **in** casa, **nel** negozio, **nell'**aula
cadere	to fall (irr. future)
accadere	to happen (irr. future)
nascere	to be born (irr. past participle)
fuggire	to flee, to escape; fuggire **da** un luogo
partire (per)	to leave (on a trip); partire **per** l'Europa, **da** Roma **per** Firenze
uscire (a)	to exit, to go out: uscire **dalla** scuola, **di** casa; (irr. present indicative)
riuscire (a)	to succeed (conjugated like uscire)
morire	to die (irr. pres. indic. and past participle)
venire (a)	to come (irr. pres. indic., future and past participle)

PARTICIPIO PASSATO REGOLARE DELLE TRE CONIUGAZIONI.

divent-**are**	divent-**ato**
cad-**ere**	cad-**uto**
usc-**ire**	usc-**ito**

Esempi (esclusi -excluded- i verbi con il participio passato irregolare):

1. Siamo restati a Roma per un mese.
2. I bambini sono diventati *grandi*.   *big, grown up*
3. Laura e Sergio sono entrati nel museo.
4. Ieri sei sembrato poco gentile.
5. *Sono sembrati adulti* ma sono molto giovani.   *looked like adults*
6. Siamo stati zitti e siamo sembrati intelligenti.
7. Paolo è caduto in giardino.
8. È accaduto che non sono riuscito a capire.
9. I nemici sono fuggiti da quelle montagne.
10. Siete partiti ieri l'altro da New York?
11. Quando sei partito per andare in Russia?
12. Siamo usciti all'una e un quarto dal cinema.
13. Sono uscita a comprare il giornale.

Inserire la forma appropriata del passato prossimo dei verbi dati fra parentesi:

1. Sergio e Laura (sembrare) .... poco simpatici.

2. (Accadere) .... che non sono tornata a casa dopo la scuola.

3. Tu (diventare) .... molto brava.

4. Sergio e tu (fuggire) .... per non vedere il professore?

5. Loro, signorine, (riuscire) .... a finire gli esercizi?

6. Tu e io (partire) .... alle tre meno cinque per Londra.

7. A Paolo la Toscana (sembrare) .... molto bella.

8. Noi (restare) .... nell'Africa del nord per sei mesi.

9. Le studentesse (uscire) .... poco fa dalla biblioteca.

10. Quando (entrare) .... in quel negozio Lucia e Rita?

FUTURO ANTERIORE (Future perfect). Il futuro anteriore è il tempo composto dal verbo ausiliare al futuro con il participio passato di un altro verbo: **sarò stato, sarai andato, sarà sembrato, saremo diventati, sarete entrati, saranno riusciti.** Its use is very limited.

Esempi:

1. Fra un mese *sarò tornato* dall'Italia.	*I will have returned*
2. Se non sono in casa, i ragazzi *saranno andati* in giardino.	*may have gone*
3. *Se sarete stati buoni* uscirete con noi.	*if you have been good*
4. Quando sarai diventato grande tornerai a casa a mezzanotte.	
5. Ricorderò quel nome *dopo che sarai uscito.*	*after you have left*

Osservazioni:

1. *Contrary to English usage,* **il futuro anteriore** *is used to express an action in the future which will be followed by another action. In these cases* **il futuro anteriore** *is introduced normally by a conjunction such as* **quando, se, dopo che, appena** *or* **appena che** *(as soon as).*

2. *It is also used to express probability in the past.*

Inserire la forma appropriata del futuro anteriore:

1. Sergio e Laura (sembrare) .... poco gentili.

2. Quando tu (diventare) .... uno scrittore *famoso* ricorderai i vecchi amici?   *famous*

3. Loro torneranno dopo che il nemico (fuggire) ....

4. Alle sette di domani noi (arrivare) .... a Parigi.

5. Dove sono gli zii? Loro (andare) .... al cinema.

6. Dopo che io (uscire) .... giocherete in giardino.

7. Se voi bambini (essere) .... buoni andrete con noi al *concerto*.   *concert*

8. I Signori Bianchi (partire) .... da Roma *ormai*.   *by now*

ESERCIZI

A   I   Dare il singolare o il plurale:

1. Voi date	11. Voi ascoltate ....
2. Voi ricordate	12. Voi insegnate ....
3. Tu comprerai	13. Voi andate ....
4. Tu starai	14. Voi andrete ....
5. Voi state	15. Voi darete ....
6. Tu arrivi	16. Voi studierete ....
7. Voi imparate	17. Voi studiate ....
8. Voi avrete	18. Tu hai ....
9. Voi avete	19. Voi state ....
10. Tu dai	20. Tu tornerai ....

II   Copiare (copy) le seguenti frasi completando (completing) con uno dei verbi sottoindicati (listed below) alla forma appropriata del **passato prossimo**:

andare, arrivare, diventare, entrare, partire
restare, sembrare, stare, tornare, uscire

1. Un mese fa la zia .... da Roma.

2. Ieri sera le ragazze .... a teatro.

3. Gli zii di Carlo .... da Venezia (Venice) per Vienna.

4. Tu .... in quel negozio?

5. Sergio e io .... in biblioteca tutto il pomeriggio.

6. Quello studente .... molto confuso a lezione.

7. Renzo .... dottore.

8. Lia e tu a che ora .... a casa?

9. Annamaria .... in camera a studiare tutto il giorno.

10. Un momento fa io .... da quell'aula.

III Copiare completando con il **presente**, il **futuro**, o il **passato prossimo** e aggiungendo (adding) un **luogo**:

1. Domani loro (restare) ....

2. Due giorni fa gli studenti (restare) ....

3. Fra poco noi (arrivare) ....

4. Ora gli zii (stare per arrivare) ....

5. La Signora Sabelli (entrare) ....

6. Il professore un momento fa (entrare) ....

7. Tu (stare) ....

8. I Signori Ranetti (stare) ....

9. Ieri l'altro gli amici di Laura (partire) ....

10. Mezz'ora fa io (partire) ....

11. Dopodomani i ragazzi (andare) ....

12. Ora tu (andare) ....

13. Poco fa tu (uscire) ....

14. Dieci minuti fa il professore e lo studente (uscire) ....

15. Ieri sera Sergio (tornare tardi) ....

16. In seguito noi (tornare) ....

Dare l'equivalente italiano.

I 1. Exams are a bother.
2. We shall go on foot.
3. Italian cities are very ancient.
4. In England trains are always on time.
5. They left yesterday by train.

6. Professor Curzi is not in the office, he is in the library.
7. In church people (persons) keep quiet.
8. Pope (papa) Paul *the sixth* went to Bolivia that summer.   **sesto**
9. After school they went back to the hospital.
10. We shall stay at the seashore for a month.
11. Are you (voi) leaving now?
12. I shall become an archeologist.

II 1. Were you (Loro) comfortable in that hotel?
2. When will you (voi) take the semester examination in history of art?
3. We stayed up all night to learn those verbs and those prepositions.
4. He is right, they left for Europe last evening.
5. When uncle Paul has arrived we shall go to the movies.
6. Do you (tu) remember with whom they stayed in Venice?
7. They seemed to be very happy.
8, By now (ormai) the girls have become big and they begin to look like young ladies.
9. Day before yesterday I went out of the house *in a hurry* and I fell.   **in fretta**
10. I have succeeded in explaining that story to George.

C   Leggere più volte ad alta voce.

Geografia: *Geography*

L'insegnante, con l'aiuto della *carta geografica*, dà alcune *no-   *map*
zioni* sulla geografia dell'Italia: *rudiments*

L'Italia è in Europa, nell'Europa *meridionale.* È un paese *com-   *southern*
posto* di tre *parti:* la parte *continentale,* la *penisola,* e le *isole,* di   *composed/parts/continental*
cui le più grandi sono la Sicilia al *sud* e la Sardegna all'*ovest.* La   *peninsula/islands/south/west*
Corsica è francese.

Eccetto al *nord,* l'Italia è *circondata dal* Mare Mediterraneo.   *except/north/surrounded/by*
Al nord ci sono le Alpi, i *monti più alti dell'Europa,* che *se-*   *mountains/tallest in Europe*
parano il paese dal *resto* del continente. Dall'ovest all'*est,* l'I- **separare:** *to separate/remainder*
talia *confìna* con la Francia, la *Svizzera,* l'Austria e la Iugo-   *east/***confinare:*** *to border*
slavia.   *Switzerland*

Gli Appennini, un'altra *catena* di monti, *attraversano* il paese   *chain/***attraversare:*** *to cross*
dal nord al sud e *perciò* l'Italia è un paese molto *montuoso.* Nel-   *therefore, for this reason*
la parte *settentrionale* c'è la grande *pianura* del Po, la *valle* del *mountainous/northern/plain*
Po, ma le altre pianure sono *piuttosto* piccole. Le *coste* sono   *valley/rather/coasts*
molto lunghe, ma non ci sono molti *porti.* I più importanti sono: *ports*
Genova a nord-ovest, *Napoli* a sud-ovest, Palermo a nord-   *Naples*
ovest della Sicilia, Bari a sud-est, e *Venezia* a nord-est.   *Venice*

D Due stati indipendenti (indipendent states) in Italia.

Ci sono due piccoli *stati indipendenti* in Italia, la Città del Vaticano a Roma e la Repubblica di San Marino sugli Appennini al nord-est della penisola. Il *primo* stato è il *risultato* del Concordato del 1929 fra l'Italia e la Chiesa, il *secondo* è la repubblica più antica del mondo, *fondata* nel *decimo* secolo.

states / independent

first / result
second
founded / tenth

Al tempo della *fondazione* degli Stati Uniti d'America la Repubblica di San Marino *mandò* una lettera di *rallegramenti* «dalla più antica e più piccola repubblica alla più nuova e più grande».

foundation, establishment
sent / congratulations

E   I   Rispondere:

1. Dove andrà lo studente dopo la lezione?
2. Dove è stato prima della lezione?
3. Come viaggeranno i Signori Ricci?
4. Dove andranno?
5. Quanto tempo staranno?
6. Dove è stato Lei l'estate passata?
7. Come vanno le còse per Lei?
8. Dov'è il babbo? la mamma? la zia? lo studioso? il medico? il commesso?
9. Dove sono gli operai? i bambini? gli studenti?

II   Domande di geografia (geography):

1. Con quali paesi confina l'Italia?
2. Di quali parti è composta l'Italia?
3. Quali sono e dove sono i porti, i fiumi, le catene di monti?

III   Usare i verbi che seguono e i loro contrari in frasi complete (Use the following verbs and their opposites in complete sentences):

1. entrare
2. partire
3. morire
4. andare
5. cercare

VOCABOLARIO

adulto *adult*
aereo *airplane*
aiuto *help, aid*
autobus (m) *bus*
automobile (f) *automobile*
autunno *autumn*
barca *boat*
bicicletta *bicycle*
camera *bedroom*
campagna *countryside*
catena *chain*
cavallo *horse*
chiesa *church*
cibo *food*
cinema (m invar) *cinema, movie theater*
città *city, town*
concerto *concert*
continente (m) *continent*
cosa *thing*
costa *coast*
cucina *kitchen*
est (m) *east*
estate (f) *summer*
fiume (m) *river*
fondazione (f) *foundation*
geografia *geography*
giardino *garden*
inverno *winter*
isola *island*
lingua *tongue, language*
mare (m) *sea*
montagna *mountain*
Napoli *Naples*
nord (m) *north*
nozione (f) *rudiment*
ospedale (m) *hospital*
ovest (m) *west*
parte (f) *part, share, side*
penisola *peninsula*
pianura *plain*
piroscafo *steamship, ship*
pomeriggio *afternoon*
porto *port, harbor*
primavera *spring*
rallegramenti *congratulations*
re (m invar) *king*

regione (f) *region*
resto *remainder, change (money)*
risultato *result, consequence*
salotto *living room*
sud (m) *south*
Svizzera *Switzerland*
tassì *taxi*
teatro *theater*
tram (m invar) *trolley car*
treno *train*
valle (f) *valley*
Venezia *Venice*
virtù (f) *virtue*
vizio *vice*

continentale *continental*
decimo *tenth*
famoso *famous*
grande *large, big, great*
indipendente *independent*
meridionale *southern*
montuoso *mountainous*
più alto *higher*
più lungo *longer*
secondo *second*
sesto *sixth*
settentrionale *northern*
terzo *third*
ultimo *last, latest*

accadere *to happen*
affogare *to drown*
andare via *to go away*
attraversare *to cross*
cadere *to fall*
cercare *to look for, to try, to endeavor*
confinare *to border, to confine*
diventare *to become*
entrare *to enter*
fuggire *to flee, to escape*
morire *to die*
nascere *to be born*
nuotare *to swim*

partire   *to leave, to depart*
ragionare   *to reason*
restare   *to remain*
riuscire   *to succeed*
sciare   *to ski*
sembrare   *to seem, to appear*
separare   *to separate*
uscire   *to go out, to exit*
venire   *to come*

appena (che)   *as soon as, barely*
eccetto   *except*
in fretta   *in a hurry*
ormai   *by now, by this time*
perciò   *therefore*
piuttosto   *rather*

Lezione VIII

VERBI IRREGOLARI DELLA PRIMA CONIUGAZIONE. VERBO **FARE**.
PASSATO PROSSIMO E FUTURO ANTERIORE CON L'AUSILIARE **AVERE**.

AVERE	FARE (no p)			
Passato prossimo	Presente	Futuro	Passato prossimo	Futuro anteriore
ho avuto	faccio	farò	ho fatto	avrò fatto
hai avuto	fai	farai	hai fatto	avrai fatto
ha avuto	fa	farà	ha fatto	avrà fatto
abbiamo avuto	facciamo	faremo	abbiamo fatto	avremo fatto
avete avuto	fate	farete	avete fatto	avrete fatto
hanno avuto	fanno	faranno	hanno fatto	avranno fatto

Esempi con **avere**:

1. *Abbiamo avuto* molto da fare. — *we have had, we had*

2. *Quando avrai avuto l'assegno pagherai.* — *when you have (have had) the check* **pagare:** *to pay*

3. Sono andati via, *avranno avuto paura.* — *they may have been scared*

Esempi ed espressioni con **fare**:

1. Ho una frase da tradurre, *faccio presto.* — *I'll be quick (I'll finish soon)*

2. A lezione è necessario fare attenzione.

3. Ha una domanda da fare? Desidero fare una domanda.

4. Il professor Ricci *farà una conferenza* oggi. — *will give a lecture*

5. *Ha fatto la conoscenza* della Signora Tenca? — *have you made the acquaintance*

6. La mattina *faccio la spesa* e il pomeriggio *faccio le spese.* — *I go marketing (to the market)* / *I go shopping,* **la spesa:** *expenditure*

7. Ieri ho fatto alcune *commissioni,* ho comprato i francobolli, sono andata all'ufficio del *gas,* ho pagato le *tasse.* — *errands (f)* / *gas (cooking)/taxes*

8. La mattina, prima *faccio il bagno* e poi faccio *colazione.* — *I take a bath/breakfast*

9. Al mare, l'estate passata, *abbiamo fatto il bagno* tutti i giorni. — *we went swimming*

10. Il padre di Valeria *fa il medico,* il padre di Sergio *fa il calzolaio.* — *is a physician* / *is a shoemaker*

11. *Che tempo fa oggi?* Fa bello, brutto, freddo, caldo, *così così.* — *what is the weather/today ?* / *so so (not too good)*
    MA: il tempo è bello, brutto, ecc.

12. Il riposo fa bene, il troppo lavoro fa male alla *salute.* — *health*

13. **Quello studente ha fatto molto bene all'esame.**

14. Due e due, oppure due *più* due, fa quattro. — *plus*

15.	Dieci *diviso* due fa cinque.	*divided*
16.	Tre *per* quattro fa dodici.	*multiplied by*
17.	Nove *meno* uno fa otto.	*less, minus*
18.	*Per sbaglio ho fatto lavare quei guanti.*	*by mistake I had those gloves washed*
19.	*L'insegnante ha fatto parlare gli studenti.*	*made the students speak*
20.	*Faremo vedere il museo ai ragazzi.*	*we shall have the boys see the museum*

Notare: Nouns ending in -**ione,** especially abstract nouns, are usually feminine.

Ricapitolazione:

1.	fare presto	to be quick, to hasten
2.	fare attenzione	to pay attention, to be careful
3.	fare una domanda	to ask a question
4.	fare una conferenza	to give a lecture
5.	fare la conoscenza	to make the acquaintance, to meet
6.	fare le commissioni	to go on errands, to do errands
7.	fare la spesa	to shop at the market, grocery store
8.	fare le spese	to shop, to go shopping (in general)
9.	fare il bagno	to take a bath, to swim
10.	fare il medico, il postino	to be a physician, a postman
11.	far bello, ecc.	the weather is good, etc.
12.	far bene	to do (perform) well, to be good (for someone)
13.	far male	to do (perform) poorly, to be bad (for someone), to hurt
14.	far fare	to have (something) done, to make (someone) do

Inserire la forma appropriata del verbo **fare**:

1. Questa mattina noi .... colazione alle sette.

2. Io .... l'insegnante.

3. Chi non .... attenzione a quello che spiego non imparerà.

4. L'anno passato loro ...., la conoscenza di quella scrittrice famosa.

5. La madre domanda ai bambini: « .... il bagno?»

6. Che tempo .... ieri?

7. Quegli studenti .... molto male agli esami.

8. Per sbaglio lo zio ieri non .... lavare la macchina.

9. Quel radiologo fra due giorni .... una conferenza.

10. Secondo la radio domani .... bello.

11. Più tardi noi .... delle commissioni.

12. Tu già .... la spesa?

ALCUNI PARTICIPI PASSATI IRREGOLARI:

1.	fatto	fare	
2.	chiuso	chiudere	to close
3.	detto	dire *	to say
4.	letto	leggere	to read
5.	messo	mettere	to put, to place; **metter via:** to put away
6.	promesso	promettere	to promise
7.	morto	morire * (essere)	to die
8.	nato	nascere (essere)	to be born
9.	preso	prendere	to take, to seize, to fetch, to catch, to get
10.	risposto	rispondere	to answer
11.	scritto	scrivere	to write
12.	tradotto	tradurre **	to translate
13.	venuto	venire ** (a) (essere)	to come

Inserire, secondo il caso, la forma appropriata del **passato prossimo** o del **futuro anteriore** (Insert the proper form of the present perfect or of the future perfect as the case requires).
Notare le preposizioni:

1. Tu (rispondere) .... **alla** *lettera* dello zio?

2. Chi (rispondere) .... **al** professore?

3. Dopo che voi (rispondere) .... farò un'altra domanda.

4. Alla domanda, Valeria (rispondere) .... **di** invitare anche Paolo.

5. Chi (mettere) .... i francobolli **fra** le pagine del libro?

6. Quando tu (mettere) .... via tutto giocherai.

7. Gli zii (scrivere) .... **di** non partire.

8. Noi (scrivere) .... **alla** zia **per** invitare lei e lo zio.

9. Non ricordo chi (dire) .... quelle parole famose.

10. Laura e Sergio (prendere) .... i libri e sono andati via.

11. Quando Lei (leggere) .... tutta la lettera non avrà più domande.

12. Tu non (tradurre) .... nessuna frase?

13. La lezione passata nessuno studente (rispondere) .... bene.

14. Non ho veduto chi (chiudere) .... la porta.

15. Tu (venire) .... **a** piedi o **in** bicicletta?

---

* *The present indicative of these verbs is irregular.*

** *These verbs are irregular in the present and in the future.*

16. Sergio (venire) .... **a** prendere Anna.

17. Quando (morire) .... il poeta Leopardi?

18. Noi (nascere) .... **in** Algeria.

IL PARTITIVO (The partitive).

A Preposizione DI più l'articolo determinativo (definite article):

	Positivo	Interrogativo	Negativo
compro un libro	compro **dei** libri	compro (dei)* libri?	non compro libri
ha un amico	ha **degli** amici	ha (degli) amici?	non ha amici
parli a un operaio	parli a **degli** operai	parli a (degli) operai?	non parli a operai
cercano una parola	cercano **delle** parole	cercano (delle) parole?	non cercano parole

* *The partitive is in parenthesis because its use is optional.*

Osservazione:

The partitive **di** *plus the* **definite article, must** *be used in the positive sentence,* **may** *be used in the interrogative, and is normally* **not** *used in the negative sentence.*

Esercizio.   Inserire il partitivo se necessario:

1. Porterò .... fiori alla zia.

2. Ho dato .... **caffè** a Pia.

3. Ha .... carta, per piacere?

4. Non abbiamo servito .... vino, solo .... latte.

5. Cercano .... riviste francesi.

6. Desidero .... lavoro.

7. Stasera parleranno .... studiosi africani.

8. Non conosco .... studenti stranieri.

B UN PO' DI (a little of; **po'** is short for **poco**):

compro **un po' di vino** (wine) (compro del vino)	compro (un po' di) vino?	non compro vino
c'è **un po' di** carta (c'è della carta)	c'è (un po' di) carta?	non c'è carta
ha bisogno* di **un po' di** tempo	ha bisogno di (un po' di) tempo?	non ha bisogno di tempo

* **Aver bisogno di:** *to need, literally: to have need of.*

Osservazione:

The partitive phrase **un po' di** *(a little of, a bit of) is often used instead of the partitive article before* **mass** *nouns, nouns indicating quantities not composed of single units, such as time (not hours), bread (not loaves of bread), help, etc.*
Un po' di *must be used after expressions containing* **di: ho bisogno di un po' di aiuto;** *and before* **questo** *and* **quello: un po' di questo vino** *(some of this wine).*

Esercizio.   Inserire il partitivo se necessario:

1.   Ha bisogno di .... tempo.

2.   Non hanno comprato .... vino.

3.   C'è bisogno di .... pazienza.

4.   Mangeremo .... questo dolce.

5.   Hai paura di .... neve?

C   **ALCUNI, ALCUNE (some)**, aggettivi usati al plurale:

ho bisogno di **alcuni** fogli di carta	non ho bisogno di fogli di carta
farai la conoscenza di **alcune** scrittrici	non farai la conoscenza di scrittrici
parliamo di **alcune** poesie italiane	non parliamo di poesie italiane
desidero **alcuni** di questi cataloghi	non desidero cataloghi
staremo in **alcune** di quelle città	non staremo in quelle città

Osservazione:

The adjective **alcuni** (m) **alcune** (f) *must be used before* **unit** *nouns, instead of the partitive article, after expressions containing* **di: aver bisogno di, parlare di, fare la conoscenza di,** *and before* **questo** *and* **quello: alcune di quelle ragazze.** *The sentences:* **ho bisogno di lavoro, ho fatto la conoscenza di studenti stranieri,** *are not partitive sentences but indefinite sentences meaning: I need work, I met (made the acquaintance of) foreign students.*

Insert, if necessary, the indefinite article or the partitive article or the adjective **alcuni (-e)** [Inserire, se necessario, l'articolo indeterminativo oppure il partitivo o l'aggettivo **alcuni (-e)**]:

1.   Valeria comprerà .... libri.

2.   Noi saluteremo .... amiche.

3.   Ieri sono venuti .... operai.

4.   .... frasi sono state molto difficili.

5. Parleremo di .... scrittori antichi.

6. Hanno bisogno di .... aiuto.

7. Oggi il professore non ha .... tempo.

8. Desidera .... vino?

9. Abbiamo fatto la conoscenza di .... archeologi famosi.

10. Ha comprato .... giornale.

11. Ho cercato .... di quelle parole nell'enciclopedia.

12. Quei ragazzi non hanno .... zii in Europa.

13. A questa regola non ci sono .... eccezioni.

14. .... esercizi sono molto *noiosi.*   *boring, tedious*

ESERCIZI

A   I   Dare la forma corretta del presente indicativo a sinistra e del futuro a destra:

    Presente indicativo   Futuro

1. Tu (salutare) ....

2. Noi (avere) ....

3. Io (essere) ....

4. Voi (stare) ....

5. Tu (dare) ....

6. Loro (andare) ....

7. Lei (comprare) ....

8. Tu (ricordare) ....

9. Io (fare) ....

10. Tu (fare) ....

11. Tu (cercare) ....

12. Loro (andare) ....

13. Noi (fare) ....

14. Tu (avere) ....

15. Tu (arrivare) ....

II   Copiare inserendo la preposizione e anche l'articolo se sono necessari:

1.   Lascio .... studiare i ragazzi.

2.   Desiderano .... restare .... montagna.

3.   Ricorderò .... Vanna .... chiudere la porta.

4.   Tutte le estati torniamo .... mare .... fare i bagni.

5.   Ha fatto .... scrivere un dettato .... studenti.

6.   Aiuteranno .... la signora .... preparare il pranzo.

7.   Il bambino sta per imparare .... camminare.

8.   Come siete venuti, ... macchina o .... piedi?

9.   Chi ha risposto .... invito della zia?

10. Il papa non andrà per ora .... America del sud.

11. Viaggerete .... pullman o .... treno?

12. La madre ha risposto al bambino: «Dopo la scuola andrai .... giardino .... giocare».

13. Il Signor Tilli non è .... ufficio, è andato .... cinema.

14. Paolo ha cercato .... arrivare un po' in anticipo ma non è riuscito.

15. Non riuscirete .... far bene se non fate attenzione.

III Copiare inserendo la forma corretta del passato prossimo (ausiliare **essere** o **avere**):

1.   Vanna e io (leggere) la lettera dello zio.
2.   Paolo e tu (tornare) troppo tardi ieri sera.
3.   L'insegnante (rispondere) che non ci sarà lezione domani.
4.   Tre ore fa gli studenti (partire) in piroscafo da New York.
5.   Come (stare: tu) in Spagna?
6.   Il professore (uscire) alcuni minuti fa.
7.   Ieri l'altro a lezione io (sembrare) stupida.
8.   Pia (tradurre) tutte le frasi ma non (riuscire) a leggere tutto il racconto.
9.   La zia e Lucia (andare) a fare la spesa.
10. Noi (prendere) un tassì e (arrivare) in orario.
11. Laura e Anna (diventare) molto belle.
12. Quella signora (fare) una conferenza sui giardini italiani.

B   Dare l'equivalente italiano:

1.   She promised to give George some Italian newspapers.
2.   It is well to translate some of these sentences.
3.   Prof. Santini, do you have a little time? I need some help.

4. You (voi) are very good, you always remember everything and perform very well.
5. Which story have you (Lei) read? The one in the red book.
6. Whoever said that Sergio and John will leave school is right.
7. Do you (Loro) remember which girl lives (has her home) on (in) Marconi Street?
8. Americans are always in a hurry.
9. We have some paper but we don't have any envelopes.
10. If we have not done the homework, is it worse not to come to class or to come?
11. Aunt Laura promised to arrive at four-thirty.
12. Mrs. Giannotti goes to church every day (tutti i giorni).
13. You (voi) are making too much noise.
14. We shall be very tired and very hungry.
15. Lucia's child was born last week.

C   Leggere più volte ad alta voce:

Continua la lezione di geografia:

Abbiamo detto che l'Italia è un paese montuoso *dato che* ci sono due lunghe catene di monti, le Alpi e gli Appennini. *Fra* le Alpi e gli Appennini settentrionali c'è la *vasta* pianura del Po che è *ricca d'acqua a causa* dei fiumi che *scendono* dalle Alpi al nord e dagli Appennini al sud. Alcuni di questi fiumi *formano,* ai piedi delle Alpi, i grandi laghi di Garda, di Como, e il lago Maggiore; *quasi tutti sboccano* nel fiume **Po**, che è il fiume più lungo dell'Italia e che attraversa l'Italia continentale da ovest a est.

given the fact
between
vast/rich in water
*because of/***scendere:** *to descend, part. pass.:* **sceso**
form
*almost all/***sboccare:** *to empty*

Il resto dell'Italia non è molto ricco d'acqua. Ci sono pochi laghi e i fiumi sono *piuttosto brevi* eccetto l'Arno, che attraversa Firenze e Pisa, e il Tevere, che *passa per* Roma.

rather short
passes through

In generale, *il clima è dolce* perchè il Mediterraneo è un mare piuttosto caldo. *Inoltre* dall'Africa arrivano i *venti* caldi, come il famoso scirocco, e *invece* le Alpi *riparano* dai venti freddi del nord. A Roma, che è sul parallelo di Boston, e a Napoli, che è sul parallelo di New York, *non nevica quasi mai* e l'inverno è quasi come la primavera nelle due città americane.

the climate/mild (sweet)
furthermore/winds
instead/protect

it almost never snows

Ci sono tre *vulcani attivi:* il Vesuvio, *vicino* a Napoli, l'Etna, nella Sicilia orientale, e lo Stromboli, sulla piccola isola Stromboli a nord della Sicilia.

volcanoes/active/near

D   Tempo cattivo.

il vento	(wind)	tirare, soffiare		il temporale	(thunderstorm)
la pioggia	(rain)	piovere		la tempesta	(storm)
la neve	(snow)	nevicare		la nuvola	(cloud)
la grandine	(hail)	grandinare		il fulmine	(thunderbolt)
il gelo	(frost)	gelare		il lampo	(lightning)
				il tuono	(thunder)

E I Rispondere o spiegare:

    1. Che cosa fa la mamma questa mattina?
    2. Quello che farò quando andrò a fare commissioni.
    3. Che tempo fa?
    4. Che cosa fa male alla salute?
    5. Quello che ho fatto fare a Renato.
    6. Chi aggiusta le scarpe?

  II Domande di geografia:

    1. Come è il clima in Italia? nel Suo paese?
    2. Quale vento caldo c'è in Italia?
    3. Quale città americana è sul parallelo di Roma?
    4. Quale parte dell'Italia è più ricca d'acqua?
    5. Dove sono alcuni laghi italiani famosi?
    6. È ricco d'acqua il Suo paese?
    7. È montuoso il Suo paese?

 III Dare il contrario:

    1. Il giardino è **davanti** alla casa.
    2. Quell'articolo è **noioso**.
    3. Annamaria e Laura parlano **molto**.
    4. Quel commerciante è **ricco**.
    5. L'esercizio è stato **lungo**.
    6. Ho **dimenticato** il nome di quell'operaio.
    7. I clienti hanno **torto**.

 IV Descrivere (describe) come una persona può (can) andare da un posto all'altro (from one place to another).

VOCABOLARIO

calzolaio *shoemaker, cobbler*
clima (m) *climate*
colazione (f) *breakfast*
commissione (f) *errand, commission*
fulmine (m) *thunderbolt*
gas (m) *gas (cooking)*
gelo *frost*
grandine (f) *hail*
lampo *lightning*

neve (f) *snow*
nuvola *cloud*
pioggia *rain*
salute (f) *health*
tassa *tax*
tempesta *tempest, storm*
temporale (m) *thunderstorm*
vento *wind*
vulcano *volcano*

B

alcuni, -e   *some, few*
attivo   *active*
breve   *short*
dolce   *sweet, mild*
noioso   *boring, tedious*
vasto   *vast*
vicino   *near*

aver bisogno di   *to need*
far fare   *to have something done*
formare   *to form*
gelare   *to freeze*
grandinare   *to hail*
nevicare   *to snow*
pagare   *to pay*
piovere   *to rain*

riparare   *to repair*
sboccare   *to empty (of rivers)*
scendere   *to descend*
soffiare   *to blow*
tirare   *to pull, to haul, to throw*

che tempo fa oggi?   *what is the weather like to-*
  day?
così così   *so so*
dato che   *given the fact that, since*
fa bello, fa brutto   *it's nice weather, it's bad*
  weather
inoltre   *furthermore*
invece   *instead*
un po' di   *a little of*

Lezione IX

ESERCIZI DI RICAPITOLAZIONE

A   I   Trasformare le seguenti frasi in domande sostituendo un interrogativo alla parola o alle parole in neretto:

1. Gli operai desiderano **il permesso di non lavorare domani.**

2. Hanno veduto **delle** città **antiche.**

3. Queste scarpe sono **troppo strette.**

4. Torneremo **in Grecia.**

5. Sono partiti **due mesi fa.**

6. Ho fatto la conoscenza **del Signor Ricci.**

7. Avete letto **tre** racconti di Calvino.

8. Non studieremo le poesie **di Montale.**

9. Ho viaggiato con **quelle due famiglie spagnole.**

10. **A causa del brutto tempo** l'aereo andrà a Filadelfia.

II   Riscrivere le frasi seguenti collegando le due parti di ogni frase con un pronome relativo (connecting the two parts of each). Le frasi sono incomplete:

1. La lettera .... ho ricevuto...

2. Il parallelo su .... sta Napoli...

3. Le tasse .... paghiamo...

4. L'acqua di .... hanno bisogno gli animali...

5. È importante .... ho spiegato...

6. Quella signora va sempre a *visitare* .... sta all'ospedale...   *to visit*

III   Copiare inserendo il partitivo se è necessario:

1. Fanno .... domande intelligenti.

2. Ha .... periodici scientifici?

3.   Non desiderano .... giornali.

4.   Hai bisogno di .... camicie nuove.

5.   Ci sono .... vigili in Piazza Trento.

6.   Faremo la conoscenza di .... scrittrici.

7.   Non avete fatto .... sbagli nell'ultimo esercizio.

8.   Mangerò .... di quei *dolci*.   *sweets*

9.   Scusi, ha .... stoffa di seta viola?

10. Se avrò .... tempo andrò a casa a mangiare.

B   Come si dice in italiano?

1.   Well, then I shall go marketing this afternoon.
2.   She will be quick.
3.   Pleased to meet you.
4.   We shall invite Miss Donini for dinner.
5.   This evening they are going to the theatre.
6.   Paul's friends are listening to the music on the radio.
7.   You (tu) will go to Rome by plane?
8.   Stephen is a good boy.
9.   It is a foolish joke.
10. Mr. Carli, are you a physician?
11. It is a handsome picture.
12. What have you (Lei) been doing all this time?
13. Who will speak? I have no idea.
14. Have you (voi) eaten everything?
15. Sleep is necessary.
16. Two months ago he wrote that he will return a week from now.
17. Mrs. Cini is not here.
18. Next month they will be in Japan and the following month they will return home.
19. Renzo left the library a short time ago.
20. We shall study those poems later on.
21. Lesson number two begins on page eight.
22. The children first do the homework and then they play in the garden.
23. What a shame!
24. These dresses look like coats.
25. Three multiplied by three is nine.
26. You will need some checks.
27. You (voi) are bothering Uncle George.
28. It happened last week.
29. What is the weather like?
30. After they have returned I shall leave.
31. She is a very good student.
32. It is enough for now.

C   I   Rispondere alle seguenti domande sulla geografia dell'Italia:

    1. In quale parte del mondo sta?
    2. Quali sono le due grandi catene di monti? Qual è la loro (their) posizione?
    3. Qual è il nome e la posizione dei vulcani?
    4. Quali città attraversano l'Arno e il Tevere?
    5. Quali sono e dove sono le isole?
    6. Dove sta Palermo? Genova? Bari? Venezia?
    7. Quali sono le caratteristiche dell'Italia?

   II   Preparare un breve componimento (composition) sulle differenze geo-grafiche più importanti fra l'Italia e il Suo (your) paese. (My country: il mio paese)

  III Domande generali:

    1. Da quale lingua deriva l'italiano?
    2. Chi sono i tre grandi scrittori del Trecento?
    3. Parlare dei negozi italiani.

Lezione X

SECONDA CONIUGAZIONE, VERBI IN -ERE.

RIPET-ERE (to repeat)		
Presente	Futuro	Passato prossimo
io ripet-o	ripet-erò	ho ripetuto
tu ripet-i	ripet-erai	
lui ripet-e	ripet-erà	
noi ripet-iamo	ripet-eremo	
voi ripet-ete	ripet-erete	
loro ripet-ono	ripet-eranno	

Esempi: notare l'uso delle preposizioni (o la mancanza -lack- delle preposizioni) specialmente (especially) con **rispondere** e **vedere**:

1. *Rispondo* **al** professore.
2. Rispondi tu **al** telefono.
3. L'impiegato ha risposto **alla** domanda del signore.
4. Rispondiamo **allo** zio **di** non venire domani.
5. Gli impiegati ripeteranno la *richiesta* **al** direttore.
6. Scriverò un biglietto **alla** signora per *ringraziare* dell'invito.
7. Ho scritto **a** Marco **di** *firmare* l'assegno.
8. Non hanno *veduto* entrare la professoressa.
9. In autunno vediamo cadere le *foglie*.

rispondere: *to answer*

request/(m) *director*
ringraziare: *to thank*

to sign (name)
vedere: *to see (no p)*
leaves (of trees)

Il futuro di **vedere** e **cadere** è irregolare, come **avere**:

vedrò	cadrò
vedrai	cadrai
vedrà	cadrà
vedremo	cadremo
vedrete	cadrete
vedranno	cadranno

Esempi:

1. Se non stai attento cadrai **dalla** sedia.
2. In seguito *accadranno* molte cose interessanti.
3. Che peccato! Se andiamo via ora non vedremo gli zii.
4. Questa sera vedrete una bella *rappresentazione*.

accadere: *to happen*

show, play

Inserire la forma dovuta del verbo dato fra parentesi. Se non c'è un'indicazione di tempo (if no specific time is given) usare il presente. Ricordare che alcuni verbi hanno il **participio passato irregolare** e che **cadere** e **accadere** prendono **essere** come ausiliare.

1. Fra alcuni giorni noi (*vendere*) .... la casa.   *to sell*

2. Ieri io (vendere) .... dodici biglietti per la rappresentazione di stasera.

3. La mamma (promettere) .... di comprare dei *dolci*.   **il dolce:** *cake,*
                                                                                               i dolci: *sweets*

4. Carlo e tu ieri sera (promettere) .... di andare al cinema con noi.

5. Marco e Vera (scrivere) .... un biglietto di *auguri*.   **augurio:** *wish, a*
                                                                                               note of good wishes

6. Lucio (scrivere) .... vari *saggi* la settimana passata.   *essays, papers*

7. Domani sera noi (vedere) .... l'*opera* Aida.   *opera*

8. Io (vedere) .... uscire molte persone.

9. L'anno passato (accadere) .... alcune cose importanti.

10. Due giorni fa tu (*ricevere*) .... due lettere da Vera.   *to receive*

11. Il dottore non (ricevere) .... *pazienti* oggi.   **paziente:** *(m f) patient*

12. Perché tu (chiudere) .... la finestra?

13. Se non facciamo presto loro (chiudere) .... il negozio.

14. Che cosa tu (rispondere) .... a Sergio poco fa?

15. Fra un mese saremo a Firenze e (vedere) .... gli zii di Lucio.

16. Gli *alberi* in primavera (mettere) .... le foglie.   *trees*

Esempi. Note that the ending of the following verbs is preceded by the letter **c** *or* **g**:

1. Io *leggo* il giornale e tu *leggi* una rivista.   **leggere:** *to read*
2. Noi *conosciamo* il Signor Rossi e voi *conoscete*   **conoscere:** *to be acquainted with, to know*
   la signora Rossi.
3. Quegli uomini politici *vincono* sempre.   **vincere:** *to win, to vanquish,* p.p.: **vinto**
4. I fiori *nascono* in primavera.   **nascere (essere):** *to be born*
5. Non *leggerò* poesie.
6. *Crescerete* e diventerete adulti.   **crescere (essere):** *to grow*

Osservazioni:

1. *Contrary to the verbs in* -**are,** *verbs in* -**ere do not** *preserve the quality of the* **c** *or* **g** *immediately preceding the verb ending.*
2. *Notare il participio passato di:*

crescere:	**cresciuto**
conoscere:	**conosciuto**
vincere:	**vinto**
convincere:	**convinto**

Inserire la forma dovuta del verbo dato fra parentesi. Se non c'è un'indicazione di tempo usare il presente:

1. Marco (leggere) .... l'orario dei treni.

2. Quel bambino (crescere) .... molto presto.

3. Paolo ed io (conoscere) .... quell'impiegato.

4. Il bambino di Vera (nascere) .... fra un mese.

5. Io non (vincere) .... domani.

6. Gli studenti (leggere) .... tutti insieme ad alta voce.

7. In estate i fiori (crescere) .... bene.

8. Chi (conoscere) .... quella ragazza?

9. Io (conoscere) .... quel paese.

10. Domani loro (*convincere*) .... gli amici.   *to convince (conj. like* **vincere**)

NEGATIVI (Negatives). Note the double negative whenever the negative word follows the verb. If the negative word precedes the verb, **non** is not used. When the negative word precedes the verb it is more emphatic. If there is no verb, **non,** of course, is not used.

A   NULLA, NIENTE (nothing); **NESSUNO** (noboby, no one, not one).

Modelli:

1. Desidera *qualcosa?*	**Non** *desidero* **nulla.**	*something/I don't wish anything*
	Non desidero **niente.**	
	Nulla desidero.	(emphatic)
	Niente desidero.	
Che cosa c'è sul tavolo?	**Non** c'è **nulla.**	
	Non c'è **niente.**	
	Nulla.	
	Niente.	

C'è *qualcosa di nuovo?*	**Non** c'è **nulla** di nuovo.	*something new*
C'è *qualcosa di bello?*	**Non** c'è **nulla** di bello.	*something beautiful, good*
Cos'altro c'è da fare?	**Non c'è null'***altro* da fare. Non c'è **niente** altro da fare.	*what else/nothing else*

2. Chi viene stasera?

Non viene **nessuno**.
 Nessuno viene.

nobody, no one
 (emphatic)

C'è *qualcuno* alla porta?

Non c'è **nessuno**.
 Nessuno.

someone

Con chi altro andiamo?

Non andiamo con **nessun** *altro*.
 Con **nessun** altro.

nobody else

Rispondere al negativo secondo i modelli cambiando (changing) il soggetto se è necessario:

1. Di chi è quel foglio di carta? ....

2. Chi è entrato poco fa? ....

3. Cosa c'è da mangiare? ....

4. Cos'altro comprerai? ....

5. Che cosa ha risposto il professore? ....

6. Che cosa c'è d'interessante oggi? ....

7. Sono andate molte persone al concerto? ....

8. Per chi fai quel lavoro? ....

B   L'aggettivo **NESSUNO**, ricapitolazione (see p. 28). (see p. 28)

Quanti biglietti di auguri hai scritto?

Non ho scritto **nessun** biglietto di auguri.
 Nessun biglietto di auguri ho scritto.

Quali città italiane vedrai?

Non vedrò **nessuna** città italiana.
 Nessuna.

B Rispondere con frasi complete al negativo usando **nulla (niente)** o **nessuno** e cambiando il soggetto se è necessario:

1. Quanti *parenti* hanno Loro in Italia? .... **parente:** (*m f*) *relative*

2. Quante automobili avete? ....

3. Gina e tu avete preso dei corsi di storia? ....

4. Hai fatto tutto? ....

5. Ci sono alberghi di *lusso* in questa città? .... *luxury*

6. C'è qualcosa di nuovo nel giornale? ....

7. Chi hai veduto alla conferenza? ....

8. Conosci qualcuno in quell'ufficio? ....

9. Darà i biglietti agli studenti? ....

10. Parleranno di qualcosa a qualcuno? ....

C **MAI** (ever, never), **PIÙ** (no more, no longer), **ANCORA** (still, yet; not yet).

Modelli:

1. *Ho sempre fame.*	**Non** ho **mai** fame. **Mai** ho fame.	*I am always hungry/I am never* *(emphatic)*
Va *spesso in città?*	**Non** vado **mai** in città. **Mai.**	*often/to town, downtown/never* *never*
Va *mai* in città?	**Non** vado **mai** in città. **Mai.**	*ever*
2. Ho *ancora* fame.	**Non** ho **più** fame.	*still/no longer*
Hai ancora molto da fare?	**Non** ho **più nulla** da fare. **Più nulla.**	*nothing more*
Hai veduto Paolo?	**Non** ho **più** veduto Paolo. **Non** vedrò Paolo **mai più** **Mai più.**	*not again* *never again*
3. Hai sonno?	**Non** ho **ancora** sonno. **Non ancora**	*not yet*
È già uscito Marco?	Marco **non** è **ancora** uscito.	

Rispondere o completare al negativo secondo i modelli, cambiando il soggetto se è necessario:

1. Ha già comprato la bicicletta per Giorgio? ....

2. Abbiamo mangiato molto e bene, noi ....

3. Il professore è già entrato in classe? ....

4. Quei ragazzi hanno sempre freddo? ....

5. Vai spesso a teatro? ....

6. Sergio è molto antipatico, non parlerò ....

7. C'è ancora del vino in cucina? ....

8. Sono già partiti gli zii? ....

9. Avete ancora esami da dare? ....

10. Signora, ha mai viaggiato in Europa? ....

11. Dopo mezzanotte non ci sono .... treni per Napoli.

12. È ancora arrivata la *posta*? ....   *mail*

Notare: *with a compound tense* **sempre, già, ancora, mai** *are placed between the auxiliary and the past participle:*

sono sempre **stati** buoni, non è ancora **tornato, ho** già **finito,** non **hanno** ancora **risposto.**

USI DI PRENDERE (to take, to seize, to fetch, to catch, to get) **E PORTARE** (a) (to carry, to bring, to take, to lead, to wear):
Esempi:

1. **Prenderò** quella rivista e *la* **leggerò.**   *it*
2. **Prende** le sedie e *le* **porta** in salotto.   *them*
3. **Prendono** i libri e *li* **portano** in biblioteca.   *them*
4. **Prende** il *caffè* con lo *zucchero*?   *coffee/sugar*
5. *Lo* **prendo** *senza nulla.*   *it/without anything*
6. Sergio **prende** l'autobus per andare a scuola.
7. **Prenderò** la macchina e **porterò** i bambini a scuola.
8. **Hai preso** il denaro?
9. Ieri **ha preso** freddo e ora ha un *raffreddore.*   *cold (head)*
10. *Piove perciò* **prendo** l'*ombrello.*   **piovere:** *to rain/therefore/umbrella*
11. Arriveranno alle sei a **prendere** Vera per andare al concerto.
12. **Porteremo** la zia a visitare il museo e poi a **prendere** una *bibita.*   *soft drink*
13. Quale via **prende,** Lei, per andare alla *stazione?*   *station*

14. Se il tempo è brutto **porto** l'ombrello.
15. Questa via **porta** alla stazione.
16. **Portiamo** il cappotto pesante perchè fa freddo.
17. **Porterò** i saluti del professore allo zio.
18. Dato .che tu sei stanco **porterò** io i pacchi.
19. Anna **porta** il caffè agli ospiti.
20. Domani la mamma **porterà** i bambini al cinema.

Completare le frasi che seguono con la forma dovuta di **prendere** o **portare:**

1. Vanna è andata a .... il vestito dalla lavanderia.

2. Marco è tornato in biblioteca a .... dei libri per il saggio
   che ha da scrivere.

3. Desidero .... gli zii al concerto.

4. Il *cameriere* domanda ai signori: «........................ del vino?» *waiter*

5. *Piero* torna *subito*, è andato a .... il saggio al professore. *Peter/immediately*

6. Tu .... l'aereo o il piroscafo per andare in Spagna?

7. Voi .... il denaro dal tavolo?

8. Domando a un *vigile:* «Qual è la via che .... alla biblioteca *policeman*
   pubblica?»

9. Sta per piovere perciò noi .... l'ombrello.

10. Ieri io .... un brutto raffreddore.

11. Vado a .... i bambini e li .... qui.

12. Il tassì fra poco .... gli ospiti alla stazione.

ESERCIZI

A   I   Mettere il verbo in neretto al **passato prossimo** e notare la costruzione:
invece di, prima di, dopo seguiti da un verbo all'infinito:

1. *Invece di prendere* la penna rossa Elio **prende** quella *instead of taking*
   verde.
2. Invece di prendere l'acqua **prendono** il vino.
3. Invece di leggere la lezione **leggi** una rivista!
4. Prima di andare nel Messico **andiamo** in Argentina.
5. È necessario *pensare* prima di rispondere. *to think*
6. Prima di telefonare **leggerò** di nuovo la lettera.
7. *Dopo aver ricevuto* la lettera **risponderò.** *after receiving,* **aver
   ricevuto:** *past infinitive*
8. Dopo aver ringraziato **vanno** via.
9. Dopo essere arrivati **scriverete** a casa.
10. Dopo esser tornato in ufficio **metterò** in ordine le carte.

II   Mettere il verbo in neretto al **presente** e notare i pronomi relativi e gli interrogativi:

1.   Dove **è andato** l'impiegato a cui **hai dato** l'assegno?
2.   Quali amiche di Marcella **sono diventate** insegnanti?
3.   Quando **hai veduto** il dottore?
4.   Quanto **sono cresciuti** i *prezzi* da un anno all'altro?   *prices*
5.   Chi **ha risposto** al telefono?
6.   **Avete veduto** la ragione per cui **siamo sembrati** stupidi.
7.   **Ha dato** i biglietti a chi non **ha pagato**?
8.   **Ha risposto** a quello che **ho domandato.**
9.   L'uomo per cui **ho fatto** il lavoro è **andato** via.
10. **Hai preso** la rivista che **ho letto?**

III Mettere il verbo in neretto al **futuro** o al **futuro anteriore:**

1.   Quando **arrivano** gli amici di Elio?
2.   Non **faccio** lavare la macchina oggi.
3.   La mamma **lascia** giocare i bambini in salotto quando **piove.**
4.   **Leggono** sempre gli esercizi ad alta voce.
5.   Gli studenti **vanno** a casa domani.
6.   **Siamo** stanchi e **abbiamo** molta fame.
7.   Dopo che è **arrivato** il professore **cominciamo** la lezione.
8.   Quando **hai fatto** il compito **giochi** in giardino.

B   Dare l'equivalente italiano:

1.   I am answering some letters.
2.   Do you have any Italian magazines?
3.   I always take some sugar in the coffee.
4.   We need some money in order to buy some material for a dress.
5.   Do you wish anything else? Nothing else.
6.   I forgot, I never answered that invitation.
7.   You (tu) don't need the umbrella, it isn't raining any longer.
8.   He is a fool and I shall never see him again. (him: **lo** before the verb)
9.   Is Marc already here? No, not yet.
10. Have you (Lei) already eaten? No, I haven't begun yet.
11. Have you (Loro) ever been in Greece? Never.
12. We never shop in the supermarket.
13. We don't have any relatives in France.
14. Not one worker went to work today.
15. We won't give anything to anybody.

C   Leggere più volte ad alta voce:

A lezione. Parla l'insegnante, poi uno studente dopo l'altro con *commenti* dell'insegnante.

comments

Ins. — Le nozioni di geografia che avete imparato sono molto generali e superficiali, però già *indicano* alcune delle
caratteristiche dell'Italia che la *distinguono* da altri paesi
e che *creano vantaggi* e *svantaggi* particolari. Chi può indicare una caratteristica di questo *tipo?*

indicare: *to indicate*
distinguere: *to distinguish*
creare: *to create*/**vantaggio:**
advantage/*disadvantages*
type, kind
precise/*around*

— I confini sono *precisi:* al nord le Alpi e *intorno* al resto il mare.

— Il paese è molto lungo e *stretto*. Questo e il *fatto* che la penisola è attraversata dagli Appennini indicano che le comunicazioni sono difficili.

narrow/*fact*

— La vasta pianura del Po che ha grandi laghi e molti fiumi
in contrasto con le montagne e con i pochi fiumi nel resto
del paese fa pensare che il nord ha dei vantaggi per l'*agricoltura*.

in contrast
agriculture

— Il nord, *vicino* ai paesi ricchi dell'Europa, ha anche il vantaggio di comunicare con essi con *facilità anche se* ci sono
le Alpi.

near, (adj) near, (noun) neighbor
ease, facility/*even if*

Ins. — *È vero*. Nel *Medio Evo*, e anche molto prima, italiani e
stranieri le hanno attraversate senza troppe *difficoltà*.

it is true/*Middle Ages*
difficulty

— Nel nord ci sono i porti di Genova e di Venezia.

Ins. — Genova è il primo porto dell'Italia e il secondo del Mediterraneo. Venezia è stata un porto molto *importante nel
passato*, oggi è meno importante.

important
in the past

— Ci sono porti anche nel sud, però, e questo fa pensare che,
anche se il resto dell'Europa è *lontano*, le comunicazioni
sono facili con l'Africa, con l'Oriente, con la Grecia, la
Spagna...

far away

— Allora si può dire che il nord è continentale e il sud, invece,
è mediterraneo; ci sono *forse influenze* e *culture diverse*...

perhaps/*influences*/*cultures*
different

**Suona il campanello che *segna* la *fine* della lezione. L'insegnan-
te dice:**
Per la prossima lezione cercate di pensare a questo *problema*
e di preparare altre osservazioni. Per ora, basta.

segnare: *to mark*/*end (finish)*

il problema, i problemi: *problem*

D   Le regioni dell'Italia.

Le venti (20) regioni hanno origini storiche. Se cominciamo dal nord e andiamo da ovest a est le regioni sono:

> (la) Val d'Aosta, (il) Piemonte, (la) Lombardia, (il) Trentino-
>   Alto Adige, (il) Veneto, (il) Friuli-Venezia Giulia;
> (la) Liguria, (la) Emilia e Romagna;
> (la) Toscana, (la) Umbria, (le) Marche;
> (il) Lazio, (gli) Abruzzi, (il) Molise;
> (la) Campania, (la) Basilicata, (le) Puglie;
> (la) Calabria;
> (la) Sardegna, (la) Sicilia.

Le regioni più ricche sono il Piemonte e la Lombardia. Le regioni più povere sono la Basilicata e la Calabria.

E   I   Rispondere:

1. Che cosa domandano Alberto e Lina al vigile?
2. Che cosa hai preso dal tavolo?
3. Se sta per piovere che cosa porto?
4. Chi porta gli ospiti alla stazione?

II   Dare il contrario:

1. Quel commerciante ha comprato **molta** merce.
2. I giovani hanno **sempre** fame.
3. **Non** sono **ancora** le dieci.
4. Sei arrivato **prima** dello zio.
5. Dodici **più** tre fa...
6. A lezione Silvio parla **di rado**.   *rarely*
7. Scusi, non ho capito la **risposta**.
8. Questi guanti sono **ordinari**.

III   Prepararsi (prepare yourself) a fare osservazioni sulle caratteristiche geografiche dell'Italia.

VOCABOLARIO

agricoltura *agriculture*
albero *tree*
augurio *wish (presented to others)*
cameriere (m) *waiter*
commento *comment, remark*
cultura *culture*
difficoltà *difficulty*
direttore (m) *director*
facilità *facility, ease*
fatto *fact, event*
fine (f) *end, close, finish*
foglia *leaf*
influenza *influence*
lusso *luxury*
Medio Evo *Middle Ages*
ombrello *umbrella*
opera *opera*
parente (m f) *relative*
passato *past*
paziente (m f) *patient*
Piero *Peter*
posta *mail, post office*
prezzo *price*
problema (m) *problem*
qualcosa *something*
qualcuno,-a *someone*
raffreddore (m) *headcold*
rappresentazione (f) *show (play, movie), rappresentation*
richiesta *request*
saggio *essay*
stazione (f) *station*
tipo *type*
vantaggio *advantage*

vicino *neighbor*
zucchero *sugar*

di lusso *luxurious*
importante *important*
preciso *precise, accurate*

conoscere (irr) *to know, to be acquainted with*
convincere (irr) *to convince*
creare *to create*
crescere (irr) *to grow, to augment*
distinguere (irr) *to distinguish*
firmare *to sign (one's name)*
indicare *to indicate, to point out*
leggere *to read*
pensare *to think*
portare *to carry, to bring, to wear*
prendere *to take, to seize, to get, to fetch, to catch*
ricevere *to receive*
ringraziare *to thank*
rispondere (irr) *to answer, to respond*
segnare *to mark*
vedere *to see*
vincere *to win*

ancora *still, yet*
di rado *rarely*
è vero *it is true*
forse *perhaps*
invece (di) *instead (of)*
intorno (adv) *around, about*
mai (adv) *ever, never*
spesso (adv) *often*

Lezione XI

NEGATIVI, continuazione.

D NÈ ... NÈ (neither...nor), **NEANCHE** (neither, not even), **AFFATTO** (not in the least).

Esempi:

1. Studio la filosofia e la storia.	**Non** studio **nè** la filosofia **nè** la storia.
Scrivi tu a Paolo e a Vera?	**Non** scrivo **nè** a Paolo **nè** a Vera.
	Non scrivo **nè** all'uno **nè** all'altro.
	Nè a lui **nè** a lei.
2. Marco non ha più denaro, e tu?	**Non** ho più denaro **neanche** io (neanch'io).
	Neanch'io.
È venuto qualcuno oggi?	Non è venuto nessuno, **neanche** il postino.
3. Ha parlato di questa questione?	**Non** ha parlato **affatto** di questa questione.
	Affatto.
Hai freddo?	**Non** ho **affatto** freddo.

Esercizio sui negativi in generale. Rispondere o mettere al negativo usando **non con un negativo.** Change the subject and the verb if necessary:

1. Quando avremo un po' di *fortuna?* ....   *luck, fortune*

2. Vera non ha ringraziato la zia, e tu? ....

3. Chi ha suonato il campanello? ....

4. Ha già veduto il giornale di oggi? ....

5. Ci sono francobolli? ....

6. Lei mette lo zucchero e il *latte* nel caffè? ....   *(m) milk*

7. Quante riviste ci sono sullo scaffale? ....

8. Anna *trova* sempre tutto. ....   **trovare:** *to find*

9. Ha ancora sonno la bambina? ....

10. Domani parlerò con Pietro e con Renata. ....

11. Ha ragione Elio? ....

12. Ha lavorato molto oggi? ....

13. Desidero · *pane* e *frutta*. .... *(m) bread/fruit (coll. noun)*

14. Sono ancora partiti gli zii? ....

15. Abbiamo molti esercizi da fare. ....

16. Sono simpatici quei ragazzi? ....

17. Ho letto la poesia e anche il racconto. ....

TERZA CONIUGAZIONE, VERBI IN -IRE. Ci sono due modelli per il **presente indicativo** dei verbi in **-ire**:

FIN-IRE (to finish)		PART-IRE (to depart)	
Presente	Futuro	Presente	Futuro
io fin-isco	fin-irò	part-o	part-irò
tu fin-isci	fin-irai	part-i	part-irai
lui fin-isce	fin-irà	part-e	part-irà
noi fin-iamo	fin-iremo	part-iamo	part-iremo
voi fin-ite	fin-irete	part-ite	part-irete
loro fin-iscono	fin-iranno	part-ono	part-iranno

Osservazioni:

1. *Most verbs in* **-ire** *follow the pattern of* **finire,** *such as* **capire** *(to understand),* **preferire** *(to prefer),* **spedire** *(to mail, to ship, to send). Except for the verbs listed below or marked (come partire) in later lessons, it is to be assumed that all verbs in* **-ire** *follow the pattern of* **finire.**

2. *Although few in number, the verbs which follow the pattern of* **partire** *are of common usage. The most common are the following, divided into three groups:*

   a. *Regular throughout:*

1.	avvertire	*to warn, to notify*
2.	fuggire (a)	*to flee, to escape; takes* **essere** *as auxiliary*
3.	seguire	*to follow*
4.	inseguire	*to pursue, to run after*
5.	sentire (no p)	*to hear*
6.	servire (a)	*to serve, to be useful*
7.	vestire	*to clothe, to dress*

b. *Irregular in the past participle:*

1.	*aprire*	aperto	*to open*
2.	*coprire*	coperto	*to cover*
3.	*scoprire*	scoperto	*to uncover, to discover*
4.	*offrire*	offerto	*to offer*
5.	*soffrire*	sofferto	*to suffer*

c. **Uscire** (a) *and* **udire** *(no p) (to hear, used primarily in literature) have an irregular stem in the present indicative:*

esco	odo
esci	odi
esce	ode
usciamo	udiamo
uscite	udite
escono	odono

Esempi.   Notare l'uso o meno (or lack of use) delle preposizioni:

1. I nastri servono **a** imparare presto e bene l'italiano.
2. Quelle spiegazioni sono servite **a** tutti.
3. Fra pochi minuti parto **da** Milano **per** Roma.
4. Il *ladro* fugge inseguito **dalla** *polizia*.   *thief/police*
5. Allora tu avverti tutti gli amici **di** venire alle tre.
6. Perchè non offriamo **di** aiutare **a** lavare l'auto?
7. Preferisci l'acqua o il vino? Preferisco il vino **all'**acqua.
8. Ho capito tutto quello che Lei ha spiegato.
9. Adesso usciamo **a** prendere un pò d'*aria*.   *air*
10. Marco esce **per** andare **a** prendere Vera.   **in order to**
11. Sento suonare il campanello.
12. Spedirò la lettera subito, *prima di fare altro*.   *before doing anything else*
13. Odo un grande rumore.
14. Udite bene la voce del nastro?

Inserire la forma dovuta del **presente** dei verbi dati fra parentesi:

1. A che ora tu (uscire) .... di solito dall'ufficio?

2. Noi (uscire) .... alle quattro e mezzo.

3. Voi (uscire) .... sempre insieme?

4. Io (preferire) .... restare in biblioteca.

5. La zia (preferire) .... il **caffè senza zucchero**.

6. Giorgio e Paolo (uscire) .... per andare a prendere un caffè
al *caffè* qui vicino.   *coffee shop*

7. Gli zii (partire) .... *stasera*.   *this evening*

8. A chi (servire) .... questo dizionario?

9. Io (aprire) .... la porta e tu (aprire) .... le finestre.

10. Noi non (capire) .... nulla, Lei (capire) ....?

11. Alcune signore (servire) .... i *rinfreschi* agli ospiti.   *refreshments*

12. Tu (capire) .... che se Lia (uscire) .... non ci sarà
nessuno per rispondere al telefono.

OGNI (each, every); OGNUNO, CIASCUNO (each one, every one, everybody); CIASCUNO (each, every); TUTTO, TUTTI, TUTTA, TUTTE (all, every); TUTTO (everything).

Notare:

1. **Ogni** *is an adjective. It is used only in the singular (the accompanying noun and verb must be in the singular).*
2. **Ognuno** *and* **tutto** *(everything) are pronouns.*
3. **Ciascuno** *is both a pronoun and an adjective; it is inflected like* **uno.**
4. **Tutto, tutti, tutta, tutte** *are both pronouns and adjectives.*

Esempi:

1. Ogni giorno leggeranno un racconto.
2. Studio ogni parola.
3. Spiega la *situazione* a ogni persona.   *situation*
4. Ciascun giorno leggeranno un racconto.
5. Studio ciascuna parola.
6. Spiega la regola a ciascuno studente.
7. Tutti i giorni leggeranno un racconto.
8. Spiega tutte le parole.
9. Spiega la *questione* a tutti.   *controversial point*
10. Tutti hanno fatto il compito.
11. Tutte hanno fatto il compito.
12. Ognuno leggerà un racconto diverso.
13. Ognuna delle studentesse sentirà lo stesso nastro.
14. Ciascuna scriverà un saggio.
15. Darò dei dolci a ciascuno di voi.
16. Visiteremo tutti i parenti.
17. Ho letto tutte le poesie di Ungaretti.

18. Abbiamo letto tutto il *romanzo*.   *novel*
19. In seguito parlerò a voi tutti (tutti voi).
20. Ho letto *tutti e due* quei romanzi.   *both*
21. Parlerà a tutte e due le ragazze.
22. Ha finito *tutti e cinque* gli esercizi.   *all five*
23. Tutto va male.

Notare *che l'equivalente di «everything» è* **tutto.**

Dare l'equivalente italiano:

1. I am studying all the verbs. ....
2. Lucy eats everything. ....
3. They have written all the sentences. ....
4. We shall learn each poem. ....
5. He will explain all the rules. ....
6. We shall travel in each one of those countries. ....
7. Have you (voi) understood everything? ....
8. I am sending both letters now. ....
9. Italians pronounce every vowel in every word. ....
10. Each one will do what he wishes. ....
11. All the class will visit all the museums. ....
12. All ten houses are about to fall. ....

ESERCIZI

A   Dare la forma dovuta del verbo dato fra parentesi. Se non ci sono indicazioni di tempo usare il presente:

1. L'estate passata gli archeologi (scoprire) un'altra città antica.
2. Fa freddo, perchè tu (aprire) le finestre?
3. Io (spedire) gli assegni agli operai.
4. Tu non (capire) mai nulla.
5. In piroscafo noi (soffrire) il mal di mare.
6. Chi già (sentire) la bella notizia?
7. Signora, (preferire) andare a piedi o in macchina?
8. Fra alcune settimane voi (capire) meglio la situazione.
9. La polizia (inseguire) il ladro che (fuggire).
10. I ragazzi (preferire) leggere un romanzo americano.
11. Perchè tu non (finire) di mangiare?
12. Ormai noi (capire) quasi tutto quello che sentiamo in italiano.
13. Il professore (avvertire) gli studenti che ci sarà un esame.
14. Noi (uscire), tu (uscire) con noi?
15. Domani mattina io (uscire) molto presto per prendere il treno che (partire) alle sei.

B   Dare l'equivalente italiano:

1. Is that the boy to whom you gave the magazine?
2. I don't understand to whom you (voi) have spoken.
3. We returned to the shop in which you (Lei) saw those silk dresses.
4. The country from which they departed is very interesting.
5. To whomever asks if I am in the office say (dica) that I have left.
6. Some of Gino's relatives are about to leave for Europe.
7. Do you (Lei) have any sweet wine?
8. Today I have no time to go to the movies.
9. There is no more sugar.
10. I wish to see some black shoes.
11. Every year they return here.
12. I have never been in Greece.
13. We are neither warm nor cold.
14. You (tu) have made no mistakes.
15. Last night nobody went home, not even the director.
16. Do you (Loro) have any other questions?
17. Is there anything good to eat? There is some cake and some fruit.
18. I will never again stay up all night.
19. Who answered George's question?
20. We need some of you (voi) to help with the refreshments tonight.

C   Leggere più volte ad alta voce:

Verso la fine della lezione l'insegnante domanda: *toward the end*

— Chi ha pensato alle caratteristiche geografiche dell'Italia?
Alcuni *alzano la mano* e parlano *a turno*:   *raise their **hands**/in turn*
— Il clima è mite; è per questo che l'Italia è stata *chiamata* il   **chiamare:** *to call*
  giardino dell'Europa?

Ins. — In parte, ma in parte è stato a causa della *civiltà* del   *civilization*
  Rinascimento.   *Renaissance*

— Ci sono *risorse, materie prime*, in Italia? Io ho sentito dire   *resources/raw materials*
  che è un paese povero di risorse...

Ins. — L'Italia non ha molte materie prime come il *ferro*, il   *iron*
  carbone, il *petrolio*, perchè è un paese *geologicamente*   *coal/oil/geologically*
  giovane. Però, dopo la *seconda guerra mondiale* gli ita-   *second world war*
  liani sono riusciti a *sviluppare* le *industrie*, non *solo* nel   *to develop/industries/only, alone*
  nord, ma anche nel sud. *Senz'altro* avrete sentito parlare   *without fail*
  delle automobili Fiat, ma ci sono molte altre industrie,
  fra cui molto importante è quella dei *prodotti sintetici,*   *synthetic products*
  materie plastiche e *fibre* artificiali.   *materials/plastic/fibers*

— Se non *sbaglio l'altra volta* qualcuno ha detto che il nord è
continentale e il sud mediterraneo. Se ricordo bene il sud è
stato *conquistato* da molti popoli: i *fenici*, i greci, i romani, i
bizantini, gli *arabi*, i *normanni*, gli spagnoli, *appunto* perchè
è *in mezzo al* Mediterraneo.

sbagliare: *to be mistaken/the
other time
conquered/Phoenicians
Byzantine/Arabs/Normans
precisely/in the middle of*

— *Già*, e al nord ci sono stati gli *etruschi*...

yes/Etruscans

Ins. — Sì, *soprattutto* nell'Italia *centrale*, dove è la Toscana...

above all/central

— Al nord, però, l'Italia è stata conquistata dai francesi, dai te-
deschi, dagli austriaci, anche dagli spagnoli...

— Ma ancora prima dai romani. I romani hanno conquistato
una grande parte dell'Europa e anche i. paesi intorno al
Mediterraneo.

Ins. — *Lasciamo da parte* i romani e diamo una conclusione.
La geografia ha *contribuito* in parte a *determinare certi
avvenimenti*. Nel Medio Evo, per esempio, ha *favorito* il
commercio e *l'arricchimento* di molte *città-stato* (i *Comuni*). Più tardi, dopo la scoperta dell'America, ha contribuito all'*impoverimento* del paese. Inoltre, le conquiste
diverse nel nord e nel sud hanno avuto influenze diverse.
In seguito studierete un pò di storia e capirete meglio certe questioni.

let's leave aside
contribuire *(a): to contribute
to determine/certain/events*
favorire: *to favor/enrichment
city-state/today: township
impoverishment*

D   Alcune risorse dell'Italia.

1.   L'Italia è ricca di *marmo*, specialmente del famoso marmo
      bianco di Carrara, usato da Michelangelo. Le *cave* di mar-
      mo sono al nord-ovest della Toscana.
2.   Lo *zolfo*, in Sicilia, e il *mercurio*, in Toscana, sono i *mine-
      rali* di cui l'Italia è ricca.
3.   *L'energia elettrica* è molto sviluppata.
4.   La grande ricchezza è *la mano d'opera.*

*marble
quarries*

sulphur/mercury
minerale: *mineral
electric power
labor force*

E   I   Rispondere:

1.   Che cosa preferisce fare in inverno Lei?
2.   Perchè è bella l'estate?
3.   Che cosa non riesce a fare?
4.   In che cosa riesce bene?
5.   Di chi ha fatto la conoscenza *di recente?*

recently

II Domande sulla lettura:

1. Quali popoli hanno conquistato l'Italia?
2. Di quali materie prime è povera l'Italia?
3. Che cosa è un «Comune»?
4. Perchè la scoperta dell'America non ha favorito l'Italia?

III Argomenti (topics) da preparare:

1. Le caratteristiche geografiche più importanti del Suo paese.
2. In che modo le caratteristiche geografiche hanno avuto un'influenza sullo sviluppo del Suo paese.

VOCABOLARIO

aria *air*
arricchimento *enrichment*
bizantino *Byzantine*
carbone (m) *coal*
cava *quarry*
città-stato *city-state*
civiltà *civilization, civility*
comune (m) *township*
Comune (m) *city-state*
energia *energy*
etrusco *Etruscan*
fenice *Phoenician*
ferro *iron*
fibra *fiber*
fortuna *fortune, luck*
frutta *fruit*
impoverimento *impoverishment*
industria *industry*
ladro *thief*
latte (m) *milk*
mano d'opera *labor force*
marmo *marble*
materia prima *raw material*
mercurio *mercury*
minerale (m) *mineral*
nastro *ribbon, tape*
pane (m) *bread*
petrolio *petroleum*

polizia *police*
prodotto *product*
questione (f) *topic, question, controversial point*
Rinascimento *Renaissance*
rinfresco,-chi *refreshment*
risorsa *resource*
romanzo *novel*
seconda guerra mondiale *World War II*
situazione (f) *situation*
stasera *this evening*
zolfo *sulphur*

centrale *central*
ciascuno *each, every, everyone*
ogni (invar) *each*
plastico,-ci *plastic*
sintetico,-ci *synthetic*

alzare la mano *to raise one's hand*
aprire *to open*
avvertire *to warn, to notify*
chiamare *to call*
conquistare *to conquer*
contribuire *to contribute*
coprire *to cover*
favorire *to favor*

finire   *to end, to finish*
fuggire   *to flee*
inseguire   *to pursue*
lasciare da parte   *to leave aside*
offrire   *to offer*
sbagliare   *to make a mistake, to err*
scoprire   *to discover, to uncover*
seguire   *to follow*
sentire   *to hear, to feel*
servire   *to serve*
soffrire   *to suffer*
sviluppare   *to develop*

trovare   *to find*
udire (irr)   *to hear*
vestire   *to dress, to clothe*

affatto   *not at all*
appunto   *just so*
a turno   *one after the other, in turn*
geologicamente (adv)   *geologically*
nè... nè   *neither... nor*
neanche   *neither, not even*
per   *in order to*
soprattutto   *above all, mainly*

Lezione XII

IMPERFETTO INDICATIVO DELL'AUSILIARE ESSERE.

> io ero (I used to be, I was being)
> tu eri
> lui era
> noi eravamo
> voi eravate
> loro erano

INTRODUZIONE AGLI USI DELL'IMPERFETTO INDICATIVO.

Esempi:

A   Per indicare al passato la situazione entro
    (within) cui è accaduta un'azione (action):

1. *Mentre* c'**era** la guerra noi bambini siamo andati a scuola   *while*
    di rado.   *seldom, rarely*
2. Quando **erano** giovani hanno sofferto la fame.
3. C'**erano** degli ospiti con la `mamma perciò ho preparato   *mother, mommy*
    dei rinfreschi.

B   Per indicare al passato azioni abituali (habi-
    tual):

1. Ogni giorno a pranzo c'**erano** degli invitati.   *there were, there would be*
2. L'anno passato **eravate** sempre *pronti* ad accettare inviti.   *used to be/ready*
3. Quando l'abbiamo preso noi, in quel corso c'**era** un esame
    ogni settimana.

C   Per indicare al passato l'ora (time), il tempo
    (weather), e *l'aspetto* o la condizione di una   *appearance, aspect*
    persona o di una cosa:

1. **Erano** le otto di *mattina,* **era** festa, il tempo **era** bello e sia-   *morning*
    mo andati a fare una *gita.*   *excursion*
2. C'**era** un bel sole e abbiamo fatto il bagno nel lago.
3. L'uomo non **era** nè giovane nè bello ma **era** molto simpati-
    co.
4. Il pacco **era** grande ma molto leggero.
5. Non c'**era** nessun albergo di lusso in quella città.

Osservazione:

The imperfect indicative serves to express actions and situations in the past **without** *reference to their beginning or ending.*

Scegliere (choose) fra il passato prossimo e l'imperfetto:

1. (Esserci) .... molti libri italiani in biblioteca.

2. Ieri sera quando tu (tornare) .... tu (essere) .... stanco.

3. Il conferenziere che (parlare) .... ieri l'altro sera (essere) .... uno scienziato russo.

4. Voi (trovare) .... il denaro che (essere) .... sul tavolo in cucina?

5. Due anni fa Lei (essere) .... in Europa e noi (essere) .... in Africa quando (esserci) .... le *elezioni* in America.   *elections*

6. Loro (essere) .... mai in Scandinavia?

7. Ieri l'altro io (essere) .... al museo dove (esserci) .... molti *scolari*.   *school children*

8. (Essere) .... dopo mezzanotte quando (esserci) .... dei rumori molto forti.

9. Noi (essere) .... sempre in orario per le lezioni.

10. Quelle famiglie (essere) .... povere ma felici.

11. Il padre di *Augusto* (essere) .... vecchio, ma (essere) .... ancora un bell'uomo.   *Augustus*

12. Mentre voi (essere) .... al lavoro io (andare) .... a comprare i biglietti per l'opera.

VERBI IRREGOLARI VENIRE E DIRE.

	VENIRE (a)			DIRE	
Presente	Futuro	Passato prossimo	Presente	Futuro	Passato prossimo
vengo	verrò	sono venuto	dico	dirò	ho detto
vieni	verrai		dici	dirai	
viene	verrà		dice	dirà	
veniamo	verremo		diciamo	diremo	
venite	verrete		dite	direte	
vengono	verranno		dicono	diranno	

Esempi; notare le preposizioni:

1. Vengo **da** Roma.
2. L'operaio è venuto **a** finire il lavoro.
3. Questo *pomeriggio* verrò **a** prendere il romanzo di Moravia. *afternoon*
4. Dirà **a** Franco **di** non venire alla *riunione*. *meeting*
5. Verrano gli zii? Io dico **di** sì e tu dici **di** no.
6. Loro non dicono mai la *verità* **a** nessuno. *truth*

Inserire la forma dovuta del verbo dato fra parentesi. Quando non c'è una indicazione di tempo usare il presente:

1. Ieri sera i Signori Rossi (venire) .... a pranzo.

2. Fra una settimana noi (venire) .... a casa.

3. Sto per finire, (venire) .... subito.

4. È una bella sera, perché non usciamo, *tu che (dire)* *(what do you say?)*
   ....?

5. Voi (dire) .... molte cose sciocche.

6. La mamma (dire) ....: «Pia, tu (venire)
   .... con noi al cinema?»

7. Ieri il professore (dire) .... di scrivere un
   saggio.

8. Gli impiegati (dire) .... che il direttore (venire) .... fra un momento.

9. Poco fa la mamma .... ai bambini: «(ve-

    nire) .... a prendere il latte o no?»

10. Gli studenti stranieri (venire) .... da tutto

    il mondo.

11. Voi, che cosa (venire) .... a fare?

12. Noi (dire) .... che è necessario avvertire

    tutti.

13. Chi (venire) .... alla riunione oggi?

PARLARE e DIRE, usi:

Esempi:

1. Ha detto alcune parole.   He spoke a few words.
2. Dici delle sciocchezze.   You are speaking nonsense.
3. Ha parlato bene, ha detto delle grandi verità.   He spoke very well, he uttered some great truths.
4. Non parliamo più di questo.   Let's say no more about this.

Osservazione:

Parlare *(to talk, to speak) normally has no direct object whereas* **dire** *(to say, to tell) normally is followed by a direct object.*

Inserire parlare o dire:

1. Maria, con chi .... ?

2. Che cosa .... quel ragazzo?

3. Il *conferenziere* .... molto, ma non   *speaker, lecturer*

    .... nulla.

4. Il professore .... che abbiamo torto di non

    .... a lezione. A lezione tutti ....

5. (al telefono) Pronto, con chi .... ?

PRONOMI PERSONALI ATONI, OGGETTO DIRETTO (Conjunctive personal pronouns, direct object).

Modelli:

1.	he sees **me**	**mi** vede
2.	I will call **you** (tu)	**ti** chiamerò
3.	you invite **him**	**lo** inviti, **l'**inviti
4.	I will invite **her**	**la** inviterò, **l'**inviterò
5.	he will buy **it** (il libro)	**lo** comprerà
6.	she is conquering **it** (la paura)	**la** conquista
7.	we remember **you** (Lei, m & f)	**La** ricordiamo
8.	you do not see **us**	non **ci** vedi
9.	he is looking for **you** (voi)	**vi** cerca
10.	I will find **them** (i bambini)	**li** troverò
11.	she calls **them** (Valeria e Lucia)	**le** chiama
12.	you will not offer **them** (i fiori)	non **li** offrirete
13.	you buy **them** (le riviste)	**le** comprate
14.	I invite **you** (Loro, m)	**Li** invito
15.	I follow **you** (Loro, f)	**Le** seguo

Ricapitolazione:

	Singolare			Plurale		
io	**mi**	me	noi	**ci**	us
tu	**ti**	you	voi	**vi**	you
lui, esso	**lo**	him, it	loro, essi	**li**	them
lei, essa	**la**	her, it	loro, esse	**le**	them
Lei	**La**	you	Loro	**Li**	you
			Loro	**Le**	you

Osservazione:

The **pronomi atoni** *must precede immediately the inflected verb. Before a vowel,* **LO** *and* **LA** *are normally elided, but* **LI** *and* **LE** *are not.*

Esercizio. Sostituire un pronome atono all'oggetto diretto:

1. Guardiamo **la carta geografica.**
2. Se andiamo via ora non vedremo **gli zii.**
3. Leggono **l'articolo sulla crisi politica.**
4. Farò **la spesa** più tardi.
5. Chiuderò tutte **le finestre** prima di uscire.

Modelli:

1.	he has seen **me** (Maria)	**mi** ha veduta
2.	he has seen **me** (Sergio)	**mi** ha veduto
3.	she will have conquered **it** (la paura)	**l'**avrà conquistata
4.	he has bought **them** (riviste)	**le** ha comprate
5.	she may have invited **them** (gli studenti)	**li** avrà invitati
6.	I have looked for **you** (Paolo e Elio)	**vi** ho cercati
7.	he has followed **us** (Lia e Luisa)	**ci** ha seguite

Osservazione:

The past participle of a compound tense must agree in gender and number with the **direct object** *when it is a* **pronome atono.**

Esercizio.   Sostituire un pronome atono all'oggetto diretto:

1. Avete sentito **la notizia?**
2. Hanno già consegnato **il saggio.**
3. Hai portato **le rose** alla Signora Bruni?
4. Non abbiamo più trovato **quei giornali.**
5. Il professore ha avvertito **Sergio e me** che ci sarà un esame.
6. Giovanni avrà perduto **i francobolli.**
7. Tutto il giorno ha chiamato **te e Marcello.**
8. Hanno ringraziato **le signore** e sono andati via.

Modelli:

1.	Cercherai di finire **il lavoro.**	Cercherai di finirlo.
2.	Ho finito di scrivere la **lettera.**	Ho finito di scriverla.
3.	Ha detto di studiare **quelle poesie.**	Ha detto di studiarle.
4.	Ricorderò di portare tutti **i libri.**	Ricorderò di portarli tutti.
5.	Manderò **Vera** a comprare **il dolce.**	**La** manderò a comprarlo.
6.	Desidero invitare **Lei**, signorina.	Desidero invitar**La**, signorina.

Modelli:

1.	Vediamo giocare **i bambini.**	**Li** vediamo giocare.
2.	Sentono cantare **le ragazze.**	**Le** sentono cantare.
3.	Lascerò studiare **Franco.**	**Lo** lascerò studiare.
4.	Ho fatto lavare **l'automobile.**	**L'**ho fatta lavare.
5.	*Guarda* cadere la neve.	**La** guarda cadere.

guardare *(no p):*
to look at, to watch

Osservazioni:

1. *The* **pronomi atoni** *follow an uninflected part of the verb and are attached to it.*
2. *The* **pronomi atoni** *precede* **sentire, vedere, lasciare, fare,** *and* **guardare** *when these verbs are followed by an infinitive.*

Esercizio. Sostituire un pronome atono all'oggetto diretto:

1. Mi hanno invitato a prendere **il caffè.**
2. Impareremo a parlare **il cinese.**
3. Non riuscirò mai a pronunciare **quella parola.**
4. Sarà andato a comprare **i biglietti.**
5. Ieri ho fatto lavare **la macchina.**
6. Alle sei sentiremo suonare **le campane.**
7. Ho veduto uscire tutte **le persone.**
8. Ha detto di ascoltare **il nastro numero sei.**

Notare:

1. I say so.   **Lo** dico io.
2. Who said it? Who said so?   Chi **l'**ha detto?
3. I don't know.   Non **lo** so.
4. It is so.   **Lo** è.
5. Here are the books!   Eccol**i!**
6. There is Mrs. Gray!   Eccol**a!**
7. Here we are.   Ecco**ci.**

Riscrivere (re-write) le frasi che seguono sostituendo il pronome atono all'oggetto diretto:

1. Ho comprato i dischi.
2. Abbiamo mangiato la frutta.
3. Hai sentito suonare il campanello?
4. Hanno fatto fuggire tutti gli animali.
5. Domani mattina vestirò i bambini prima di fare colazione.
6. Ha trovato tutte quelle parole nel dizionario.
7. **Abbiamo lasciato partire gli zii senza salutarli.**
8. È andato a prendere le carte in ufficio.
9. Farò scrivere la risposta *al più presto.*   *as soon as possible*
10. Il cameriere viene a portare il *conto.*   *bill, account, check*
11. Non hai ancora firmato l'assegno.
12. Finisco di ascoltare questo nastro e vengo.

ESERCIZI

A   I   Mettere le seguenti frasi al singolare o al plurale.

1. Venite stasera al cinema?
2. **Viene a salutarmi.**
3. Non verranno neanche se fa bello.
4. Sono andata a portarlo in biblioteca.
5. Veniamo subito.
6. Tu dici una grande verità.
7. Dirò allo zio che state bene.
8. Se fai presto quello studente ti *aspetta.*   **aspettare:** *to wait for*
9. Leggono dei libri interessanti.
10. Faremo la conoscenza di un teologo *ebreo.*   *Jewish, Jew*

II   Secondo il caso (according to the sense) inserire o meno **l'articolo indeterminativo, il partitivo,** o **il negativo.**

1.   Ho bisogno di .... dizionario.

2.   Non c'è .... in casa?

3.   Sì, c'è .... pane, ma non c'è .... zucchero.

4.   Hanno parlato di .... avvenimenti politici.

5.   Quello scrittore non ha scritto .... romanzo, solo .... poesie.

6.   Lei vende .... giornali stranieri e .... riviste scientifiche?

7.   Non vendiamo .... giornali .... riviste, solo libri.

8.   Parlano molto ma non dicono ....

9.   .... giorni non esco .... tutto il giorno.

10. Ha bisogno di .... tempo per finire il saggio.

11. Ora ci sono molte persone ma fra poco non ci sarà ....

12. Non conosco .... ragazza austriaca.

13. Desidero .... bibite di frutta da *portare via*.   *to take away, out*

14. Non siete .... in orario.

B   Dare l'equivalente italiano:

1.   I have already said that I shall not come.
2.   Every day they come here to see the children play.
3.   You (tu) don't have anything to do therefore why **don't**
     you read some short stories.
4.   They go out every evening after dinner.
5.   You (voi) don't come to see us any more.
6.   Is there still some cake? No, there is only some bread.
7.   There were many people in church yesterday morning.
8.   I shall let him go to the movies this afternoon.
9.   Why don't you let her go too?
10. It was seven o'clock when I saw them.
11. Each one will say what he thinks.
12. We used to be ready to answer every question.
13. He was very congenial but not too intelligent.
14. You will not send her on foot!
15. Paul bought them (shoes) in that shop.

C Leggere ad alta voce con attenzione:

Visita a Lucca.

Lucio, Piero, Anna e io siamo **arrivati** a Lucca, in Toscana, ieri l'altro sera con la macchina di Piero e resteremo ancora alcuni giorni a visitare i *nonni*. Noi quattro siamo *cugini*, io e Lucio siamo *fratelli* e Anna è la *sorella* di Piero. Ho dimenticato di dire che io *mi chiamo* Laura, ma *non importa*. Stiamo in albergo perchè la casa dei nonni, che è *moderna* con un bel giardino *intorno*, è troppo piccola per tutti noi *e poi* i nonni sono vecchi e desiderano stare in pace senza *confusione*. *Infatti* abitano un po' *fuori* della città.

grandparents/cousins
brothers, siblings/sister
my name is/it doesn't matter
modern
around/:furthermore
(f) confusion/actually, in fact
outside

Lucca è piuttosto piccola ma molto interessante dato che *conserva* il carattere *medievale*. La città antica è circondata dalle *mura*, su cui ci sono i giardini pubblici, le vie sono strette e *tortuose* con alcune grandi *piazze*. Alcune vie sono così strette che non **passano** neanche le piccole automobili Fiat ed è necessario lasciarle in piazza e andare o a piedi o in bicicletta. A **causa delle mura** la città è *sorta* fuori, dove appunto abitano i nonni.

conservare: *to preserve*
medieval
ramparts, walls of a city
tortuous, winding/(city) squares

(p.p.) **sorgere** *(a) (essere): to rise*

Al tempo di Dante Lucca era un comune importante e le chiese e i *palazzi* ricordano ancora oggi quel *periodo*. *Stamattina* siamo andati *in giro* a vedere i vari monumenti e dalle mura abbiamo *ammirato* la *torre* dei Guinigi che ha degli alberi in *cima*: una **vera** curiosità. Questo pomeriggio andremo a Pisa, che *dista* solo pochi **chilometri** * a vedere il *battistero*, il *duomo* e la famosa torre *pendente*.

palaces/period/this morning
around, **giro:** *turn, revolution*
ammirare: *to admire/tower*
top, summit
distare: *to be distant/baptistry*
cathedral/leaning

D Alcuni *edifici* per l'*amministrazione* pubblica.

edificio: *building/administration*

1. Ogni regione è divisa in provincie; ogni provincia è divisa in comuni.
   Il palazzo del *governo;* il palazzo del comune o municipio.

government

2. La *questura* e il commissariato di pubblica *sicurezza*.

police headquarters/safety

3. Il *tribunale* e il palazzo di *giustizia*.

court, tribunal/justice

4. A *capo* del comune c'è il **sindaco**, della questura il questore, del commissariato il commissario. I *giudici esercitano* il loro ufficio nei tribunali.

head, chief/mayor
giudice *(m): judge/***esercitare** *to practice*

---

* *A kilometer is five eighths of a mile.*

E   I   Rispondere:

1. Come era il tempo ieri?
2. Quando Lei fa una gita, dove va?
3. Che cosa è sempre pronto a fare Lei?
4. Quali avvenimenti sono accaduti di recente?
5. Quali giornali o riviste straniere conosce Lei?

II   Domande sulla lettura:

1. Quali monumenti ci sono a Pisa?
2. Quanto è lungo un chilometro (km)?
3. **Qual è una curiosità di Lucca?**
4. Dov'è Lucca?

III   Preparare i seguenti argomenti:

1. In quale modo le città moderne sono differenti da quelle del Medio Evo.
2. Quali sono le caratteristiche delle città del Suo paese?

VOCABOLARIO

aspetto   *aspect, appearance*
Augusto   *Augustus*
battistero   *baptistry*
capo   *head, chief*
chilometro   *kilometer (5/8 of a mile)*
cima   *top*
conferenziera   *lecturer*
conferenziere (m)   *lecturer*
confusione (f)   *confusion*
conto   *bill, account*
cugino   *cousin*
curiosità   *curiosity*
duomo   *cathedral*
ebreo   *Hebrew, Jew*

edificio,-ci   *building*
elezione (f)   *election*
fratello   *brother*
giro   *tour, spin*
gita   *excursion, jaunt*
giudice (m)   *judge*
governo   *government*
invitato   *guest*
mamma   *mommy, mother*
mattina   *morning*
mura (f pl)   *ramparts*
nonno   *grandfather*
palazzo   *palace, apartment house*
periodo   *period of time*

piazza *square (city)*
provincia *province*
questura *police office*
riunione (f) *reunion, meeting, gathering*
sciocchezza *folly, foolishness*
scolaro *school child, pupil*
sicurezza ' *security, assurance, safety*
sindaco *mayor*
sorella *sister*
stamattina *this morning*
torre (f) *tower*
tribunale '(m) *tribunal, court*
verità *truth*

medievale *medieval*
moderno *modern*
pendente *sloping, leaning*

pronto *ready;* pronto a fare *ready to do*
tortuoso *tortuous*

chiamarsi *to be named*
conservare *to preserve*
dire *to say, to tell*
distare *to be distant, to be at the distance*
esercitare *to exercise, to practice*
guardare *to look at, to watch*
portare via *to take away*
sorgere (irr) *to arise*

al più presto *as soon as possible*
di rado *rarely*
fuori *outside*
mentre *while*
non importa *it's not important, it doesn't matter*

Lezione XIII

IMPERFETTO INDICATIVO REGOLARE.

DESIDER-ARE	LEGG-ERE	PREFER-IRE
desider-avo	legg-evo	prefer-ivo
desider-avi	legg-evi	prefer-ivi
desider-ava	legg-eva	prefer-iva
desider-avamo	legg-evamo	prefer-ivamo
desider-avate	legg-evate	prefer-ivate
desider-avano	legg-evano	prefer-ivano

Studiare le frasi che seguono dopo aver inserito la forma dovuta dell'imperfetto dei verbi dati fra parentesi. Tutti i verbi fra parentesi, eccetto **essere,** hanno l'imperfetto regolare.

1. Mentre ti (ascoltare) .... ho avuto una bella

    idea.

2. Il *sole* (sorgere) .... quando ho aperto gli *oc-*   *sun /* **occhio:** *eye*

    chi.

3. La nonna (preferire) .... vedermi nel pome-

    riggio.

4. *All'aspetto* loro (sembrare) .... poveri, (ave-   *in appearance, aspect*

    re) .... i *pantaloni rammendati* e (essere)   *trousers / mended*

    .... senza giacca.

5. Noi (guardare) .... *una partita di calcio* alla   *a soccer game*

    televisione quando tu hai telefonato.   *TV*

6. Quando stavo ad *Atene* io (andare) .... tutti   *Athens*

    i giorni a visitare il *Partenone.*   *Parthenon*

7. A quel tempo tu (venire) .... a vederci molto

    spesso.

8. Quando noi (essere) .... piccoli (abitare)

    .... a Roma e la mamma ci (portare)

    .... ai giardini pubblici quasi tutti i giorni.

9. L'ho incontrata mentre (impostare) .... delle

   lettere in Via Mazzini.

10. (Essere) .... già tardi perciò sono andato via

    senza salutarvi.

11. In biblioteca ho veduto Franco che (preparare)

    .... il saggio da *consegnare* domani.   *to hand over, in, to deliver*

12. L'anno passato (esserci) .... due riunioni del

    Circolo ogni mese.   *club*

13. Ogni *sabato* sera Alberto (uscire) .... con   *Saturday*

    Donatella.

14. Che ora (essere) .... quando è partito l'*aereo*   *airplane*

    per *Lisbona?*

15. Il *babbo* mi (mandare) .... un assegno ogni   *father, daddy*

    mese.

Rispondere: Perchè è stato usato l'imperfetto nelle frasi qui *sopra?*   *above*

PRONOMI PERSONALI ATONI, OGGETTO INDIRETTO (introdotto -introduced- dalla preposizione a).

Modelli:

1. Are you speaking **to me?**	**mi** parli?	
2. I give **you** (tu) the book	**ti** dò il libro	dare a qualcuno
3. I answered **him**	**gli** ho risposto	rispondere a qualcuno
4. He has spoken **to her**	**le** ha parlato	
5. We have answered **you** (Lei, m & f)	**Le** abbiamo risposto	
6. You will show **us**	**ci** mostrerai	mostrare a qualcuno
7. She offers the flowers **to you** (voi)	**vi** offre i fiori	
8. I shall send a card **to them**	manderò **loro** una cartolina	
9. He has answered **you** (Loro)	ha risposto **Loro**	

1. **Mi** ricorderai di farlo?
2. Non **gli** parlerò mai più.
3. **Ti** ho già risposto.
4. **Vi** ha telefonato il nonno?
5. **Le** manderò dei fiori.
6. Non **ci** ha scritto ancora.
7. Servirà **loro** delle bibite con dei dolci.

8. Fra poco daremo **Loro** la risposta.
9. Ricorderemo di telefonar**ti.**
10. *Spera* di spedir**ci** il pacco fra una settimana.   **sperare:** *to hope*
11. Ha dimenticato di dare **loro** i saluti del Signor Pizzetti.
12. Non dimenticherò di dire **loro** di venire domani.

Ricapitolazione:

	Singolare			Plurale	
io	**mi**	to me	noi	**ci**	to us
tu	**ti**	to you	voi	**vi**	to you
lui	**gli**	to him	loro	**loro**	to them
lei	**le**	to her	Loro	**Loro**	to you
Lei	**Le**	to you			

Notare: Molto spesso oggi **gli** è usato per **loro,** specialmente in conversazione:

fra poco daremo loro la risposta — fra poco gli daremo la risposta

Osservazioni:

1. *The* **io, tu, noi, voi** *forms of the* **pronomi atoni** *direct and indirect object are identical.*
2. *The position of* **all pronomi atoni,** *direct or indirect object, is the same except for* **loro.**
3. **Loro** *always follows immediately the verb but is never attached to it.*
4. *I pronomi atoni oggetto indiretto are used only for persons.*

Riscrivere le frasi che seguono sostituendo il pronome atono all'**oggetto indiretto:**

1. Ho dato la rivista al direttore.
2. Parleremo al babbo di questo.
3. Dirò alla zia di telefonare.
4. Fra una settimana risponderò a Lei.
5. Scriverà stasera alle sorelle di Alberto.
6. Abbiamo offerto i biglietti agli amici di Laura.
7. Domanderò al vigile di mostrarci la via.
8. Non ha ancora parlato all'impiegato.
9. Hanno consegnato a noi il saggio ieri mattina.
10. Domanderanno a voi di portare i rinfreschi.

Riscrivere le frasi che seguono sostituendo il pronome atono all'**oggetto diretto:**

1. Stamattina abbiamo veduto sorgere il sole.
2. In quel cinema mostravano sempre nuovi film.
3. Inviteremo il fratello di Lucia.
4. Poco fa ho veduto la ragazza che ti conosce.
5. Farò portare i pacchi all'impiegato.
6. Ha dimenticato di andare a prendere i libri in biblioteca.
7. Non abbiamo mai sentito cantare gli studenti di Yale.
8. Hanno pregato la professoressa di non dare il compito.

VERBO IRREGOLARE PIACERE (to like); **NON PIACERE** (to dislike); **DISPIACERE** (to be sorry, to mind).

Presente	Futuro	Imperfetto	Passato prossimo
piaccio	piacerò	piacevo	sono piaciuto (piaciuta)
piaci	piacerai	piacevi	
piace	piacerà	piaceva	
piaciamo **or** piacciamo	piaceremo	piacevamo	
piacete	piacerete	piacevate	
piacciono	piaceranno	piacevano	

Notare la costruzione (construction):

1. A Franco piace la frutta. / **Fruit is pleasing to Franco.** / F. likes fruit.
   Gli piace la frutta. / **Fruit is pleasing to him.** / He likes fruit.
2. A Laura piacciono i francesi. / **Frenchmen are pleasing to Laura.** / L. likes Frenchmen.
   Le piacciono i francesi. / **Frenchmen are pleasing to her.** / She likes Frenchmen.
   Le piacciono. / **They are pleasing to her.** / She likes them.
3. Tu, Silvio, piacerai a Lina. / **You, Silvio, will be pleasing to Lina.** / Lina will like you, Silvio
   Tu le piacerai. / **You will be pleasing to her.** / She will like you.

Osservazione:

Although one does say occasionally: **Io piaccio a Renzo; Voi non mi piacete,** *ecc.,* **piacere, non piacere,** *and* **dispiacere** *are most frequently used in the third person.*

Esempi:

1.	Signor Binni, Le piace la musica?	**Risposta:**	Mi piace.	I like it.
2.	Ti è piaciuta la rappresentazione?	»	Mi è piaciuta.	
3.	Ai cugini piaceva * uscire la sera?	»	Piaceva loro.	
4.	Sono piaciute loro quelle ragazze?	»	Sì, sono piaciute loro.	

1. *Viaggiare non piace al babbo.*   *Father doesn't like to travel.*
2. Agli studenti non piacciono le lezioni noiose.
3. Il *corso* di chimica non ci è piaciuto perchè non ci   *course*
   piace la chimica.
4. Non ha mangiato il dolce, *non gli sarà piaciuto.*   *he may not have liked it*

1. *Mi dispiace di* * *essere in ritardo.*   *I am sorry to be late.*
2. Gli dispiace di averti fatto un *piacere.*   *favor*
3. *Non ci dispiace* il rumore dei bambini.   *we don't mind*
4. Mi dispiace *di avergli dato un dispiacere.*   *to have caused him grief*

Rispondere alle seguenti domande al positivo o al negativo, a piacere (your pleasure, choice). Cambiare il pronome personale se necessario.

1. A Marco piacciono gli spaghetti *al sugo?*   *with meat sauce*

   ....

2. Signora, Le è piaciuto il *dramma* di Pirandello?   **il dramma, i drammi:** *drama, play*

   ....

3. Sono piaciuti quei monumenti agli zii?

   ....

4. Ti sono piaciute le *paste* della Signora Marchi?   *pastries*

   ....

5. Piaceranno al professore gli studenti *pigri* e *distratti?*   *lazy/absent minded*

   ....

6. I *discorsi* politici piacevano alle ragazze?   *speeches, discourses*

   ....

7. Vi dispiace se vi seguiremo più tardi?

   ....

---

* *After* **piacere** *and* **dispiacere** *the preposition* **di** *is optional before an infinitive, it is, however, more commonly used after* **dispiacere.**

8. Piace Loro lo zucchero e il latte nel caffè?

   ....

9. Professore, non sto bene, Le dispiace se non resto a lezione?

   ....

10. Ti piace vedere e ascoltare il *telegiornale?*   *TV news*

    ....

11. Vi dispiace se non vi do compito per domani?

    ....

ESERCIZI

A I Come si dice in italiano?

1. Instead of seeing him to-day I shall see him tomorrow.
2. He gave an Italian periodical to each of us.
3. We are neither hungry nor thirsty.
4. According to the timetable the bus leaves at nine fifteen.
5. I am sorry that I am not on time.
6. Whoever seeks finds.
7. She is about to go out.
8. On page eleven there is a mistake.
9. Where do they make their home?
10. It is better to arrive early.
11. You (tu) bother me.
12. Good, you have done it very well.
13. Ann has become a writer.
14. England is a large island.
15. Are you (voi) going to do some errands this afternoon?
16. Italians shake hands when they greet someone.
17. We watched a soccer game.
18. Every year they return to Spain.

II Inserire la preposizione e l'articolo se sono necessari:

1. Telefonerò .... babbo.

2. Continuavano .... fare gli stessi sbagli.

3. Cominciate .... capire?

4. Ascolti .... *radiogiornale?*   *radio news, also:* **giornale radio**

5. I bambini sono .... scuola.

6. Vai .... teatro?

7. Sono venuti .... treno.

8. Ancora non riesco .... capire.

9. Entriamo .... questo negozio?

10. Sono tornati .... casa .... prendere l'ombrello.

11. Abitano vicino .... cugino di Carlo.

12. La penisola italiana è circondata .... mare.

13. .... che ora comincia il concerto?

14. Finiremo .... mangiare e verremo.

B   Dare l'equivalente italiano:

Today I saw two old friends. I met them on Marconi Street near the post office. I spoke with them for a while and I invited them for dinner tomorrow evening. I shall invite also John Spano because they used to know him when he was a boy and they asked me what he is doing now that he is grown up. After returning home I called John at the office, but nobody answered. I hope to find him this evening at home.

C   Leggere con attenzione e imparare:

I   In un'*agenzia di viaggi*.   *travel agency*

— Desidero *prenotare due posti* su un aereo dell'Alitalia da Boston a Milano.   *to reserve/two seats*

— Desidera biglietti di *andata e ritorno* o solo di andata?   *round trip*

— Andata e ritorno. Staremo via solo tre settimane. C'è un *ribasso*, non è vero?   *discount*

— *Dipende* da quando partono. Se partono prima del tre *giugno* è *bassa stagione* e il prezzo è *ribassato*. *Altrimenti* è alta stagione.

dipendere da: *to depend on*
June/low/season
ribassare: *to lower (prices)*
otherwise
May

— Se ci sono posti partiremo verso il dieci *maggio*.

— Molto bene, signora. Ho due posti su un *volo il dodici maggio* alle dieci di sera. Arriva all'*aeroporto* di Milano il giorno seguente alle sei di mattina. *Va bene?*

flight on the 12th of May
airport
O.K.

— **Allora li prenoto.**

— Ecco i biglietti. Due giorni prima di tornare sarà necessario *confermare* i posti.   *to confirm*

— Grazie. Lo ricorderò.

II Dopo aver telefonato alla *signorina del centralino*   *phone operator*
    per farmi dare il numero dell'Alitalia *formo* il nu-   **formare:** *to form, to dial*
    mero:

    — *Pronto*, Ufficio dell'Alitalia.   *hello*
    — Pronto, desidero confermare il biglietto di ritorno con il
      volo numero undici da Roma a San Francisco per dopodo-
      mani.
    — Il nome, per piacere?
    — *Mi chiamo* Elio Marchi.   *my name is*
    — Bene, il posto è confermato. L'aviogetto parte a mezzo-
      giorno. È necessario essere all'aeroporto un'ora prima del-
      la *partenza* per far *vidimare* il biglietto e il passaporto, e *departure/to stamp, to*
      anche per passare la *dogana*. Buon viaggio, signore. *certify/customs*
    — Molte grazie.

D I Rispondere:

    1. A chi manda lettere Lei?
    2. Qual è la Sua stagione *preferita?*   *favorite*
    3. Va spesso al cinema?
    4. Quali film preferisce?
    5. Come Le piace il caffè?
    6. Perchè siete andati in biblioteca?

   II Dare il contrario:

    1. Vado in biblioteca **di rado.**
    2. Quell'edificio è **alto.**
    3. All'**andata** passeremo per Firenze.
    4. L'ho **cercato.**
    5. Abbiamo **ricevuto** dei pacchi.
    6. Quello stato è **antico.**
    7. Mi **piace** vedere una partita di calcio.
    8. Gli ha fatto **piacere.**
    9. **Andremo** in Cecoslovacchia fra un mese.
    10. C'era **qualcuno** in ufficio.

  III Preparare i seguenti argomenti:

    1. Lei (o qualcun'altro) desidera fare un viaggio e domanda
        e riceve delle informazioni.
    2. Una conversazione a scelta (your choice).

VOCABOLARIO

aereo   *airplane*
aeroporto   *airport*
andata e ritorno   *round trip*
Atene   *Athens*
babbo   *father, daddy*
basso   *lower part, low, short (in height)*
circolo   *circle, club*
corso   *course*
discorso   *discourse, speech*
dispiacere (m)   *regret, sorrow*
dogana   *custom office, custom duty*
dramma (m)   *drama*
giugno   *June*
Lisbona   *Lisbon*
maggio   *May*
occhio   *eye*
pantaloni   *trousers, slacks*
partenza   *departure*
partita (di calcio)   *game, match (soccer)*
passaporto   *passport*
pasta   *pastry, paste, noodles, dough*
piacere (m)   *pleasure*
radiogiornale (m)   *radio news*
ribasso   *fall, decline, drop*
sabato   *Saturday*
signorina del centralino   *phone operator*
sole (m)   *sun*
stagione (f)   *season*
sugo   *meat sauce*
telegiornale (m)   *TV news*

televisione (f)   *television*
televisore (m)   *TV set*
volo   *flight*

distratto   *absent-minded*
pigro   *lazy*
preferito   *favorite*
rammendato   *mended*

confermare   *to confirm*
consegnare   *to deliver, to hand over*
dipendere da   *to depend on*
dispiacere (irr)   *to be sorry, to regret*
formare   *to form*
formare il numero   *to dial*
piacere   *to please, to like*
preferire   *to prefer*
prenotare   *to reserve (rooms, tickets)*
ribassare   *to reduce (prices), to lower*
sperare   *to hope*
vidimare   *to stamp, to certify*

altrimenti   *otherwise*
mi chiamo   *my name is*
mi dispiace di essere in ritardo   *I'm sorry to be late*
non ci dispiace   *we don't mind*
pronto   *hello*
va bene   *O.K.*

Lezione XIV

IMPERFETTO INDICATIVO IRREGOLARE. Eccetto per il verbo **essere** l'irregolarità dipende dal fatto che l'imperfetto è basato (based) sull'infinito latino: **fare** (facere), **dire** (dicere), **tradurre** (traducere), **porre** (ponere: to put, to place). I verbi che hanno l'imperfetto irregolare sono pochi. **Studiamo l'imperfetto di:**

FARE (fac-ere)	DIRE (dic-ere)
fac-evo	dic-evo
fac-evi	dic-evi
fac-eva	dic-eva
fac-evamo	dic-evamo
fac-evate	dic-evate
fac-evano	dic-evano

Inserire la forma dovuta dell'imperfetto:

1. Che cosa (dire, Lei) ....?

2. Voi che (fare) ....?

3. Il babbo (dire) .... sempre la stessa cosa.

4. Desidero continuare a fare quello che (fare) ....

5. Non avete sentito perché (essere) .... distratti.

6. Erano molto vecchi e (fare) .... e (dire) .... molte

    sciocchezze, *poverini.*   *poor souls*

ALTRI USI DELL'IMPERFETTO INDICATIVO.

In general, the **imperfetto indicativo** is used when the speaker intends to express what **was going on** (there is no reference to the beginning or ending of the action, no concern with the action being completed or not). The **passato prossimo** (or the passato remoto, past absolute, which will be studied later) is used instead when the speaker intends to express what **took place** (an action which was begun or completed, several actions which took place one after the other).

Esempi di usi dell'imperfetto (v. p. 105)

A   Per indicare azioni simultanee (simultaneous) accadute nel passato:

1.	Mangiava e parlava. (at the same time)	Ha mangiato e ha parlato. (one action after the other)	
2.	Ascoltava la radio, *faceva la maglia* e *badava* ai bambini.	Ha ascoltato la radio, ha fatto la maglia e ha badato ai bambini.	*to knit* **badare (a):** *to tend*

B   Per indicare al passato uno stato fisico o mentale (a physical condition or a state of *mind*),
cioè la **situazione esteriore** oppure quello che   **la mente**
uno aveva in mente: un'**intenzione,** un **deside-**   *exterior*
rio, un **sentimento.** Perciò alcuni verbi sono   *intention/desire*
molto spesso usati all'imperfetto: *sentiment, feeling*

desiderare	essere
sperare (to hope)	stare
sembrare	credere (to believe, to think)
cercare	pensare (to think)

1. Piero credeva di essere in ritardo.
2. Pensavo che abbiamo troppo da fare.
3. Non speravano più di rivedere il figlio.
4. Desideravi qualcosa? Desideravo il giornale.
5. In quella casa stavano male perchè era *umida* e   *damp*
    sporca.   *dirty*
6. Quel giorno la nonna stava per morire.
7. Erano molto poveri, non avevano neanche un *soldo.*   *penny*
8. Al nonno sembrava che i *nipotini* erano *liberi* e   *grandchildren/free*
    scontenti, non riusciva a capirli.   *discontent, dissatisfied*

C   Nel *rievocare* un *sogno* o una *scena.* In these   *to evoke/dream/scene*
cases the **imperfetto** functions as the present
during the past, the speaker re-lives the situation, presents the actions in their unfolding:

1. Lucia ha *sognato* che **era** famosa, scriveva dei romanzi   **sognare:** *to dream*
    che tutti **leggevano, faceva** delle conferenze a cui **veniva-**
    no molte persone, **vinceva** tutti i *premi letterari,* **aveva**   **premio letterario:** *literary prize*
    una casa elegante, tutti la **invitavano...**

2. **Eravamo** ancora al *liceo,* ricordi? **Era** primavera, il professore **spiegava** delle cose noiose, alcuni studenti **dormivano,** altri **scrivevano** le lettere, il sole **entrava** dalla finestra e tu ed io **guardavamo** il *cielo azzurro* e **pensavamo** che *ci* **amavamo** e che null'altro **importava.**

licée, senior high school

to look at/blue sky
to love, loved each other

3. È accaduto molti anni fa. **Stavamo** tutti intorno alla tavola da pranzo e mio padre **parlava** del viaggio che **stavamo** per fare per visitare la nonna che **abitava** lontano e che *non* **vedevamo** *da un anno. Tutto ad un tratto si* **sentiva** un rumore *cupo,* la casa **tremava,** la tavola **traballava,** i *piatti* **scivolavano,** noi ragazzi **gridavamo,** la mamma **afferrava** la sorella più piccola, il babbo **spingeva** tutti verso la porta... **Cadeva** il *soffitto,* **cadevano** i *muri...* Nella polvere non **vedevo** nessuno e **correvo cadevo** *mi* **alzavo...** Poi *finalmente c'era quiete* ma **ero** solo e **vagavo** *fra un mucchio di rovine.*
Era il 1908, l'anno del *terremoto* di Messina in cui *migliaia* di persone sono morte.

we had not seen for a year
all of a sudden
deep, hollow/trembled/shook
dishes/were sliding
grabbed/pushed, p.p. spinto
ceiling/walls
correre: *to run. p.p.* **corso**/*got up*
at last/(f) quiet/wandered
amidst a pile of ruins
earthquake/thousands

Contrastare la scena rievocata e *rivissuta* (le azioni sono presentate come simultanee) con la scena raccontata come azioni accadute una dopo l'altra, *in rapida successione:*

rivissuta: *re-lived,* **vivere:**
to live, p.p. **vissuto**

in rapid succession

... Tutto ad un tratto si è sentito un rumore cupo, la casa ha tremato, la tavola ha traballato, i piatti sono scivolati, **noi ragazzi abbiamo gridato,** la mamma ha afferrato la sorella più piccola, il babbo ha spinto tutti verso la porta... È caduto il soffitto sono caduti i muri... Nella polvere non ho veduto nessuno e ho cominciato a correre, sono caduto e mi sono alzato *più volte...* Poi finalmente c'è stata quiete ma io **ero** solo e ho vagato *a lungo* fra un mucchio di rovine.

several times
for a long time

D Segue un *passo* che descrive uno scrittore del secolo passato. I fatti storici sono al passato prossimo, le caratteristiche abituali dello scrittore sono all'imperfetto:

Alessandro Manzoni, l'*autore* dei **Promessi sposi** è **vissuto** *più che altro* a Milano o *nelle vicinanze* e **ha dedicato** la *sua* lunga vita ai libri, alla famiglia e agli amici, **era** un uomo *semplice* all'aspetto, piuttosto alto, *snello,* con la *fronte* vasta, gli occhi intelligenti. La sua voce **era** quasi *timida* e *talvolta* **balbettava,** ma **parlava** *volentieri* con gli amici e **usava** tutte le volte che **era** possibile il *dialetto* milanese. La *sua* conversazione **era** sempre *elevata;* **ragionava** di tutto e **analizzava** con *acutezza* ogni pensiero che gli **sembrava** degno. **Aveva** ottantotto anni quando **è morto.**

author/The Betrothed
more than anywhere else/near-by
his
simple/slender
forehead
timid, shy/at times/stammered
readily, willingly
dialect/his/elevated
analyzed/acuteness

PIUCCHEPERFETTO INDICATIVO.

Esempi:

1. **Avevano finito** il lavoro e sono andati via.	they had finished the work
2. Il professore **era** già **uscito** alle quattro.	had already gone out
3. **Avevi studiato** più di Marcello e hai fatto meglio.	
4. Era mezzanotte e Sergio non **era** ancora **tornato**.	

Osservazione:

The **piuccheperfetto indicativo** *is used to express an action which had been completed before another action took place in the past. It is also used to express an action which had been completed before a stated or implied specified time in the past.*

Usare il verbo dato fra parentesi per completare ciascuna frase. Scegliere fra il passato prossimo, l'imperfetto o il piuccheperfetto. Cambiare la posizione dei pronomi atoni se è necessario:

1. Ogni giorno dopo che i bambini (studiare) ....

   (andare) .... ai giardini pubblici.

2. La cugina di Sergio già (mangiare) .... quan-

   do noi (incontrarla) .... *per via.*   *on the street*

3. La mamma (sperare) .... di salutarLa.

4. Io (stare) .... per consegnare il saggio quando

   ho notato lo sbaglio.

5. Noi (credere) .... che non (esserci)

   .... niente da fare per oggi.

6. La famiglia Rossi (passare) .... tutte le estati

   al mare.

7. Tu (pregarmi) .... di prenotare i posti a teatro

   e io (farlo) ....

8. Loro (seguire) .... il corso elementare e (fare)

   .... molto bene così (prendere) ....

   quello *successivo.*   *successive, next*

9. Noi (vendere) .... la *nostra* casa così (andare)   *our*

   .... ad abitare con gli amici del babbo.

ALCUNI USI DELLA PREPOSIZIONE DA:

Esempi:

A 1. Vado **dal** calzolaio.   to the shoemaker's
   2. Andrà **dal** dottore.   to the doctor's office
   3. Abita **dai** nonni   at the grandparents' home
   4. Sei stato **da** lui?   to his place to see him
   5. Ti vedrò più tardi ora torno **da** Laura.   to Laura: her home, her room, wherever she is
   6. Siamo passati **da** Marcello.   by his home, could also be his place of business

B 1. Non vedevamo la nonna **da** un anno.   we had not seen grandmother for a year
   2. Aspetto **da** un'ora.   I have been waiting for an hour

C 1. Vai al cinema **da** sola?   by yourself
   2. Il bambino cammina **da** solo.   by himself, without help
   3. Gli studenti hanno scritto il dramma
      da soli.

CI (or VI, a piacere), pronome atono di luogo (of place).

Esempi:

1. Vado **dal dottore.**	**Ci** vado.	**Vi** vado. (not euphonious)
2. Andrò **dal calzolaio a prendere le scarpe.**	**Ci** andrò.	**Vi** andrò.
3. Abitano **a Roma.**	**Ci** abitano.	**Vi** abitano.
4. Sono andati **a vedere la partita.**	**Ci** sono andati.	**Vi** sono andati.
5. Torneranno **in Europa.**	**Ci** torneranno.	**Vi** torneranno.
6. Studiano **in biblioteca.**	**Ci** studiano.	**Vi** studiano.
7. I giardini sono **sulle mura di Lucca.**	**Ci** sono i giardini.	**Vi** sono i giardini.
8. **Ci** sono i giardini **sulle mura di Lucca.**	**Ci** sono i giardini.	**Vi** sono i giardini.

Osservazioni:

1. Either **CI** *or* **VI** *may be used, the choice depends on which seems more euphonious.*

2. They stand for a place (actual or implied) **towards** *which one goes or* **in** *which one is. Upon occasion, they are used also figuratively, as in:*

   Penso a quello che farò domani.   **Ci** *penso.*   *(I direct my thoughts to...)*

3. Their position is the same as the position of all **pronomi atoni.**

Riscrivere le frasi che seguono sostituendo il pronome atono all'oggetto diretto **oppure** all'oggetto indiretto. Usare **solo** un pronome atono per verbo. Per esempio:

Hai portato i libri a Marco in ufficio?   Li hai portati a Marco in ufficio?   **oppure:**
                                            Gli hai portato i libri in ufficio?   **oppure:**
                                            Ci hai portato i libri a Marco?

1. Ho già consegnato il saggio al professore.
2. A Maria dispiace di non andare al concerto stasera.
3. È necessario far vidimare il passaporto.
4. Studieremo le poesie di Montale.
5. Ho veduto entrare gli ospiti in salotto.
6. *Accompagneremo* gli zii alla stazione *ferroviaria*.   *to accompany/railroad (adj)*
7. Ho scritto agli amici di incontrare Paolo e Luisa al caffè Esperia.
8. Avevamo già veduto quel film perciò non siamo andati a quel cinema.
9. Il nonno ha domandato al nipotino di dare il giornale alla nonna.
10. Siete stati da Paolo?

ESERCIZI

A   Copiare inserendo la forma dovuta dei verbi dati fra parentesi:
    A Firenze.

Quasi un mese fa, (essere) *domenica* ed Enzo (avere) un *appuntamento* con Laura davanti al duomo, Santa Maria del Fiore. Enzo (camminare) in fretta perchè (essere) in ritardo. (Passare) davanti a un negozio di fiori dove (vedere) dei bei fiori freschi e (comprare) sei *rose* rosse. Quando (arrivare) (esserci) molte persone fra il duomo e il battistero. Alcune di esse (ammirare) una delle porte del battistero, quella che (essere) molto famosa perchè (avere) i *bassorilievi* del Ghiberti * . Altre persone (guardare) il *campanile* di Giotto e un grande gruppo (aspettare) la *guida*.

Sunday
appointment

roses

bas-reliefs
bell tower
guide

Dove (essere) Laura? Enzo non (riuscire) a trovarla perchè (esserci) troppa *gente*. Tutto ad un tratto (sentire) una voce: «Enzo, Enzo, (essere) qui, non (vedermi)?» Enzo (girare) la *testa* e (vedere) Laura che (uscire) dalla chiesa. Enzo (darle) le rose e Laura (ringraziarlo). Enzo (desiderare) offrire un caffè a Laura, ma lei (rifiutare) e così (andare) subito al cinema. (Esserci) un bel film *giapponese* che non (vedere) ancora.

(f), always singular: people

head

Japanese

---

* Lorenzo Ghiberti *was the artist who made the bas-reliefs between 1402 and 1424.*

B   Dare l'equivalente italiano:

In a hotel.

— *May I help you,* sir?   **desidera**

— I have a *reservation.* I am sorry to have arrived so early   **prenotazione**
but I don't like travelling in the day time, therefore I took
the train last night instead of this morning.

— It is a little early. If you don't mind waiting *for a while* I'll   **per un po'**
have your room readied immediately. The people who had
the room left only a few minutes ago.

— Are there any newspapers?
— **Yes, sir, they are on that table.**

— Thank you. I shall read them while I wait. Is the restaurant
open for breakfast?

— Yes, it opens at seven. It is *at the end of* that corridor and   **in fondo a**
almost nobody is there. They'll serve you right away.

— Thank you... I like this hotel, they are very kind.

C   Leggere e studiare con attenzione i passi che mostrano gli usi dell'imperfetto.

D   All'albergo.

1. **Camera** a un letto (bed), a due letti, con letto matrimonia-
le (double bed).
Il bagno (bath, bathroom), il gabinetto (toilet), la doccia
(shower).

2. L'atrio (lobby), le sale (halls), il salone (large hall), la sala
di scrittura (writing room), l'ascensore (elevator), le scale
(stairs).

3. La chiave (key), la cassetta di sicurezza (safety box), la
cassa (where one pays the bills).

4. Il portiere (doorman), il facchino (porter), il fattorino (bell
boy).

5. La mancia (tip).

E   I   Rispondere:

    1.   Signore (Signora), desidera?
    2.   Com'era quell'albergo?
    3.   Quali sono gli edifici di una città?
    4.   All'aspetto com'era Renata (Renato)?
    5.   Com'è il Suo amico preferito? La Sua amica preferita?

II   Preparare i seguenti argomenti:

    1.   Raccontare un sogno.
    2.   Descrivere una catastrofe.

VOCABOLARIO

acutezza   *acuteness, keeness*
appuntamento   *appointment*
autore (m)   *author*
bassorilievo   *bas-relief*
campanile (m)   *bell tower*
cielo   *sky, heaven*
desiderio   *desire, wish*
dialetto   *dialect*
domenica   *Sunday*
fronte (f)   *forehead*
gente (f coll)   *people*
guida   *guide*
intenzione (f)   *intention, intent, purpose*
liceo   *licée, senior high school*
maglia   *sweater*
mente (f)   *mind*
migliaia (f plur)   *thousands*
mucchio   *pile, heap*
nipotino   *grandchild*
passo   *printed passage, step*
piatto   *plate, dish*
poverino   *poor soul*
premio   *prize*
prenotazione (f)   *reservation*
quiete (f)   *quiet, repose*
rovina   *ruin*
scena   *scene*

sentimento   *feeling, sentiment*
soffitto   *ceiling*
sogno   *dream*
soldo   *penny*
soldi   *money*
successione (f)   *succession, sequence*
terremoto   *earthquake*
testa   *head*
vicinanza   *vicinity*

azzurro   *blue*
cupo   *dark, gloomy, hollow (sound), somber*
elevato   *elevated, lofty*
esteriore   *exterior*
ferroviario   *pertaining to the railroad*
giapponese   *Japanese*
nostro   *our*
rivissuto   *re-lived*
scontento   *discontented, dissatisfied*
semplice,-ci   *simple*
snello   *slim, slender, nimble*
sporco,-chi   *soiled, dirty*
successivo   *successive, ensuing*
suo   *his*
timido   *shy, timid*
umido   *humid*

accompagnare   *to accompany*
afferrare   *to seize, to take, to take hold of*
alzarsi   *to get up*
amare   *to love*
analizzare   *to analyze*
badare (a)   *to take care, to tend*
balbettare   *to stammer, to stutter*
correre (irr)   *to run*
dedicare   *to dedicate, to devote*
fare la maglia   *to knit*
guardare   *to look at, to watch*
rievocare   *to evoke, to recall*
scivolare   *to slip, to slide*
sognare   *to dream*

spingere (irr)   *to push, to shove*
traballare   *to stagger, to lurch*
tremare   *to tremble, to quiver, to shiver*
vagare   *to wander, to roam*

a lungo   *for a long time*
finalmente   *at last, finally*
in fondo (a)   *at the bottom (of), at the end (of)*
in rapida successione   *in rapid succession*
per via   *in the street*
più che altro   *more than anything else*
talvolta   *sometimes, now and then*
tutto ad un tratto   *all of a sudden*
volentieri   *gladly*

Lezione XV

VERBI SERVILI (Modal auxiliaries). I verbi servili sono quattro: **DOVERE, VOLERE, POTERE, SAPERE.** Si chiamano servili perchè servono a indicare il modo dell'azione espressa dall'infinito che li segue.

Verbi **DOVERE** e **VOLERE.**

DOVERE indicates the necessity, obligation or suitability of the action expressed by the complementary infinitive. Used without a complementary infinitive it means **to owe.**

VOLERE indicates, on the basis of one's will or wish, the requirement of the action expressed by the complementary infinitive. Used without a complementary infinitive it means **to will, to want, to wish.**

DOVERE		VOLERE	
Presente	Futuro	Presente	Futuro
devo	dovrò	voglio	vorrò
devi	dovrai	vuoi	vorrai
deve	dovrà	vuole	vorrà
dobbiamo	dovremo	vogliamo	vorremo
dovete	dovrete	volete	vorrete
devono	dovranno	vogliono	vorranno

L'imperfetto indicativo di dovere e **volere** è regolare.

I tempi composti dei due verbi sono coniugati con l'ausiliare **avere** se non c'è infinito complementare, altrimenti con l'**ausiliare del verbo complementare:**

Esempi:

1. **Ho** dovuto dieci dollari a Elio.
2. **Ha** voluto la rivoluzione.

3. **Sono** dovuto andare all'ufficio.
4. **Ho** dovuto pagare le tasse.

5. Non è voluta uscire con noi.
6. Non **ha** voluto servire i rinfreschi.

I owed Elio ten dollars.
He willed the revolution.

I had to go to the office.
I had to pay the taxes.

She didn't wish to go out with us.
She didn't want to serve the refreshments.

Usi di **dovere** e **volere.** Esempi:

A			
	1.	Devo andare dal professore.	I must go
	2.	Devono arrivare stasera.	they are supposed to arrive
	3.	Dovevate consegnare il saggio ieri.	**you were supposed** to hand in
	4.	Abbiamo dovuto far vidimare il passaporto.	we had to have our passport stamped
	5.	Dovrai correre per arrivare in tempo.	you will have to run to arrive in time
	6.	Avrà dovuto badare ai bambini.	she may have had to look after

B			
	1.	Voglio studiare.	I want to study
	2.	Volete venire con noi?	do you wish to come
	3.	Volevamo fare una domanda.	we wanted to ask (intention)
	4.	Ha voluto lasciare la scuola.	he wished to leave (and did)
	5.	Vorranno guardare la partita.	they will (may) want to look at, watch
	6.	Avrà voluto aspettare il fratello.	she may have wanted to wait for
	7.	Vuoi farmi il piacere di stare zitto?	will you do me the favor of keeping quiet

C   Notare la posizione dei pronomi atoni:

1.	Marco deve scrivere il saggio.	**lo** deve scrivere deve scriver**lo**	
2.	Voglio parlare a Valeria.	**le** voglio parlare voglio parlar**le**	
3.	Devono andare alla stazione.	**ci** devono andare devono andar**ci**	
4.	Ha voluto vedere le *rovine*	**le** ha volut**e** vedere ha voluto veder**le**	*ruins*
5.	Hanno dovuto scrivere ai nonni.	hanno dovuto scrivere **loro**	

Osservazioni:

1.   There is no preposition between the modal auxiliary and the complementary infinitive.

2.   The **pronomi atoni,** *except* **loro** *which always follows, may either follow the complementary infinitive or precede the modal auxiliary at one's discretion. If one chooses to place them before the modal auxiliary, the agreement must be made between the direct object and the past participle of a compound tense.*

Trasformare (transform) le frasi che seguono usando (using) **dovere** o **volere.**

Dovere, modelli: Vado a casa   - Devo andare a casa;
                      Lo dirò loro   - Dovrò dirlo loro.

1. Fa la spesa. ....

2. Analizzano l'articolo. ....

3. Prendi la *medicina* ogni tre ore. ....   *medicine*

4. Il direttore ha parlato agli operai. ....

5. Penserà alla risposta. ....

6. Ci arrivavano stasera. ....

7. La sentiamo di nuovo tutta. ....

8. Porterai i rinfreschi in giardino. ....

9. Consegnate il saggio domani? ....

10. Sono partiti ieri sera. ....

11. Li ha conservati a lungo. ....

12. Li ho convinti di non uscire. ....

Volere, modelli: Non le fa male   - Non le vuole far male;
                      Andrà dai nonni   - Vorrà andare dai nonni.

1. Hanno fatto delle commissioni. ....

2. Lo porti dal dottore? ....

3. Avvertono il babbo. ....

4. Mi fa un piacere? ....

5. Non lo diranno a nessuno. ....

6. Ha contribuito un po' di denaro. ....

7. Sono tornato a casa. ....

8. Vedo una bella rappresentazione. ....

9. Vi seguirà. ....

10. Non li ha ricevuti. ....

11. Mostriamo loro il museo. ....

12. Confermavano il volo prima di partire. ....

Dovere e **volere,** significato dell'**imperfetto indicativo** in contrasto al **passato prossimo:**

1. Dovevamo andare dal dottore.	We were supposed (did we go?)
2. Siamo dovuti andare dal dottore.	We had to go (and we did)
3. Volevo venire a vederLa.	I wanted (intended, but did I?)
4. Sono voluto venire a vederLa.	I decided (wanted and did)

Osservazioni:

1. **Dovere.** *The* **imperfetto indicativo** *expresses the existence of an obligation in the past but gives no indication whether the obligation was complied with. The* **passato prossimo** *expresses not only the existence of an obligation but also the fact that the obligation was complied with.*

2. **Volere.** *The* **imperfetto indicativo** *expresses an intention, the existence of a wish in the past but gives no indication whether the wish was fulfilled. The* **passato prossimo** *expresses not only the existence of a wish but the fact that the wish was fulfilled.*

PRONOMI PERSONALI TONICI, OGGETTO DIRETTO E INDIRETTO
(Disjunctive personal pronouns).

Modelli:

Oggetto diretto

1.	He sees **me.**	Vede **me.**
2.	I beg **you** (tu).	Prego **te.**
3.	You believe **her.**	Credete **lei.**
4.	They grab **him.**	Afferrano **lui.**
5.	We thank **you** (Lei, m & f).	Ringraziamo **Lei.**
6.	They see **us.**	Vedono **noi.**
7.	I thank **you** (voi).	Ringrazio **voi.**
8.	I accompany **them** (m & f).	Accompagno **loro** (essi, esse).

Oggetto indiretto

1.	He speaks **to me.**	Parla **a me.**
2.	I will travel **with you** (tu).	Viaggerò **con te.**
3.	You are doing it **for him.**	Lo fai **per lui.**
4.	They are going **to her home.**	Vanno **da lei.**
5.	You are writing **with it** (la penna).	Scrivete **con essa.**
6.	He returns **from it** (ufficio).	Ritorna **da esso.**
7.	Are you speaking **to us?**	Parla **a noi?**
8.	I shall give it **to you** (voi).	Lo darò **a voi.**
9.	He found it **among them** (le lettere).	L'ha trovato **fra esse.**
10.	It depends **on them** (i treni).	Dipende **da essi.**
11.	We are thinking **of them** (m & f).	Pensiamo **a loro** (a essi, a esse).
12.	He will ask **you** (Loro).	Domanderà **a Loro.**

Ricapitolazione:

The **pronomi tonici,** both direct and indirect object, are:

Singolare	Plurale
me	**noi**
te	**voi**
lui	**loro**
lei	**Loro**
Lei	**essi**
esso	**esse**
essa	

Except for the **first** and **second person singular,** they are the pronouns that have been used as subjects.

Esempi:

1. La madre ha afferrato **la bambina** e **il bambino** ed è fuggita.
    La madre ha afferrato **lei** e **lui** ed è fuggita.
2. Telefonerò **a Marcello** e **a Laura.**
    Telefonerò **a lui** e **a lei.**
3. Ha dato i biglietti **ai Signori Cini** e ora li darà anche **ai Signori Rendi.**
    Ha dato **loro** i biglietti e ora li darà anche **a loro.**
4. Staremo sempre vicino **a Annamaria.**
    Staremo sempre vicino **a lei.**
5. Sono scivolata **sul** *ghiaccio.*   *ice*
    Sono scivolata **su esso.**
6. Ha salutato **i nonni** non **la zia.**
    Ha salutato **loro** non **lei.**
7. Fra tante persone vede solo **Giorgio.**
    Fra tante persone vede solo **lui.**
8. Prenoterò la camera **per lo zio.**
    Prenoterò la camera **per lui.**

Osservazioni:

1. *The* **pronomi tonici** *are used instead of the* **pronomi atoni:**
    a. *for emphasis, therefore also after certain adverbs such as* **solo, anche, vicino;**
    b. *after any preposition other than* **a;**
    c. *if any one verb is accompanied by* **more than one direct object or more than one indirect object** *(preposition* **a***).*
2. *They are accented, emphatic pronouns and their position in the sentence varies.*

Riscrivere le frasi che seguono sostituendo il **pronome atono** o il **pronome tonico** all'oggetto indiretto. Usare il pronome tonico **solo** se è necessario:

1. Vogliamo parlare solo al babbo.
2. Viaggiare piace alla mamma ma non al babbo.
3. Mi piace lavorare con quegli operai.
4. Farò vidimare queste carte dal direttore.
5. Devi telefonare alla zia.
6. Vuole venire con Paolo e con me al cinema?
7. Ho dato del dolce anche a Piero.
8. Andrete da Marcello stasera?

ESERCIZI

A I Rispondere al negativo usando **non** e un **negativo** eccetto per il partitivo negativo. Cambiare il soggetto se necessario.

1. Quanti studenti c'erano al concerto?
2. Hai freddo?
3. Avete fatto qualcosa d'interessante durante la fine della settimana?
4. Ha del pane fresco?
5. Sono già usciti dalla scuola i bambini?
6. C'è un buon albergo qui vicino?
7. Avete ancora sete?
8. · Ci sono autobus e treni stasera verso le sette?
9. Hai visitato l'Africa del Nord?
10. Chi conoscete in Italia?
11. La Signora Marchi non ha risposto, ha risposto il Dottor Ricci?
12. Alcuni di quegli studenti sono stranieri?

II Riscrivere le seguenti frasi inserendo la forma dovuta di **prendere** o **portare**, secondo il caso:

1. L'anno scorso il babbo la **mattina** .... i bambini a scuola.
2. Lucia è andata a .... le scarpe dal calzolaio.
3. Quale via .... alla stazione ferroviaria?
4. Signorina, ... il caffè o il latte?
5. Domani noi .... il pullman di mezzogiorno.
6. Piove, torno a casa a .... l'impermeabile.
7. Se sarete stati buoni, lo zio vi .... a teatro.
8. La mattina per colazione molti italiani .... solo il caffè-latte.
9. Io .... la macchina per fare più presto.
10. Tu .... un brutto raffreddore.

B   Dare l'equivalente italiano:

1. I must take the children to the doctor.
2. Do you (tu) mind telling me who the author is?
3. She wanted to ask you (Lei) for whom this book is.
4. We are going to the airport to meet them.
5. He saw her enter that shop.
6. It is better to say that you (Loro) dislike it.
7. He had to speak the truth (and he did).
8. Were we supposed to confirm the seats on the plane?
9. Each one of you must sign the paper.
10. Do you (Lei) have a question? I wanted to ask how one says pizza in Italian.
11. Will they too want to knit? I don't think so.
12. They wanted to do it by themselves (and did).
13. Every month he wrote home.
14. We hoped to see Mr. and Mrs. Breschi but they had left for India.
15. Are you (tu) going with him or with me?

C   Leggere con attenzione e imparare.

I   All'ufficio informazioni della stazione ferroviaria.

— *Scusi,* ci sono treni per Napoli che arrivano verso le sette o   *excuse me*
le otto di sera?
— Sì, signore, c'è il treno delle quattro e mezzo che arriva alle
sei e cinque, e il *rapido* che parte alle cinque e dieci e arriva   *express train*
alle sei e tre quarti. Il rapido, però, costa un pò di più.
— Bene. Mi piace il rapido anche se costa di più. Lei vende i
biglietti?
— No, signore, deve andare alla *biglietteria* qui a *destra* ...   *ticket office/right*
cioè, voglio dire a *sinistra.* Vede quegli *sportelli* con le *file*   *left/small window*
di persone?   *lines, rows*
— Ah, sì, grazie. *Mi metterò* in fila anch'io.   *I shall place myself*

II   Allo sportello della biglietteria.

— Desidera?
— Desidero tre biglietti sul rapido per Napoli, per piacere.
— Di prima o di seconda classe?
— Di prima. *Vogliamo star comodi* e poi avremo molto *baga-*   *we want to be comfortable*
glio...   *luggage*

— Li vuole di andata e ritorno?

— Scusi, non ho sentito.

— Andata e ritorno o solo andata?

— Ah, solo andata. Dobbiamo prendere il piroscafo per tornare in America...

— Ancora una domanda. Quando partono, oggi?

— No, no. Partiamo dopodomani.

— Ecco i biglietti, signore.

D In viaggio.

1. Il volo 525 dell'Alitalia è *in partenza* all'*uscita* numero 2. I signori viaggiatori sono pregati *di* **presentare** la *carta d'imbarco*.   *about to depart/gate card/embarcation*

2. Il rapido da Roma è *in arrivo* sul *binario* numero 5.   *about to arrive/track*

3. L'itinerario in pullman *prevede* una *sosta* a Siena.   *includes,* **prevedere:** *to foresee/pause*

4. Questi posti sono occupati? No, sono liberi.

5. Il viaggiatore dà gli *scontrini* delle valigie al *portabagagli* che va a *ritirarle*.   *checks/porter to collect, to withdraw*

6. Dov'è la fermata del tram? *A due passi*, alla prossima *traversa*.   *two steps from here crossroad*

E I Rispondere:

1. In che modo preferisce viaggiare? Perchè?
2. Che cosa deve fare oggi Vincenzo? Francesca?
3. Che cosa non ha potuto fare il Signor Tosi? La Signora Tosi?
4. Cosa voleva fare il professore? Cosa volevano fare gli studenti?

II Argomenti da preparare:

1. Un viaggio.
2. Un incontro (casual meeting) o un appuntamento.

VOCABOLARIO

bagaglio *baggage, luggage*
biglietteria *ticket office*
binario *track (train)*
carta d'imbarco **embarcation card**
destra *right*
fila *line, row*
ghiaccio *ice*
medicina *medicine*
portabagagli *porter*
rapido *fast train, express*
scontrino *check*
sinistra *left*
sosta *pause, stop*
sportello *small door (car), window (office)*

traversa *crossroad*
uscita *gate, exit*

dovere (irr) *to owe, to be obliged*
mettersi *to place oneself*
prevedere (irr) *to foresee, to forecast,
   to include*
ritirare *to retire, to withdraw, to collect*
stare comodo *to be comfortable*
volere (irr) *to wish, to want*

a due passi *two steps from here*
in arrivo *about to arrive*
in partenza *about to leave, about to depart*

Lezione XVI

VERBI SERVILI. Verbi POTERE e SAPERE.

POTERE indicates the ability or possibility of carrying out the action expressed by the complementary infinitive. It is rarely used without a complementary infinitive.
SAPERE indicates knowledge (intellectual or technical) in order to carry out the action expressed by the complementary infinitive. Without complementary infinitive it means **to know (with one's mind), to be aware.**

POTERE		SAPERE	
Presente	Futuro	Presente	Futuro
posso	potrò	so	saprò
puoi	potrai	sai	saprai
può	potrà	sa	saprà
possiamo	potremo	sappiamo	sapremo
potete	potrete	sapete	saprete
possono	potranno	sanno	sapranno

L'imperfetto indicativo di **potere** e **sapere** è regolare.
I **tempi composti** di **potere** seguito da un infinito sono coniugati con l'ausiliare del verbo complementare.
I **tempi composti** di **sapere** sono coniugati normalmente con l'ausiliare **avere** anche se il verbo complementare richiede l'ausiliare essere.

Esempi:

Ha potuto **prenotare** i posti sull'aereo.	he was able to reserve
È potuto **restare** in Italia.	he was able to remain
Ho saputo **trovare** la via.	I knew how (I found the way)
Ho saputo **venire** da te.	I knew how (I found my way)
Abbiamo saputo tutto.	we learned (became aware of)

Esempi degli usi di **potere** e **sapere**:

A	1.	Potete telefonarci questo pomeriggio.	you can telephone
	2.	Non posso venire oggi.	I cannot (am not able)
	3.	Potrà vedermi domani.	he will be able
		Mi potrà vedere domani.	
	4.	Ha potuto finire quei lavori.	he could finish (and did)
		Ha potuto finirli.	
		Li ha potuti finire.	
	5.	Non saranno potuti partire.	they may have not been able
	6.	Posso accompagnarLa?	may I accompany

B 1. Sa la musica di quella *sinfonia*.   he knows (has learned it) / *symphony*
   2. Non sanno ancora la buona notizia   do not know (have not learned)
   3. Sai che ora è? Mi dispiace, non lo so.

   4. Sa giocare a tennis.   he knows how to play (he can play)
   5. Non saprà guidare quell'automobile.   will not know (may not know)
       Non la saprà guidare.
       Non saprà guidarla.

   6. Avete saputo rispondere alla domanda.   you knew how (and did), were able
                                                              (and did)
   7. Conosco la Germania ma non so il tedesco.   I am acquainted with Germany but I
                                                          do not know German
   8. Vuoi sapere la verità? Non conosco affatto
       quella gente.

   9. Sanno di aver torto.   they know that they are in the wrong

C 1. Può dirmi che ora è?   can you tell me
   2. Sa dirmi che ora è?   can you tell me
   3. Ci ha potuto spiegare la regola.   he could (and did)
   4. Ci ha saputo spiegare la regola.   he knew how, could (and did)

Osservazioni:

1. Like **dovere** *and* **volere**, **potere** *and* **sapere** *(used as modal auxiliaries) do not take
     any preposition before a complementary infinitive, the* **pronomi atoni** *may either
     precede* **potere** *and* **sapere** *or follow the complementary infinitive.*
2. When **sapere** *is not used as a modal auxiliary (i.e. when it means «I know» and
     not «I know how»), the preposition* **di** *is used before an infinitive.*

Potere e **sapere**, significato dell'**imperfetto indicativo** in contrasto al **passato prossimo:**

1. Potevi telefonarmi prima di partire.   you could (might) were in a position to (but did not)
2. Siamo potuti andare a salutarli.   we could (and did) (we managed)
3. Sapevo che dovevano venire presto ma   I knew (state of mind), I was aware
    solo ora ho saputo che sono arrivati   I discovered (learned)
4. Ieri hanno saputo la notizia.   they discovered (learned)
5. Sapevi che il nonno sta male?   were you aware

Osservazioni:

1. The **imperfetto indicativo** *di* **potere** *expresses an ability or potential in the past
     which was not realized. The* **passato prossimo** *indicates that the potential was
     realized.*
2. The **imperfetto indicativo di sapere** *expresses awareness or a state of knowledge
     in the past. The* **passato prossimo** *expresses discovery or the acquisition of new
     knowledge, or the realization of a potential (intellectual or technical).*

Trasformare le frasi che seguono usando **potere** o **sapere**.

Potere, modelli: Entrano nell'aula. — Possono entrare nell'aula.
Li ha studiati. — Li ha potuti studiare.

1. Sono partiti ieri. ....
2. Se fa freddo chiudo le finestre. ....
3. Li abbiamo visitati due giorni fa. ....
4. Gli farete un piacere. ....
5. Lo lascia con noi. ....
6. Entriamo? ....
7. L'hai detto alla mamma? ....
8. Oggi facciamo delle spese. ....
9. Non partono più. ....
10. Tu porti tutti i pacchi. ....

Sapere:

1. Il bambino già cammina. ....
2. Scrivo in italiano. ....
3. *Giocano a carte.* ....   *to play cards*
4. Analizziamo la poesia classica. ....
5. Direte la verità? ....
6. Venite a casa mia? ....
7. Non gli ho risposto. ....
8. Tu vivi molto bene. ....
9. Li ha fatti subito. ....
10. Non le hanno trovate. ....

AGGETTIVI E PRONOMI POSSESSIVI (Possessive adjectives and pronouns).

io	tu	lui, lei esso, essa	Lei	noi	voi	loro	Loro
il mio	il tuo	il suo	il Suo	il nostro	il vostro	il loro	il Loro
i miei	i tuoi	i suoi	i Suoi	i nostri	i vostri	i loro	i Loro
la mia	la tua	la sua	la Sua	la nostra	la vostra	la loro	la Loro
le mie	le tue	le sue	le Sue	le nostre	le vostre	le loro	le Loro

Esempi:

1. Carlo ha **i suoi** libri.
2. Quelli sono **i nostri** compagni.
3. Giorgio parla con **le sue** amiche.
4. Anna e io siamo **nel nostro** giardino.
5. Sta per arrivare **il mio** treno.
6. Starò **dai miei** zii.
7. Questi sono **i tuoi** guanti.
8. **La Sua** macchina è quella rossa?
9. Renata è **nel tuo** giardino.
10. **I tuoi** *genitori* sono americani?   *parents*
11. **La vostra** casa è molto bella e **la sua** *posizione* è *incan-*   *location*
    tevole.   *fascinating, enchanting, charming*
12. Verranno **le loro** amiche?
13. Quel **nostro** professore è bravo.
14. Ho invitato tutti **i nostri** compagni.
15. Ogni **suo** pensiero è per Laura.
16. Due **dei Suoi** studenti sono qui.
17. **La mia** auto non *funziona*, posso prendere **la tua**?   *to function, to work*
18. **Il Suo** lavoro è *eccellente*, **il loro** è *così così.*   *excellent/so so*
19. **I miei** parenti stanno bene, grazie, **i Suoi?**
20. Se non trovi **il tuo** libro ti darò **il mio.**

Notare: *Possessive adjectives and pronouns agree in gender and number with the thing possessed.*

Inserire l'aggettivo o il pronome possessivo:

1. (his) .... banca non gli ha mandato l'assegno.

2. (your, tu) .... genitori verranno a vederti?

3. (her) .... parenti le hanno scritto da Berlino.

4. (our) .... amica ha portato loro delle rose.

5. (his) .... nonni lo hanno trovato dopo il terremoto.

6. (your, Lei) .... macchina è qui ma dov'è
   .... bagaglio?

7. (your, voi) Mi dispiace, non ho ancora corretto

   .... saggi.

8. (their; our) .... bambini giocano con

   ....

9. (your, tu; my) Ho veduto .... radio in

   .... camera.

10. (your, Loro) L'*uscita* è a .... sinistra.　　　　　*exit*

11. (our; your, tu) Abbiamo già pagato .... con-

    to, hai pagato ....?

12. (its) Ravenna è interessante per .... mosaici

    bizantini.

13. (her) Quelle .... compagne sono sempre

    scontente.

14. (my) .... mani sono sporche, *sporcherò*　　　**sporcare:** *to soil*

    .... guanti *puliti*.　　　　　　　　　　**pulire:** *to clean*

Notare:

1. When possession is obvious, the possessive adjective is omitted:

Hai fatto il compito?	*Did you do your homework?*
Ha trovato i guanti.	*She found her gloves.*
La zia verrà a farci visita.	*Our aunt will come to call on us.*
Hanno perduto la vita in guerra.	*They lost their lives in the war.*

2. At times possession, especially in regard to clothing or to parts of the body, is expressed by using an indirect object:

Le fa male la testa*.	*Her head aches.*
Il chirurgo gli ha tagliato la gamba.	*The surgeon cut his leg off.*
Metterò le scarpe ai bambini.	*I'll put their shoes on the children.*
Le ho levato la macchia dal vestito.	*I took off the spot from her dress.*

---

* *Si può anche dire: Ha male alla testa.*

ESERCIZI

A I Mettere al singolare **o** al plurale tutte le parole che è possibile senza alterare (alter) il senso fondamentale (basic) della frase:

1. Il mio amico non viene.
2. Che cosa fai con quella valigia?
3. C'era un impiegato molto gentile.
4. Ci dispiace, non conosciamo nessuno in quella città.
5. La polizia lo inseguiva.
6. Gli hanno dato un incarico difficile.
7. Che cosa dici! Gli svantaggi di una rivoluzione di quel tipo sono grandi.
8. Quello è un albergo di lusso.
9. Le piacciono i cibi italiani?
10. In estate andiamo al mare, perchè non venite con noi quest'anno?

II Copiare inserendo la forma dovuta di **parlare** o **dire**:

1. Chi .... troppo di solito .... poco.

2. Con chi (tu) .... di questa questione ieri?

3. Mi hanno domandato di .... sull'università italiana e io .... loro che lo farò.

4. I nostri genitori .... che loro in gioventù (youth) non .... mai di queste cose.

5. Mi scusi, professore, che cosa ....?

6. Voi che cosa ...., facciamo o non facciamo la riunione?

7. Quegli stranieri .... molto bene l'inglese.

8. È male non .... una lingua straniera per paura di fare degli sbagli.

9. Mi sa .... che autobus prendere per andare in Piazza Marconi?

10. Non hanno saputo .... quanto è il ritardo del volo 401 (quattrocentouno).

B   Dare l'equivalente italiano:

1. May I offer you something to eat?
2. They will not accept your (voi) help.
3. We don't know how to say it in Italian.
4. May we accompany you (Lei)? You are very kind but I prefer to go alone.
5. He didn't know that you were coming.
6. Can you (Lei) tell me how to go to the public library? I am sorry, I don't know.
7. You (tu) must thank father even if you don't like what he bought for you.
8. **Signorina,** would you please read the next line.
9. She cannot find her gloves, do you know where they are? In her suitcase.
10. You (Lei) may bring your children to play with mine.

C   Leggere con attenzione e imparare:

I   Fra .cugini.

— Come, il nonno sta tanto male? Mi dovevi avvertire.

— Lo sapevi, l'avevo detto ieri l'altro.

— Ma allora avevi detto solo che era *debole*... *weak, frail*

— Sì, ma la *debolezza* dei vecchi è spesso seria. Anch'io non ho saputo fino a stamattina che la debolezza era grave, e poi ci sono delle complicazioni. *weakness, frailness*

— Che cosa possiamo fare? Dobbiamo *almeno* andare a vederlo, offrire di aiutare la nonna... *at least*

— Io volevo andarci questo pomeriggio, ma ci è andata Carla con il *marito* e ha detto che troppa gente poteva *disturbarli*. *husband* / *to disturb, to upset*

— Allora possiamo andarci insieme stasera o *domattina*, passare la notte, se la nonna lo vuole. *tomorrow morning*

— *D'accordo*. Volevo *suggerirti* appunto questo. Vuoi telefonare tu per sapere quando è meglio andarci? *we are in agreement*/**suggerire:** *to suggest*

— *Certo*. Ti *farò sapere* la risposta. *certainly, sure*/**far sapere:** *to let someone know, to inform*

II   *Malattia*. *illness*

Enzo non era mai stato *malato* ma da alcuni giorni gli faceva male la testa, aveva un po' di *febbre* e gli sembrava di avere un *grosso peso* sullo *stomaco*, inoltre non aveva fame e non poteva dormire.

ill, sick / *(f) fever* / *big, bulky, thick*/*weight*/*stomach*

Aveva sempre avuto paura del dottore, ma *alla fine* ci è andato con un grande *batticuore*. Pensava a tutte le *possibilità, tumori, ulceri;* vedeva l'ospedale, i *chirurghi,* le *infermiere,* perfino il *cimitero* con i parenti e gli amici che, sperava, *piangevano* la sua *morte immatura.*

in the end (at the end)
(m) palpitation/possibilities
*(m) tumor/***ulcera** *(f): ulcer*
surgeons/nurses/even/cemetery
piangere, *p.p.* **pianto:** *to weep,*
to cry/(f) death/immature

Il *medico* l'ha visitato e gli ha detto che non era niente, un virus, *innocuo* ma noioso. Gli ha *consigliato* di *riposare* e gli ha dato una *ricetta...*

physician
innocuous/to advise/to rest
prescription, also recipe

Che sollievo!

what a relief

D   I   Rispondere:

1. Sa suonare uno strumento?
2. Che cosa può ordinare Lei in un caffè? In un ristorante?
3. Com'è la Sua casa?
4. Perchè Le piace o non Le piace giocare a tennis?
5. Che cosa ha portato il postino?
6. Quando viene il batticuore a Lei?

II   Dimostrare di saper distinguere (distinguish) fra le seguenti coppie (pairs) di verbi:

1. conoscere   —   sapere
2. dire   —   parlare
3. venire   —   andare
4. portare   —   prendere

III   Argomenti da preparare:

1. Quando sono stato poco bene.
2. Brutte previsioni (forecast, expectations).

VOCABOLARIO

batticuore (m)   *heart flutter, palpitation*
chirurgo,-ghi   *surgeon*
cimitero   *cemetery*
debolezza   *weakness, frailty*
domattina   *tomorrow morning*
febbre (f)   *fever*
genitore (m)   *parent, father*
genitori   *parents*
infermiera   *nurse*
infermiere (m)   *nurse*
malattia   *illness*
marito   *husband*
peso   *weight*
posizione (f)   *position, location*
possibilità   *possibility*
ricetta   *prescription, recipe*
sinfonia   *symphony*
stomaco,-chi   *stomach*
tumore (m)   *tumor*
ulcera, le ulceri   *ulcer*

debole   *weak, frail*
eccellente   *excellent*
grosso   *large, bulky*

immaturo   *immature*
incantevole   *charming, fascinating*
innocuo   *innocuous*
malato   *ill, sick*

consigliare   *to advise, to counsel*
disturbare   *to disturb, to inconvenience*
far sapere   *to let someone know, to inform*
funzionare   *to function*
giocare a carte   *to play cards*
piangere   *to cry, to weep*
potere   *to be able*
pulire   *to clean*
riposare   *to rest, to relax*
sporcare   *to soil, to dirty*
suggerire   *to suggest, to prompt*

almeno   *at least*
alla fine   *in the end, at the end*
certo (adv)   *certainly, sure*
che sollievo   *what a relief*
così così   *so so*
d'accordo   *we are in agreement*
perfino   *even*

Lezione XVII

AGGETTIVI POSSESSIVI, continuazione (continuation):

Notare

1.	**mio** padre	**il mio** caro padre	**i miei** *padri* — *forefathers*
2.	**tua** madre	**la tua** dolce madre	**le nostre** madri
3.	**suo** figlio	**il suo** figlio piccolo	**i suoi** figli
4.	**nostra** figlia	**la nostra** figlia Laura	**le vostre** figlie
5.	**la loro** madre		
6.	**il loro** figlio		

Osservazioni:

1. *Except for* **loro** *(which never drops the article), the article of the possessive adjective* must *be dropped before* **padre, madre, figlio, figlia** *provided the noun is in the singular and unmodified. It is* preferable *to drop the article also with* **fratello, sorella, marito, moglie, cugino, cugina, zio, zia.**
2. *With other nouns expressing family relationship, the article of the possessive adjective (except for* **loro,** *which always retains the article) may be either retained or dropped, although it is frequently dropped.*

Inserire l'aggettivo possessivo:

1. Signora, dove studia (your) .... figlia?

2. (Our) .... padre riposa.

3. (My) .... madre è in cucina con la zia Maria.

4. (Your, Lei) .... figlie sanno far la maglia?

5. (Our) .... nonno sta bene, grazie.

6. (Your, tu) .... figlio accompagnerà (my) .... figlie.

7. I genitori danno dei buoni *consigli* a (their) .... figli.　　　**consiglio:** *advice*

8. Come sta (your, voi) .... padre?

9. (My) .... genitori verranno fra poco.

10. (Your, tu) .... parenti abitano lontano da qui.

11. Ho scritto a (my) .... zio, ma non ancora a (my) .... zie.

12. Ha sentito dire che (their) .... nonna è polacca.

13. Quei (your, voi) .... cugini stanno per arrivare.

PRONOMI PERSONALI RIFLESSIVI ATONI (Conjunctive reflexive personal pronouns).

Modelli:

1.	I wash myself	**mi** lavo	**mi** sono lavato (lavat**a**)
2.	You are washing yourself	**ti** lavi	**ti** sei lavato (lavat**a**)
3.	He (she, it) burns himself (herself, itself)	**si** brucia	**si** è bruciato (bruciat**a**)
4.	You (Lei) were preparing yourself	**Si** preparava	**Si** era preparato (preparat**a**)
5.	We excuse ourselves	**ci** scusiamo	**ci** siamo scusati (scusat**e**)
6.	You will dress yourselves	**vi** vestirete	**vi** sarete vestiti (vestit**e**)
7.	They cut themselves	**si** tagliano	**si** sono tagliati (tagliat**e**)
8.	You (Loro) will hurt yourselves	**Si** faranno male	**Si** saranno fatti (fatt**e**) male
9.	We were speaking to each other	**ci** parlavamo	**ci** eravamo parlati (parlat**e**)
10.	You see each other	**vi** vedete	**vi** siete veduti (vedut**e**)
11.	They love each other	**si** amano	**si** sono amati (amat**e**)
12.	You (Loro) will hurt each other	**Si** faranno male	**Si** saranno fatti (fatt**e**) male

Ricapitolazione e pronomi riflessivi tonici:

		Atoni	**Tonici** (see p. 137)
io	myself	**mi**	**me**
tu	yourself	**ti**	**te**
lui, lei, Lei, esso, essa	himself, herself, itself, yourself	**si, Si**	**sè, Sè**
noi	ourselves	**ci**	**noi**
voi	yourselves	**vi**	**voi**
loro, Loro, essi, esse	themselves, yourselves	**si, Si**	**sè, Sè**

Osservazioni:

1. Reflexive verbs, and verbs used reflexively, take **essere** *as auxiliary.*

2. Reflexive verbs in the plural persons may express reciprocal action.

3. Except for the third persons, the reflexive and the conjunctive pronouns have identical forms.

4. *What has been said about* **pronomi atoni** *and* **tonici** *applies also to the reflexive pronouns.*

5. *For added emphasis one may add* **stesso (stessa, stessi, stesse)** *to the* **pronomi riflessivi tonici.** *It is better to use it sparingly. Note the expressions:*
l'ha detto Maria stessa: *Mary herself;* **il giornale stesso non parla di questo:** *the newspaper itself.*

Notare:

The auxiliary **essere** must be used when the reflexive conjunctive pronoun precedes **dovere, potere** and **volere.** The auxiliary **avere,** instead, must be used if the reflexive pronoun follows and is attached to the complementary infinitive.

Esempi:

Non **si** è voluto alzare.	Non **ha** voluto alzar**si.**
Vi siete potuti lavare?	**Avete** potuto lavar**vi?**
Ci siamo dovuti scusare.	**Abbiamo** dovuto scusar**ci.**

Inserire la forma dovuta del verbo riflessivo dato fra parentesi cambiando il pronome riflessivo quando è necessario. Nelle ultime frasi notare le preposizioni:

1. Un'ora fa Marco (lavarsi) .... e (vestirsi) ....

2. Io (*tagliarsi*) .... poco fa.   *to cut oneself*

3. Marta e Alfredo non (parlarsi) .... più.

4. La mamma domanda alla sua bambina: «(lavarsi) ....?»

5. Domani noi (scusarsi) .... con la zia.

6. Signorina, (farsi) .... male quando ha aperto il pacco?

7. Voi (vedersi) .... tutti i giorni un mese fa.

8. Ragazzi, dovete (prepararsi) .... a studiare.

9. Mio fratello (*bruciarsi*) .... nel versare il caffè.   *to burn oneself*

10. Puoi (farsi) .... male nell'alzare quella valigia.

Osservazione:

Possession, especially when referring to one's own clothing and parts of the body, is expressed by a reflexive pronoun and the possessive adjective is omitted. In these cases the reflexive pronoun is an indirect object:

Si è pettinata i capelli *translates literally: she combed the hair to herself.*

Notare le seguenti espressioni:

1. **Farsi male** (to hurt oneself):

Luisa si è fatta male al dito.   Louise hurt her finger.
Ci siamo fatti male ieri in uno scontro.   Yesterday we hurt ourselves in a collision.
Paolo è caduto e si è fatto male alla gamba.   Paul fell and hurt his leg.

2. **Farsi** (seguito da un infinito) (to have something done for oneself):

Isabella si farà fare un vestito di seta.   Isabel will have a silk dress made.
Mi sono fatta tagliare i capelli dal parrucchiere.   I had the hairdresser cut my hair.
Si è fatto crescere la barba.   He had his beard grow.

3. **Mettersi** (to put on), **levarsi** (to take off):

Giovanna si è già messa il cappello.   Joan has already put on her hat.
Per la festa ci metteremo il vestito nuovo.   For the party we shall wear our new dresses.
Ti devi levare il cappello prima di entrare.   Before entering you must take off your hat.
Faceva caldo e si è levato la maglia.   It was warm and he took his sweater off.

4. **Mettersi a** (to set about doing, to start):

Luisa si mette a studiare ora.   Louise settles down to study now.
Poco fa si sono messi a dormire.   They got ready to sleep a short while ago.

ESERCIZI

A   I   Mettere al singolare **o** al plurale:

1. A suo zio non piace il dolce.
2. Il tuo amico è molto simpatico.
3. Hanno male alla testa.
4. Mi sono alzato tardi e mi sono vestito in fretta senza lavarmi.

5. Ogni ragazza si è messa il vestito nuovo.
6. I suoi amici si preparano a partire.
7. Ci siamo scusati e siamo andati via.
8. Quella scrittrice gli è antipatica.

II   Completare le seguenti frasi con la forma appropriata del verbo **sapere** o **conoscere:**

1. Noi non .... quando partiranno.
2. Quell'uomo ha detto che .... tuo padre.
3. I miei amici non .... affatto questa città.
4. Franco parlava molto bene il francese ma non lo .... scrivere.
5. Ieri sera abbiamo .... che non verranno.
6. Voi .... dove sta di casa Donatella?

III   Inserire un aggettivo o un pronome possessivo:

1. Lia, hai capito .... errori?
2. Io scrivo a mio padre, tu a .... Giulio a ....
   Gina e Franco a ....
3. Quella donna ha perduto .... figlio in uno scontro.
4. Fra una settimana resterò solo quando .... cara sorella e ....
   fratelli partiranno.
5. Signori, hanno ricevuto .... giornali e .... riviste?
6. Noi abbiamo veduto .... parenti ma voi non avete veduto ....

B   Dare l'equivalente italiano:

1. Mother asked us: «Did you wash your hands?»
2. I couldn't put on my old dress, it was soiled.
3. Then, we shall see each other soon.
4. The child doesn't know how to put on his gloves.
5. They lost their heads when they heard the bad news.
6. You (tu) used to do your homework quickly and well.

7. She cannot walk any longer, her shoes hurt.
8. His head aches.
9. You (Lei) may hurt your hand.
10. She is having her hair washed.
11. The children will hurt the dog (il cane).
12. He hurt his left foot and cannot walk.
13. In church men take off their hats.
14. Renato, did you put on your clean shirt?
15. I will have my dresses cleaned.
16. Good! You (voi) have settled down to study.

C Leggere ad alta voce e notare l'uso dell'imperfetto:

Ieri sera faceva bello, avevamo finito di mangiare presto e c'era il tempo di andare a piedi al concerto. A mio padre piace sempre camminare ma a mia madre l'idea non è piaciuta perchè voleva arrivare in tempo per incontrare la sua amica Bianca a cui doveva parlare della riunione del loro circolo. A me non importava andare a piedi o in macchina perciò ho accompagnato il babbo e invece mio fratello è andato con la mamma.

Il babbo e io, però, siamo arrivati prima e già cominciavamo a *stare in pensiero* quando li abbiamo veduti arrivare. *Guidava* mio fratello e *ad un certo punto* la macchina non ha più funzionato. Mio fratello non riusciva a capire perchè ma dopo un po' ha finalmente notato che non c'era più *benzina* nel *serbatoio*. Per fortuna non erano lontani da un *distributore di benzina*.

to worry/**guidare:** *to drive, to guide*/*at a certain point*

gasoline
tank/*gas station*

D I Rispondere:

1. Mi sono fatto male, come?
2. Che cosa fa Lei appena si sveglia?
3. Che cosa fanno Luciano e Luciana prima di uscire?
4. Dove sono i Suoi parenti?
5. Che cosa fa Suo padre (madre, fratello, sorella, zio, ecc.)?
6. Quando si mette a cantare Lei?

II Argomenti da preparare:

1. Una famiglia ideale.
2. Descrivere la propria famiglia.
3. Spiegare la Sua preferenza (preference) per il teatro, i concerti, o il cinema.

VOCABOLARIO

benzina *gasoline*
benzinaio *gas station attendant*
consiglio *advice*
distributore di benzina *gas station*
padri *forefathers*
serbatoio *tank*

bruciarsi *to burn oneself*
farsi male *to hurt oneself*
guidare *to drive*
levarsi *to take off*
stare in pensiero *to worry*
tagliarsi *to cut oneself*

ad un certo punto *at a certain point*

Lezione XVIII

NUMERI CARDINALI E ORDINALI (Cardinal and ordinal numbers).

Numeri cardinali	**ordinali**	
uno	primo	1
due	secondo	2
tre	terzo	3
quattro	quarto	4
cinque	quinto	5
sei	sesto	6
sette	settimo	7
otto	ottavo	8
nove	nono	9
dieci	decimo	10
undici	undicesimo	11
dodici	dodicesimo	12
tredici	tredicesimo	13
quattordici	quattordicesimo	14
quindici	quindicesimo	15
sedici	sedicesimo	16
diciassette	diciassettesimo	17
diciotto	diciottesimo	18
diciannove	diciannovesimo	19
venti	ventesimo	20
ventuno	ventunesimo	21
ventidue	ventiduesimo	22
ventitrè	ventitreesimo	23
ventotto	ventottesimo	28
trenta	trentesimo	30
quaranta	quarantesimo	40
cinquanta	cinquantesimo	50
sessanta	sessantesimo	60
settanta	settantesimo	70
ottanta	ottantesimo	80
novanta	novantesimo	90
cento	centesimo	100
cinquecento	cinquecentesimo	500
mille (pl. mila)	millesimo	1000
un milione	milionesimo	1,000,000

Esempi:

1. Dodici più uno fa tredici.
2. Sette per due fa quattordici.
3. Dieci più cinque fa quindici.
4. Quattro per quattro fa sedici.
5. Tredici più quattro fa diciassette.
6. Nove per due fa diciotto.
7. Sedici più tre fa diciannove.
8. Quattordici più sei fa venti.
9. *Contiamo da venti a trenta:* ventuno, ventidue, ventitrè,   *let's count from 20 to 30*
   ventiquattro, venticinque, ventisei, ventisette, ventotto,
   ventinove, trenta.
10. Contiamo *di dieci in dieci:* venti, trenta, quaranta,   *by tens*
    cinquanta, sessanta, settanta, ottanta, novanta, cento,
    centodieci, centoventi.
11. Cento più cento fa duecento.
12. Cento per dieci fa mille.
13. Trecento per dieci fa tremila.
14. Diecimila per dieci fa centomila.
15. Centomila per dieci fa un milione.
16. Tre milioni più due milioni fa cinque milioni.

Osservazioni:

1. *Cardinal numbers are adjectives. They are invariable except for:* **uno una, mille mila, un milione cinque milioni.**
2. *When the number is large, such as 1971, one separates it into two or more members:* **millenovecento settantuno,** *1.878.341:* **un milione ottocentosettantottomila trecentoquarantuno.** *Fortunately one doesn't normally have to write out in letters such high numbers.*
3. *Notare:* una ventina di ragazzi   about twenty boys
            diecine di lettere   tens of letters

            un centinaio di francobolli   about one hundred
            centinaia di persone   hundreds

            un migliaio di parole   about a thousand
            migliaia di operai   thousands

            circa un milione di nemici   about one million   *about, nearly*
            milioni di pacchi   millions

4. *Ordinal numbers, which are also adjectives, have the masculine, feminine, singular and plural forms. They agree in gender and number with the noun they modify:* **il secondo capitolo, le prime lezioni, la terza pagina.**

Espressioni:

1. Partiamo **il ventotto di** questo mese.   on the 28th
2. Arriveremo **il primo** * giugno.   on the first of June
3. **Dal quattordici al quindici** giugno sarò a Roma.
4. Sono nata **il due** giugno.
5. Oggi è **il dieci** maggio.   the tenth of May
6. **Nel millenovecento sessantanove** ero in Italia.   in 1969
7. **Il millenovecento novanta** non è lontano   1990
8. Sono nato **il cinque** maggio millenovecento sessanta.   on the fifth of May
9. Quanti anni hai?   how old are you
10. Ho sedici anni.   I am sixteen years old
11. Che età ha il bambino?   how old, **età: age**
12. Ha due anni e mezzo.   he is two and a half
13. Quanti anni aveva quando è morto?
14. Che età aveva quando è morto?
15. Aveva settantacinque anni.
16. A che età hai cominciato ad andare a scuola?
17. Avevo cinque anni.
18. A cinque anni.
19. A cinque anni di età.

PASSATO REMOTO REGOLARE (Regular past absolute).

TRASFORM-ARE	RIPET-ERE	SEGU-IRE
trasform-ai	ripet-ei	segu-ii
trasform-asti	ripet-esti	segu-isti
trasform-ò	ripet-è	segu-i
trasform-ammo	ripet-emmo	segu-immo
trasform-aste	ripet-este	segu-iste
trasform-arono	ripet-erono	segu-irono

---

*   *With dates, the ordinal number* **primo** *is used* **only** *for the first of the month, the other days are indicated by cardinal numbers.*

Esempi:

1. I romani conquistarono una grande parte del mondo.
2. Un cosmonauta russo *passeggiò* per primo nello *spazio*.   *strolled/space*
3. Gli italiani lo chiamarono: «il *pedone* dello spazio».   *pedestrian*
4. Nel millenovecento sessantanove alcuni *astronauti* ame-   **astronauta** *(m & f)*
    ricani *esplorarono* la *superficie* della *luna*.   **esplorare:** *to explore/surface/moon*
5. Nel millenovecento trentanove *scoppiò* la seconda guer-   **scoppiare** *(essere): to burst, to break*
    ra mondiale.   *out*
6. Gli italiani *istituirono* la loro repubblica nel millenove- **istituire:** *to institute*
    cento quarantotto.
7. Il mille novecento diciotto fu l'anno che segnò la fine
    della prima guerra mondiale.
8. Gli italiani *compierono* l'*unificazione* del loro paese nel **compiere:** *to accomplish/unification*
    milleottocento settanta.
9. Dante potè finire la **Divina Commedia** prima di morire.   *Divine Comedy*
10. Molti anni fa visitammo la Grecia.
11. Partisti per la guerra nel millenovecento quarantatrè.

Osservazioni:

1. The **passato remoto** *is primarily an historical tense. It expresses an action which took place and was completed in the past and which is considered to have no direct connection with the present. It simply sets forth what took place (hence, historical).*

2. At this stage of study one should learn to recognize the **passato remoto** *and to notice how it is used. In normal conversation and informal writing one should continue to use the* **passato prossimo.**

3. A great majority of verbs of the second conjugation, in -ere, have an irregular **passato remoto.**

ESERCIZI

A   I   Imparare a contare oralmente (orally):

1. Da uno a trenta.
2. Di dieci in dieci fino a duecento.
3. Di cento in cento fino a mille.
4. Di mille in mille fino a diecimila.

II   Rispondere per iscritto (in writing) alle seguenti domande:

Quanto fa?

1.   Sette per tre.
2.   Trentadue diviso due.
3.   Tredici meno cinque.
4.   Sessanta diviso quattro.
5.   Venti meno sei.
6.   Ottanta per dieci.
7.   Un milione diviso due.
8.   Un milione più un milione.

III   Copiare sostituendo il **passato remoto** al verbo dato all'infinito:

1.   I re regnare in Italia fino al 1946.
2.   Garibaldi conquistare l'Italia del sud nel 1861.
3.   I barbari *rovinare* l'impero romano.   *to ruin*
4.   Petrarca morire nel 1374.
5.   La Francia vendere la Louisiana agli Stati Uniti.
6.   Una sola volta, molti anni fa, io riuscire a farlo.
7.   Napoleone conquistare l'Italia del nord nel 1796.
8.   Tu capire quello che spiegare il professore?
9.   Due anni fa voi costruire quel palazzo.
10. Noi da (as) bambini ammalarsi di poliomielite ma
     guarire perfettamente.   *to recover*
11. Da (as) giovani voi sprecare molto tempo.
12. I suoi nonni stabilirsi in Australia.
13. Quell'inverno noi eravamo tristi e tu rallegrarci.
14. Quando tuo zio era in Italia quei medici curarlo.
15. Il giorno della mia festa ricevere molti auguri.
16. Durante quel viaggio guidare mio fratello.
17. Dopo che tu andare via noi fermarsi ancora un'ora.
18. L'impiegato non potere darci nessuna informazione.
19. Ricordi? Tu perdersi durante quella gita.
20. Voi finire ultimi (last).

B   I   Come si dice in italiano?

1.   We shall leave on the seventeenth.
2.   We arrived on the first of the month.
3.   What is your (tu) age?
4.   How old was he?
5.   My grandmother will soon be seventy-eight years old.

6. Thousands of people will go to Washington.
7. They lost millions of dollars.
8. There were about twenty students.
9. On the twenty-second we shall not have class.
10. In nineteen hundred and eighty you will have finished your studies.

II   Dare l'equivalente italiano:

1. Louise did you burn yourself?
2. Later we shall get ready for our exams.
3. I'll put her dress on her.
4. She is putting on her own dress.
5. His head hurts.
6. He hurt his head.
7. The child took off his shoes.
8. She put his shoes on him.
9. Elio hurt his foot while he was running.
10. You hurt mother when you said it.

C   Leggere ad alta voce e imparare.

Giorni della settimana, mesi dell'anno, alcune feste:

I

1. Oggi è **mercoledì,** ieri era **martedì** e ieri l'altro era **lunedì.** — *Wednesday/Tuesday* *Monday*
2. Domani sarà **giovedì,** dopodomani sarà **venerdì** e il giorno seguente sarà **sabato.** — *Thursday/Friday* *Saturday*
3. Il giorno *tradizionale* del riposo è la **domenica.** — *traditional/Sunday*
4. Tutti i giorni della settimana sono maschili eccetto la domenica.
5. Per dire in italiano, per esempio, **ogni lunedì** ho lezione d'italiano *si può dire:* **il lunedì** ho lezione d'italiano; **tutti i sabati** vado a *ballare:* **il sabato** vado a ballare. — *one can say* *to dance*

II

1. I mesi dell'anno sono maschili.
2. **Gennaio, marzo, maggio, luglio, agosto, ottobre** e **dicembre** hanno trentuno giorni. — *January/March/May/July* *August/October/December*
3. **Aprile, giugno, settembre** e **novembre** hanno trenta giorni. — *April/June/September/November*

4. **Febbraio** ha ventotto giorni e quando ne ha ventinove l'anno è chiamato bisestile. — *February*

III 1. Il venticinque dicembre i *cristiani festeggiano* il **Natale**. — *Christians/celebrate*

2. La **Pasqua**, per i cristiani, è la festa *religiosa* che *commemora* la *risurrezione* di *Gesù Cristo*. — *religious/commemorates resurrection/Jesus Christ*

3. Il sei gennaio è l'**Epifania**, che si chiama *popolarmente* la **Befana**. — *popularly*

4. L'Epifania ricorda la visita dei Re Magi al Bambino Gesù ed è anche il giorno quando i bambini italiani ricevono i *regali*. — *gifts*

5. Il primo di gennaio si chiama **Capodanno**.

6. La sera prima di Natale si chiama la **vigilia** di Natale e quella dell'ultimo giorno dell'anno si chiama la **vigilia** di Capodanno.

7. Per fare gli auguri di Natale si dice: **Buon Natale!** Per l'anno nuovo: **Buon Anno! Felice Anno Nuovo!** Per tutti e due: **Buone Feste.**

8. La risposta più breve è: **Altrettanto!** — *the same to you*

9. Il periodo che *comprende* i quaranta giorni prima di Pasqua si chiama **Quaresima**. — **comprendere:** *to include, to enclose, also to understand, p.r.* **compresi,** *p.p.* **compreso**

10. Il mercoledì delle **Ceneri** dà *inizio* alla Quaresima. — **cenere** *(f):* *ash/start, beginning*

IV Ricapitolazione:

I mesi dell'anno sono:

gennaio
febbraio
marzo
aprile
maggio
giugno
luglio
agosto
settembre
ottobre
novembre
dicembre

I giorni della settimana sono:

lunedì
martedì
mercoledì
giovedì
venerdì
sabato
domenica

Le stagioni sono:

primavera
estate (f)
autunno
inverno

D   Imparare:

Trenta *dì* ha novembre
con april, giugno e settembre.
Di ventotto *ve n'è uno*
tutti gli altri ne han trentuno.

dì (dal latino): giorno

there is one (of them)

VOCABOLARIO

astronauta (m f) *astronaut*
Befana *popular name for Epiphany*
Capodanno *New Year's Day*
cenere (f) *ash*
cosmonauta (m f) *cosmonaut*
cristiano *Christian*
di (dal latino) *day*
Divina Commedia *Divine Comedy*
Gesù Cristo *Jesus Christ*
inizio *start, beginning*
luna *moon*
Natale (m) *Christmas*
Pasqua *Easter*
pedone (m) *pedestrian*
Quaresima *Lent*
regalo *gift*
risurrezione (f) *resurrection*
spazio *space*
superficie (f) *surface*
unificazione (f) *unification*
Vigilia di Capodanno *New Year's Eve*
Vigilia di Natale *Christmas Eve*

religioso *religious*
tradizionale *traditional*

ballare *to dance*
commemorare *to commemorate*
compiere *to accomplish*
comprendere   *to include, to enclose, also to
    understand*
contare *to count*
esplorare *to explore*
festeggiare *to celebrate*
guarire *to recover (from illness)*
istituire *to institute*
passeggiare *to stroll*
rovinare *to ruin*
scoppiare (essere)   *to burst, to break out*

altrettanto *the same to you*
circa *about, nearly (used with numbers)*
di dieci in dieci *by tens*
si può dire *one can say*
ve n'è uno *there is one (of them)*

Buon anno! *Happy New Year!*
Buone feste! *Happy Holidays!*
Buon Natale! *Merry Christmas!*
Felice anno nuovo! *Happy New Year!*

Lezione XIX

PASSATO REMOTO IRREGOLARE. I verbi che hanno il passato remoto completamente (completely) irregolare sono tre: **ESSERE, DARE, STARE.**

ESSERE	DARE	STARE
fui	detti	stetti
fosti	desti	stesti
fu	dette	stette
fummo	demmo	stemmo
foste	deste	steste
furono	dettero	stettero

Tutti gli altri verbi che hanno il passato remoto irregolare seguono uno stesso *schema* di irregolarità. Cercare di dedurre (to deduce) lo schema dei seguenti verbi al passato remoto:

schema schemi: *pattern*

AVERE	VENIRE	SORGERE	VINCERE	ROMPERE (to break)
ebbi	venni	sorsi	vinsi	ruppi
avesti	venisti	sorgesti	vincesti	rompesti
ebbe	venne	sorse	vinse	ruppe
avemmo	venimmo	sorgemmo	vincemmo	rompemmo
aveste	veniste	sorgeste	vinceste	rompeste
ebbero	vennero	sorsero	vinsero	ruppero

Il passato remoto dei verbi **FARE, TRADURRE** e **DIRE** è basato sull'infinito latino **FACERE, TRADUCERE** e **DICERE:**

FARE	TRADURRE	DIRE
feci	tradussi	dissi
facesti	traducesti	dicesti
fece	tradusse	disse
facemmo	traducemmo	dicemmo
faceste	traduceste	diceste
fecero	tradussero	dissero

Osservazioni:

1. *The second person singular and the first and second persons plural are regular.*
2. *The first person singular ends in* **-i** *which changes to* **-e** *for the third person singular to which* **-ro** *is added for the third person plural.*
3. *If one knows the first person singular, or indeed if one knows any one of the irregular persons, one can normally conjugate the irregular past absolute.*

Coniugare il passato remoto dei seguenti verbi di cui è data **una** delle persone irregolari:

1. Scrivere, scrissi.
2. Rispondere, risposi.
3. Conoscere, conobbe.
4. Leggere, lessero.
5. Piacere, piacqui.
6. Nascere, nacquero.
7. Sapere, seppe.
8. Volere, volli.
9. Mettere, mise.
10. Vedere, videro.

PRONOMI RIFLESSIVI TONICI (see p. 153)

Modelli:

1. L'ho fatto **da me** *.   by myself
2. Pensa solo **a sè.**   about himself, herself
3. Hai portato il libro **con te**?   with you (yourself)
4. Lo fate **per voi,** non **per noi.** for yourselves, for ourselves
5. Loro pagano **per sè.**   for themselves

Osservazioni:

1. *Only the third person of the* **pronomi riflessivi tonici, sè,** *is different from the other* **pronomi personali tonici.**
2. *The* **pronomi riflessivi tonici** *are used like the other* **pronomi tonici:** *for emphasis and after prepositions other than* **a.**

---

* **da me, da te, da sè, da lui, da lei, da noi, da voi, da loro** *can be used instead of* **da solo** *to mean by oneself, provided it is not ambiguous, that is, that it may not be confused with at my house, at his place of business, etc.*

Verbi usati riflessivamente con un significato (meaning) particolare:

1. Mi alzo dalla sedia.
2. Dobbiamo affrettarci per arrivare in tempo.
3. Non si aspettavano la bella notizia.
4. Tu ti cambi per andare dai Vanni?
5. Come ti chiami?
6. Alla festa vi divertirete molto.
7. Mi domando se riuscirò a finire per stasera.
8. Si è levata il vestito di casa e si è messa quello nuovo.
9. L'impiegato si è messo a scrivere.
10. Gli operai si sono messi al lavoro.
11. Se il bambino si fa male si metterà a piangere.
12. Mi meraviglio che non vuoi venire.
13. Non si meraviglia di te ma di Carlo.
14. La mamma si preoccuperà del nostro ritardo.
15. Ti preoccupi troppo degli esami.
16. Non si sentiva affatto bene.

alzarsi: to get up
affrettarsi (a): to hasten
aspettarsi: to expect
cambiarsi: to change (clothes)
chiamarsi: to be named
divertirsi (a): to have fun,
domandarsi: to wonder
levarsi: to take off/**mettersi:** to put on
mettersi (a): to set oneself (about doing),

farsi male: to hurt oneself
meravigliarsi: to be surprised

preoccuparsi: to be worried, to be concerned
sentirsi: to feel (health)

Dare l'equivalente italiano:

1. They are worried about you (tu). ....
2. Anna washed her hands. ....
3. My name is Laura Smith. ....
4. You (voi) must change to receive your guests. ....
5. We had a lot of fun. ....
6. I used to get up early. ....
7. How are you (tu) feeling today? ....
8. I am surprised that you (Lei) didn't put on your coat. ....
9. We wonder why he took off his jacket. ....
10. He expects that you will do it. ....

NE, pronome atono.

Modelli:

I 1. Torno ora **dall'Europa.**   **Ne** torno ora.   from there
   2. Devi andar via **di qui.**   **Ne** devi andar via.   from here
                                    Devi andar**ne** via.
   3. Quando usciremo **dalla riunione.**   Quando **ne** usciremo.

II 1. I have some American friends.   I have some.   **Ne** ho.
   2. Do you have any gasoline?   Do you have any?   **Ne** ha?
   3. He has no relatives here.   He has none here.   Non **ne** ha qui.
   4. We saw two accidents.   We saw two.   **Ne** abbiamo veduti due.

III 1. Ho bisogno **di lui.**   **Ne** ho bisogno.
   2. Farai la conoscenza **di Vera.**   **Ne** farai la conoscenza.
   3. Parla **di tre romanzi.**   **Ne** parla.
   4. Non sarai contento **del mio consiglio.**   Non **ne** sarai contento.

Osservazioni:

1. **NE** *is the pronoun which replaces the preposition* **da** *(from, away from) and occasionally* **di** *(meaning from) plus a place. The place may be implied:*

         Torno **dal comprare i biglietti.** **Ne** *torno.*

2. **NE** *replaces a partitive. In sentences which contain a stated quantity (many, few, five, etc.)* **ne** *must be used (although it is not the case in English) to refer to the noun the quantity of which is specified:*

       I don't have three dollars, I have two.   *Non ho tre dollari,* **ne** *ho due.*

       Note that in this case the past participle of a compound tense **must agree** *in gender and number with the noun replaced by* **ne:**

         Ha comprato delle riviste.   **Ne** *ha comprate.*
         Hanno letto cinque drammi.   **Ne** *hanno letti cinque.*

3. **NE** *replaces a prepositional phrase of which* **di** *is an integral part:* **aver bisogno di, preoccuparsi di,** *etc.*

4. *The position of* **NE** *is the same as that of all* **pronomi atoni.**

Riscrivere le frasi che seguono sostituendo **ci** o **ne** all'oggetto appropriato. Ricordare che il pronome avverbiale atono **ci (vi)** sostituisce il luogo **in cui** uno sta o verso cui uno va (v. p. 129).

   1. Siamo andati all'aeroporto.
   2. È andato a prendere Laura.
   3. Torniamo dalla lezione di storia.
   4. *Penso* spesso *a* quello che Lei ha detto.   **pensare a:** *to direct one's thought to*
   5. Che *pensi del* corso di filosofia?   **pensare di:** *to give one's opinion*
   6. Hai ancora bisogno dei miei piatti?
   7. Abbiamo veduto delle scene interessanti.
   8. Comprerò delle rose rosse.
   9. Ha comprato tre romanzi.
  10. Parlerà di una scoperta scientifica.

11. Hanno compiuto due voli senza incidenti.
12. Proprio adesso andiamo dal professore.
13. Noi arriveremo a Firenze quando loro partiranno da Firenze.
14. Pensano al lavoro che devono fare.
15. Domani devo andare dal dottore.

ESERCIZI

A   Il seguente *aneddoto* è adattato da una *novella* del **Novellino.** Qui il racconto è al presente, nel copiarlo metterlo al passato. **Usare il passato remoto** come tempo principale e l'**imperfetto** o il **piuccheperfetto** quando è necessario.

anecdote/short story, tale

Ad *Alessandria* in *Romania* ci sono vie in cui i *saraceni* preparano *all'aperto* i cibi *cotti* da vendere. La gente va a comprare i *piatti* già preparati come in Italia uno va a comprare della stoffa in un negozio.

Alexandria/Roumania/Saracens
outdoors/cooked
dishes

Un giorno un saraceno molto povero passa *davanti* alla *bancarella* di un *cuoco* che si chiama Fabrac. Il povero si leva dalla *tasca un pezzo di pane* e lo *tiene* * per pochi minuti sul *fumo* che esce da una *teglia* in cui *cuoce* un bell'*arrosto* e poi lo mangia.

before, in front
stand/cook
pocket/a piece of bread
tenere: *to hold/smoke*
*roasting pan /***cuocere:** *to cook (irr)*
roast

Fabrac non ha ancora venduto niente e *si adira*.

adirarsi: *to become angry*

Afferra il povero saraceno e gli dice che deve pagare quello che ha preso. Il povero risponde che non ha preso nulla, solo del fumo.

Segue una lunga *discussione* e alla fine la cosa va in *tribunale* dove la discussione continua a lungo. Finalmente il *giudice* pronuncia la *sentenza* e dice che il povero ha *goduto* il fumo ma non ha *toccato* l'arrosto e che per *punizione* deve prendere una *moneta* e *batterla* sul *banco.* Così il *suono* della moneta paga per il fumo dell'arrosto.

discussion/(m) court
judge
verdict, sentence/enjoyed
touched/punishment
coin/to bang/counter/sound

---

*   **Tenere** *is conjugated like* **venire** *but preserves the* **e** *of its ending:* voi tenete, io tenevo, tu tenevi, voi teneste, *etc.*

B   Dare l'equivalente italiano:

1. My parents are in their room.
2. His thoughts are never for his girl friends.
3. Our grandparents reside in Dante Square.
4. Have you (tu) combed your hair?
5. His hair is too short.
6. He let (use: fare) his beard grow.
7. Your (voi) father is with his.
8. Are your (tu) uncle and aunt coming to see us?
9. We took off our coats because it was too warm.
10. They have already settled down to sleep.
11. You (Lei) were not supposed to expect to be able to finish it.
12. While I was washing myself the telephone rang.
13. She wants to change before going out with you.
14. Did you (Lei) bring your essay with you?
15. You (voi) will hurt your hands.
16. What are the names of those girls? I know only one, Vera Nenni.
17. In my youth I used to have fun and didn't worry about anything.
18. You (Lei) may go if you don't feel well.

C   Leggere più volte con attenzione e imparare.

Nozioni di storia dell'Italia.

Fatti fondamentali da ricordare *riguardo* alla storia dell'Italia: *basic facts/concerning*

1. Dopo la fine dell'Impero Romano nel quinto secolo, l'Italia restò divisa in stati separati fino al secolo *scorso*.   *past, elapsed*

2. Nel nord e nel centro, con la *rinascita* dell'anno mille,   *rebirth*
dopo secoli di invasioni barbare *entro* i confini dell'Europa romana, le città tornarono ad occupare una posizione *privilegiata* in Europa e particolarmente nella regione mediterranea.   *within*   *privileged*

Sorsero i *Comuni*, piccoli stati liberi che si *governavano*   *city states/governed*
da sè, *svincolati* da *obblighi feudali*. Si sviluppò una   *free/obligations/feudal*
società *conscia* della propria forza politica ed economica, *gelosa* della propria *autonomia, fautrice* della cultura *laica* e *borghese* che fu la *componente* essenziale dell'*umanesimo*. Città come Firenze, Venezia, Genova, Milano non ne furono che gli esempi più *cospicui*.   *aware*   *jealous/autonomy/promoter*   *secular/bourgeois/component*   *humanism*   *conspicuous*

Il Comune si trasformò in principato, governato da un *signore assoluto*, ma l'economia continuò ad avere un carattere *imprenditoriale*, espressione di una *dinamica* borghesia *capitalista*.   *lord/absolute*   *entrepreneurial/dynamic*   **capitalista** *(m & f)*

3. Nel sud e in Sicilia *si impiantarono saldamente* le *isti-*   *established themselves/firmly*
    tuzioni feudali introdotte dai *normanni* alla fine del   *institutions/Normans*
    Mille. I normanni furono signori assoluti, usarono *abil-*   *with ability*
    mente gli *apporti* culturali dei *preesistenti* elementi lati-   *contributions/pre-existing*
    ni, *arabi* e *bizantini*, e crearono uno dei *regni* più   **Arab/Byzantine/kingdoms**
    splendidi della *civiltà medievale*.   *civilization/medieval*

    Il *Mezzogiorno* restò un blocco politicamente *omogeneo*   *Southern Italy/homogeneous*
    con un'economia *prevalentemente* feudale, fino all'unifi-   *prevalently*
    cazione dell'Italia.

4. Nel *Cinquecento* * l'Italia perdè l'*indipendenza* e *si iniziò*   *16th cent./independence/began*
    per la *maggior parte* della penisola un lungo periodo di   *major part*
    dominazione straniera, prima sotto il *predominio* della   *predominance*
    Spagna e poi dell'Austria. La perdita dell'indipendenza
    avvenne proprio quando il *Rinascimento splendeva* in tut-   *happened/just/Renaissance/shone*
    ta la sua *magnificenza*. Firenze, Milano, Roma, Venezia,   *magnificence*
    Napoli, e anche le piccole *corti* di Ferrara, Urbino e Man-   *courts*
    tova, ne furono i *centri* più *illustri*.   *centers/illustrious, famous*

    Con le invasioni gli intellettuali italiani, *una volta impe-*   *once, at one time*
    gnati nella formazione dell'uomo come *cittadino, si di-*   *committed/citizen*
    simpegnarono dalla politica. Solo nel *Settecento**, duran-   *disengaged/18th cent.*
    te l'*illuminismo*, gli intellettuali *ripresero* la loro funzione   *enlightenment/assumed again*
    etica. Nei vari centri illuministici, e in particolare a Mila-
    no e a Napoli, essi prepararono le riforme che portaro-
    no al Risorgimento, cioè all'unificazione e al rinnova-
    mento dell'Italia.

5. La chiesa cattolica esercitò per secoli il potere temporale
    su Roma e su alcune zone dell'Italia centrale. *Costretta*   **costringere:** *to compel, p.r.*
    nel 1870, con l'unificazione dell'Italia, a *trasferire* la sua   **costrinsi,** *p.p.* **costretto**
    sede in Vaticano non ha rinunciato ad influenzare la vita   *to transfer/seat, official center*
    politica del paese in contrasto con il *deciso laicismo* del   *decided, resolute/secularism*
    nuovo governo e le *ricorrenti ondate* di anticlericalismo.   *recurrent/waves*
    Con i *Patti* Lateranensi (1929), *eredità* del regime *fasci-*   *pacts/inheritance/fascist*
    sta, i problemi dei rapporti stato-chiesa si sono *acuiti* per   **acuirsi:** *to become acute*
    rimanere *tuttora insoluti* nonostante il rafforzarsi delle   *still now/unresolved*
    forze *laiche* durante le *lotte* della Resistenza.   *lay, secular/struggles, fights*

D   Argomenti da preparare:

    1. Quali sono i fatti fondamentali della storia del Suo paese?
    2. Differenze fra la storia del Suo paese e la storia dell'Italia.
    3. Formulare delle domande e delle osservazioni sulla lettu-
        ra.

---

*   **Il Duecento** *encompasses the years 1200-1299,* **il Cinquecento** *the years 1500-1599, and so forth,*
    therefore il 200 *corresponds to the thirteenth* (**tredicesimo**) *century and* il 500 *to the sixteenth* (**sedi-**
    cesimo).

VOCABOLARIO

Alessandria *Alexandria*
aneddoto *anecdote*
apporto *contribution*
arrosto *roast*
bancarella *stand*
capitalista (m f) *capitalist*
centro *center*
cinquecento *XVI century*
corte (f) *court*
cuoco *cook*
discussione (f) *discussion*
dominazione (f) *domination*
fatto *fact*
fautore (m) fautrice (f) *promoter, supporter*
fumo *smoke*
indipendenza *independence*
influenza *influence*
laicismo *secularism*
lotta *struggle, fight*
magnificenza *magnificence*
metà *half*
Mezzogiorno *southern part of Italy*
moneta *coin*
novella *short story, tale*
ondata *wave*
patto *pact*
pensatore (m) *thinker*
perdita *loss*
pezzo di pane *piece of bread*
poeta, poeti (m) *poet*
principato *principality*
principio, principii *beginning*
punizione (f) *punishment*
Romania *Roumania*
saraceno *Saracen*
sede (f) *seat*
sentenza *verdict, sentence*
tasca *pocket*
teglia *roasting pan*
tribunale (m) *court, tribunal*

conscio *aware*
cotto *cooked*
deciso *decided, resolute*
fondamentale *fundamental, basic*
impegnato *committed, engaged*
laico *lay, secular*

ricorrente *recurring*
scorso *past, elapsed*

acuirsi *to become acute*
adirarsi *to become angry*
affrettarsi (a) *to hasten*
appartenere (irr) *to belong*
aspettarsi *to expect*
battere *to beat, to bang*
cambiarsi *to change (clothes)*
contribuire *to contribute*
costringere (irr) *to compel*
cuocere (irr) *to cook*
disimpegnarsi *to disengage oneself*
divertirsi (like partire) (a) *to have fun, to enjoy oneself*
domandarsi *to wonder*
farsi male *to hurt oneself*
godere *to enjoy*
governare *to govern*
interrompere (irr) *to interrupt*
levarsi *to take off, remove (from oneself)*
meravigliarsi *to be surprised*
mettersi *to put on*
mettersi (a) *to set oneself (about doing), to get underway, to start*
pensare a *to direct one's thought to*
pensare di *to give one's opinion*
preoccuparsi *to be worried*
prevalere (irr) *to prevail*
regnare *to reign*
riguardare *to concern*
sentirsi *to feel (health)*
splendere (no p.p.) *to shine*
svincolare *to release*
tenere (irr) *to hold*
toccare *to touch*
trasferire *to transfer*

all'aperto *outdoors*
entro *within*
malgrado *in spite of*
riguardo a *in regard to, concerning*
saldamente *firmly*
tuttora *still now*

Lezione XX

ESERCIZI DI RICAPITOLAZIONE

Gli esercizi che seguono servono a determinare la propria *competenza*. È bene farli prima senza *consultare* il *libro di testo,* poi consultare il libro e *correggere* con una penna di colore diverso.

competence/to consult textbook/to correct,
p.r. **corressi,** *p.p.* **corretto**

A I Copiare inserendo un pronome relativo e la preposizione se è necessaria:

1. I dischi .... abbiamo ascoltato sono vecchi.

2. Conosci il ragazzo .... ho parlato poco fa?

3. Queste sono le ragioni .... non ti ho aspettato.

4. Sai .... verrà stasera?

5. Uno non deve credere tutto .... uno sente dire.

6. Ho trovato .... tu cercavi.

7. Ringrazieremo anche .... ha contribuito solo un dollaro.

8. Ci dirai qual è l'albergo .... starai.

II Copiare sostituendo il pronome atono, o tonico se è necessario, alle parole in neretto:

1. Desidero presentare **mio fratello** al Signor Grandi.
2. Avete sentito cantare **quella signora?**
3. *Sormonteranno* tutte **le difficoltà.**   **sormontare:** *to surmount*
4. Non riuscivamo a seguire **la discussione.**
5. Hanno consegnato **i premi** ai *vincitori.*   **vincitore:** *winner*
6. Paolo non ha fatto sapere nulla **alla mamma.**
7. Hai scritto **ai nonni?**
8. Siamo andati **alla posta** a spedire **i pacchi.**
9. Domani parleremo **della civiltà bizantina.**
10. Ha molte **valigie?**
11. Escono in questo momento **dall'aula.**
12. Parlava **a Paolo** non a voi.

III   Usare i seguenti verbi e le seguenti espressioni in frasi complete per dimostrare
di capire il significato (to demonstrate that you understand their meaning):

1. domandarsi
2. aver luogo
3. sentirsi
4. dare il Lei
5. andare a piedi
6. stare zitto
7. cercare
8. trovare
9. fare delle commissioni
10. andare via

11. dare noia
12. annoiarsi
13. stare in piedi
14. stare bene
15. stare in pensiero
16. dispiacere
17. farsi male
18. mettersi
19. che sollievo!
20. che peccato!

B   Dare l'equivalente italiano:

I   Sapere e conoscere.

1. I know that they don't know each other.
2. We found out that you (Lei) didn't know it.
3. Do you (voi) know that poem?
4. He doesn't know how to fight for his ideas.
5. Can you (tu) tell me if flight four hundred and twenty five
    is on time?
6. I am sorry, I don't know.
7. Not even the policemen knew the way.
8. We don't know either Madrid or Athens.

II   Dire e parlare.

1. Dr. Bruni always speaks well.
2. Can you (Lei) tell me what he said?
3. Who uttered those words?
4. I shall say no more about this question.
5. She didn't speak of it at all.

III   Portare e prendere.

1. She will take the children to the movies this afternoon.
2. My son will carry your (Loro) suitcases.
3. I will take your shoes to the shoemaker's and will get
    mine.
4. You (tu) must take this soiled linen to the laundry.

    5. Which bus do you (voi) take to go to the railroad station?

    6. Who will take his place?

    7. To get there you (Lei) must take the next street to the left.

    8. He took his medicine a while ago.

IV   Date, età, numerali.

    1. How old are your (tu) children?

    2. His sister is fourteen years old.

    3. Dante died at the age of fifty-six.

    4. Today is Tuesday, the first of July.

    5. On Saturdays we have no classes.

    6. Petrarch was born in thirteen hundred and four.

    7. On Thursday of next week we shall have an examination.

    8. He burned thousands of letters.

    9. Classes end on the twenty-eighth of May.

  10. At the party there were about twenty boys and ten girls.

  11. Nineteen hundred and eight was the year of the Messina earthquake.

  12. Which is the date of Easter this year?

V   Riflessivi, negativi, partitivi.

    1. I wasn't at all surprised at them.

    2. They no longer expect any letters from him.

    3. Do you have any ancient coins? I had some but I have none now.

    4. She gave us some very good advice (use plural).

    5. I don't understand some of these words.

    6. There is nobody in the office.

    7. We are sure he will never come here again.

    8. Neither Mrs. Chigi nor her husband is Italian.

    9. We liked some of the poems we read.

  10. Not even Arthur had fun last Saturday.

C   Leggere con attenzione per capire, poi copiare dando (giving) la forma appropriata dei verbi fra parentesi. Usare il passato prossimo come tempo principale, ma notare che in alcuni casi sarà necessario usare il presente o il futuro o il piuccheperfetto. Fare attenzione soprattutto (above all) a scegliere fra il passato prossimo e l'imperfetto.

(Lettera di Luciana a Isabella)

Cara Isabella,   Venezia 10 luglio 1971   *dear*

Tu (dovere) scusarmi se non ti (scrivere) prima come (volere)
ma di giorno (essere) *tanto occupata* e la sera (essere) sempre   *so, so much / busy*
troppo stanca per mettermi a scrivere lettere.

Luisa ed io (arrivare) a Venezia due giorni fa con Giorgio
Spani. Ti (dire), mi sembra, che noi (fare) la conoscenza di
Giorgio a Roma in casa della Signora Baldoni e che poi lo
(vedere) *parecchie volte* perchè, molto *gentilmente*, lui (volere)   *several times / kindly*
accompagnarci per mostrarci molti luoghi interessanti che noi
non (conoscere). Giorgio (dovere) venire a Padova, che, come
sai, è vicino a Venezia, e così ci (offrire) un *passaggio* nella   *passage, ride*
sua macchina. Noi (accettare) con piacere e tre giorni fa (par-
tire) molto presto di mattina. Ci (volere) fermare a Siena per
vederla e per passare la notte, ma non (essere) possibile
perchè (esserci) il Palio* e gli alberghi (essere) pieni. Invece
(andare) a San Gimignano che Luisa non (vedere) ancora. La
curiosità di San Gimignano (essere) che nel Medio Evo (avere) più di settanta torri e oggi ne (avere) ancora tredici. La
città (essere) molto piccola e (conservare) il carattere medievale *semplice* e *severo*.   *simple / severe*
Dopo aver visitato la città la mattina seguente noi (partire) e
(arrivare) qui a Venezia quando il sole (stare) per *tramontare*.   *to set*
Non è possibile andare in auto a Venezia, perciò Giorgio ci
(trovare) una·gondola, ci (promettere) di venire a vederci sabato e ci (salutare). Con la gondola noi (arrivare) all'Albergo
Cavalletto dove (prenotare) una camera. La *gita* in gondola   *excursion, trip*
(essere) magnifica: mi (sembrare) un sogno che non (potere)
descrivere. Ti (mostrare) le *fotografie* a colori che (prendere).   *snapshots*

Quella sera, *poichè* non (essere) troppo tardi, siamo andate in   *since*
Piazza San Marco e mentre (essere) a un caffè all'aperto (incontrare) due amici di Luisa con cui ieri (andare) a fare una
gita a Torcello e a Murano.

Ho tante cose da raccontarti ma invece ora (dovere) vestirmi
perchè noi (dovere) esser *pronte* fra un quarto d'ora per fare   *ready*
un'altra gita, *questa volta* ad alcune delle famose ville *venete*.   *this time / Venetian*
Saluti affettuosi a tutti e *specialmente* a te,   *especially*

                    Luciana

P.S. Io (venire) a Firenze martedì prossimo.

---

* *A horse race run in costume in the main square of Siena twice a year.*

E   Rispondere in italiano alle seguenti domande di geografia e di storia:

1. Quali sono alcune caratteristiche geografiche che distinguono l'Italia da altri paesi?
2. Spiegare che cosa furono i Comuni, il Rinascimento, e il Risorgimento.
3. Perchè l'Italia è considerata antica e giovane allo stesso tempo?

VOCABOLARIO

competenza *competence*
fotografia *photograph*
libro di testo *text book*
passaggio *passage, ride*
vincitore (m) *winner*
vincitrice (f) *winner*

annoiarsi *to be bored*
consultare *to consult*
correggere *to correct*
sormontare *to surmount*
stare in pensiero *to worry*
stare in piedi *to be standing*
tramontare *to set (especially the sun)*

caro *dear*
occupato *busy*
pronto *ready*
semplice *simple*
severo *severe*
veneto *Venetian*

gentilmente *kindly*
parecchie volte *several times*
poichè *since*
questa volta *this time*
specialmente *especially*
tanto *so, so much*

Lezione XXI

PRONOMI PERSONALI ATONI, OGGETTO DIRETTO E INDIRETTO CON UNO STESSO VERBO.

A   Modelli:

		Tempi composti
1. Fa la domanda a me	**me la** fa	me l'ha fatta
2. porterò l'enciclopedia a te	**te la** porterò	te l'avrò portata
3. spediremo i pacchi al nonno	**glieli** spediremo	glieli avremo spediti
4. portavo le fotografie alla nonna	**gliele** portavo	gliele avevo portate
5. Signore, Le dedico il mio libro	**Glielo** dedico	Gliel'ho dedicato
6. dà la punizione a noi	**ce la** dà	ce l'ha data
7. assegnano questi compiti a voi	**ve li** assegnano	ve li hanno assegnati
8. dava i premi ai vincitori	**li** dava **loro**	li aveva dati **loro**
9. porto Loro questo biglietto del direttore	**lo** porto **Loro**	l'ho portato **Loro**

B   Modelli: pronomi atoni riflessivi. Notare l'accordo del participio passato:

Accordo con il soggetto	Accordo con l'oggetto diretto
1. mi sono lavato le mani	me le sono lavate
2. ti sei pettinata i capelli	te li sei pettinati
3. si è messa il cappotto	se l'è messo
4. ci siamo lavate la faccia	ce la siamo lavata
5. vi eravate cambiati le scarpe	ve le eravate cambiate
6. si erano levate i guanti	se li erano levati

C   Modelli: **ne** con un altro pronome atono:

1. mi darà dei regali	**me ne** darà	**me ne** avrà dati
2. vi porterà delle bibite	**ve ne** porterà	**ve ne** avrà portate
3. gli scrive delle notizie	**gliene** scrive	**gliene** ha scritte
4. le consegno degli assegni	**gliene** consegno	**gliene** ho consegnati

5. porta dei pacchi a loro	**ne** porta **loro**	**ne** ha portati **loro**
6. parlava di questo a noi	**ce ne** parlava	**ce ne** aveva parlato
7. ti preoccupi dei ragazzi	**te ne** preoccupi	**te ne** sei preoccupato
8. va via	**se ne** va	**se ne** è andato
9. vanno via	**se ne** vanno	**se ne** sono andati.

RICAPITOLAZIONE DEI PRONOMI ATONI:

Oggetto diretto	Oggetto indiretto	Riflessivi	Doppi	
mi	mi	mi	**me lo** (li, la le, ne*)	
ti	ti	ti	**te lo** (li, la, le, ne*)	
lo, la	gli, le	si	**glielo** (glieli, gliela, gliele, gliene*)	**se lo** (li, la, le, ne*)
ci	ci	ci	**ce lo** (li, la, le, ne*)	
vi	vi	vi	**ve lo** (li, la, le, ne*)	
li, le	loro	si	lo, li, la, le, ne* (verb) **loro**	**se lo** (li, la, le, ne*)
	ci or vi (luogo)		**ce lo** (li, la, le, ne*)	

* **ne**: particella avverbiale e partitiva.

Osservazioni:

1. *Except for* **loro** *(which always follows the verb) the indirect object precedes the direct object.*
2. *The pronoun* **ne** *always follows other* **pronomi atoni** *except* **loro**.
3. *The personal* **pronomi atoni** *mi, ti, ci, vi, si become* **me, te, ce, ve, se** *when they precede the personal pronouns* **lo, la, li, le, ne.**
4. *Both* **gli** *and* **le**, *when they precede* **lo, la, li, le,ne** *become* **glie** *and are attached to the direct object:* **glielo, gliela, glieli, gliele, gliene.**
5. *The past participle of compound tenses of verbs used reflexively must agree in gender and number with the* **pronome atono**, *direct object. If there is no such pronoun, the past participle agrees with the subject (this is normal for verbs conjugated with* **essere**).
6. *As is the case with single personal pronouns, when two* **pronomi atoni** *are used with the infinitive of a verb they follow the infinitive and are attached to it:*

La prego di portarmi i libri.   *La prego di portar**meli.***
Ricorderà di fargli i nostri auguri.   *Ricorderà di far**glieli.***

7. *Note that* **andarsene** *means to go away. It is used as frequently as* **andar via.**

8. *The* **pronomi atoni di luogo ci** *and* **vi** *can be used with a direct object personal pronoun but their position varies. They always precede* **lo, la, li, le** *and* **ne:**

Porto i bambini al cinema.	**Ce** *li porto.*	*OR*	**Ve** *li porto.*
Accompagno la zia all'aeroporto.	**Ce** *l'accompagno.*	*OR*	**Ve** *l'accompagno.*
In cucina c'è del dolce.	**Ce** *n'è.*	*OR*	**Ve** *n'è.*
Ho comprato dei vestiti in quel negozio.	**Ce** *ne ho comprati.*	*OR*	**Ve** *ne ho comprati.*

Sostituire il pronome atono all'oggetto diretto o indiretto:

1. Mi daranno la rivista ....

2. Ti consegno i biglietti ....

3. Le scrivevo un biglietto ....

4. Gli parlerò di quell'articolo scientifico ....

5. Li ha spediti a voi ....

6. Ci ha raccontato degli aneddoti ....

7. Devo pagare il conto al calzolaio ....

8. Devo dirlo ai signori Tucci ....

9. Stavo per mettermi i guanti ....

10. Si è meravigliato di quello che hai fatto ....

11. Signora, Le ho dato il Suo pacco ....

12. Alla riunione vedrò Arturo ....

13. Avrà già mandato il denaro alla figlia ....

14. Non ci ha ancora mandato il conto ....

15. Mi sono fatta crescere i capelli ....

16. Si è bruciato la mano sinistra ....

17. Vuole mostrare le fotografie a noi ....

18. Può *prestarmi* tre dollari? ....   **prestare:** *to lend*

CONDIZIONALE PRESENTE E PASSATO. (Present and past conditional).

Condizionale presente. One uses the stem of the future.

ESSERE	AVERE	RIEVOCARE	APRIRE
sar-ò	avr-ò	rievocher-ò	aprir-ò
sar-ei	avr-ei	rievocher-ei	aprir-ei
sar-esti	avr-esti	rievocher-esti	aprir-esti
sar-ebbe	avr-ebbe	rievocher-ebbe	aprir-ebbe
sar-emmo	avr-emmo	rievocher-emmo	aprir-emmo
sar-este	avr-este	rievocher-este	aprir-este
sar-ebbero	avr-ebbero	rievocher-ebbero	aprir-ebbero

Il **condizionale passato** è il tempo composto: sarei stato, avrei avuto, avrei aperto.

Usi del condizionale, **come in inglese.** Esempi:

A 1. Mio zio ti vedrebbe con piacere. — would see you
   2. Lo inviterei, ma non è in città. — would invite him

   3. Mio zio ti avrebbe veduto con piacere. — would have seen you
   4. Lo avrei invitato, ma non era in città. — would have invited him

B 1. Vorrebbero domandare un favore (piacere). — would like to ask
   2. Credo che sarebbe meglio non disturbare. — would be better
   3. Mi potrebbe dire a che ora parte il treno? — could you tell me
   4. Ci vorrebbe spiegare questo passo del racconto? — would you (be so kind)

Usi del condizionale in italiano ma **non in inglese.**

A The conditional expresses that which is reported by hearsay or on the authority of someone else, the speaker doesn't want to assume responsibility for the statement.

Esempi:

1. Secondo i miei compagni domani non ci sarebbero lezioni.
   According to my classmates tomorrow there will be no classes.

2. I giornali dicono che gli americani avrebbero mandato un uomo sul pianeta Marte.
   The newspapers say that the Americans have sent a man to the planet Mars.

Sostituire il condizionale presente o passato, secondo il caso, al verbo delle frasi che seguono:

1. Prendo volentieri una *tazza* di caffè ....   *cup*

2. E meglio non *disturbare* ....   *to disturb*

3. I suoi studenti sono distratti e pigri ....

4. Può dirmi che ora è? ....

5. Tutti e tre devono partire oggi ....

6. Quel discorso ha contribuito a far scoppiare la rivoluzione ....

7. Viene con me in città? ....

8. Ha avuto una malattia mentale ....

9. Vogliamo studiare quella questione economica ....

10. Ve ne andate prima delle quattro? ....

11. Mi diverto molto a guardare una partita di calcio ....

12. Ci hanno dato degli spaghetti al sugo ....

B   The **condizionale passato** is always used in Italian but **not** in English in subordinate clauses which depend on a verb of saying, planning, hoping in a past tense. Esempi:

1. Il babbo ha detto che stasera ci **avrebbe portati** al cinema.
   Daddy said that tonight he **would take** us to the movies.

2. Maria sognava che **sarebbe andata** in Italia.
   Mary was dreaming (dreamed) that she **would go** to Italy.

3. Credevo che Lei non **sarebbe venuto** a lezione.
   I thought that you **would** not **come** to class.

4. Marco ha promesso a Laura: «Ci sposeremo fra un mese».
   Marc promised to Laura: «We shall get married in a month».
   Marco ha promesso a Laura che si **sarebbero sposati** fra un mese.
   Marc promised Laura that they **would get married** in a month.

5. Lo zio scrisse: «Vi vedrò mercoledì prossimo».
   Uncle wrote: «I shall see you next Wednesday».
   Lo zio scrisse che ci **avrebbe veduti** mercoledì prossimo.

Notare:

1. Hanno detto che l'aereo **doveva** arrivare alle cinque.
   They said that the plane **was supposed** to arrive at five o'clock.

2. Gli studenti hanno domandato: «Che cosa dobbiamo fare per domani»?
   The students asked: «What are we supposed to do (should we do) for tomorrow»?
   Gli studenti hanno domandato che cosa **dovevano (avrebbero dovuto)** fare per domani.
   The students asked what they **were supposed** to do **(should do)** for tomorrow.

Mettere la seconda parte di ogni frase al discorso indiretto (indirect discourse). Usare il **condizionale passato** e collegare (connect) le due parti della frase con la congiunzione (conjunction) **che.**

1. Il professore ha detto: «Fra una settimana ci sarà un esame».

   ....

2. Stamattina Sergio mi ha telefonato: «Oggi non andrò a lezione».

   ....

3. Hanno scritto: «Ci vedremo fra due settimane».

   ....

4. Mi avevi promesso: «Brucerò la lettera appena l'avrò letta».

   ....

5. Vi avevano detto: «Dovrete stare in albergo, non c'è posto per tutti».

   ....

6. Pensavamo: «Durante le *vacanze* andremo a sciare».   *vacation*

   ....

7. Il poeta Foscolo scrisse al principio dell'Ottocento: «Gli italiani dovranno combattere per *ottenere* la loro *libertà*».   *to obtain/liberty*

   ....

8. Il pensatore Mazzini disse a metà dell'Ottocento: «I gio-
    vani sono la *speranza* dell'Italia e l'Italia sarà fatta da   *hope*
    loro».

    ....

9. Il *generale* Garibaldi sperava: «L'Italia indipendente   *general*
    e una sarà una repubblica».

    ....

10. L'*uomo di stato* Cavour *affermò:* «Lo Stato Italiano   *statesman*/**affermare:** *to affirm*
    dovrà essere indipendente dalla Chiesa».

    ....

ESERCIZI

A   Mettere al singolare o al plurale quante parole è possibile:

1. Gli faccio spiegare quel passo.
2. Se ne sono andati molto scontenti.
3. Ve ne portò cinque.
4. Assegnerà loro degli esercizi scritti.
5. Ci siamo alzati appena (as soon as) sei entrato.
6. Posso darne Loro.
7. Se avrò caldo mi leverò la giacca.
8. Mio fratello ha un amico in India.
9. Quei tuoi amici sembrano timidi, lo sono?
10. Quelli sono i poeti che preferiamo.

B   Dare l'equivalente italiano:

1. Have you made the acquaintance of my cousin? I met him last May in Venice.
2. Last August we went to the seashore, we shall return there next July.
3. We left as soon as the lecture was over.
4. When did you (tu) find out the news?
5. They will get married on the first of April.
6. May I interrupt you (Lei)?
7. They say a revolution broke out.
8. It would give us great pleasure.
9. We were worried about it.
10. He was about to speak to you (voi) about it.
11. Did he give You (Loro) the tickets? He gave us seven (of them).
12. Mr. Ricci said that this year he wouldn't contribute anything at all.
13. My uncle mailed it to him on the fifteenth of March.
14. We must hurry if we wish to arrive in time to see it all.

C I Dopo aver letto il seguente passo, e dopo aver riguardato (looked over) la lettura della lezione XVIII, preparare delle domande sulla storia d'Italia.

II Leggere più volte.

Il Risorgimento — 1820-1870

Periodo storico durante il quale l'Italia lottò per diventare indipendente e unita. Dapprima ci furono *moti rivoluzionari* contro i governi costituiti per ottenere come minimo una costituzione che *limitasse* il potere assoluto dei *governanti*. *In seguito* ci furono guerre contro l'Austria. Nel 1861, senza il Veneto e senza il Lazio, fu proclamato il Regno d'Italia con *a capo* Re Vittorio Emanuele II, che già regnava in Sardegna, Piemonte e Liguria. La capitale fu trasferita da Torino a Firenze. Nel 1870, dopo l'*annessione* del Veneto e del Lazio, Roma diventò la capitale dell'Italia unita e indipendente.

movements, uprisings
rivoluzionario: *revolutionary*
imperf. subj.: would limit
rulers/later

at its head

annexation

La forma di governo della nuova Italia fu una monarchia costituzionale, cioè democratica.

La parola risorgimento *proviene* da risorgere, sorgere di nuovo, ritornare a condizioni prospere. Il periodo del Risorgimento *riguarda* non solo la politica ma anche la cultura e la società. È un periodo di *rinnovamento*.
Tre uomini in particolare sono considerati gli eroi del Risorgimento: Giuseppe Mazzini, Cavour e Giuseppe Garibaldi.

provenire: *to come from*

riguardare: *to concern, also to look over/renewal*

Giuseppe Mazzini (1805-1872)

Giuseppe Mazzini nacque a Genova. A sedici anni fu *colpito* dal triste spettacolo di un gruppo di giovani che *s'imbarcavano* per andare in *esilio* per ragioni politiche. Da allora egli si dedicò alla causa dell'indipendenza e della unificazione dell'Italia.

colpire: *to strike, to hit*
imbarcarsi: *to embark*
exile

Mazzini fu un idealista che voleva **l'Italia una, libera, indipendente, repubblicana: Una,** non divisa in tanti Stati; **libera,** cioè con una Costituzione democratica che *permettesse* al popolo di darsi le proprie leggi; **indipendente** dallo straniero; **repubblicana,** con la forma di governo che permette al popolo di realizzare le proprie volontà.

imperf. subj.: would permit

Mazzini *si rivolse* a tutto il popolo, anche agli operai e ai *contadini*, ma specialmente ai giovani, perchè *stimava* la vecchia generazione incapace di comprendere e di lottare per idee nuove.

rivolgersi: *to address oneself, farmers, peasants/***stimare:** *to esteem, to consider*

Camillo Benso, Conte di Cavour (1810-1861)

Cavour nacque a Torino in Piemonte (la capitale del Regno di
Sardegna che *comprendeva* Piemonte, Liguria e Sardegna). Fu   *included*
un uomo attivo e molto abile negli affari, con idee *progredite* e   *advanced*
pratiche. *Quale* primo ministro si dedicò *dapprima* al riordi-   *as/at first*
namento del regno, che egli *rese* economicamente forte.   **rendere:** *to make, conj.*
Riuscì poi, con arte diplomatica, a trovare gli *alleati* necessari   *like* **prendere**/*allies*
perché *si potesse* compiere l'indipendenza e l'unificazione del-   *one might*
l'Italia.

(Continua con Garibaldi alla lezione XXII)

D   Alcuni verbi utili:

1. **Dipendere:** non dipende da me; è dipeso dalle circo-   to depend, (auxil. essere) p.r.
    stanze; dipenderà da quello che vuole il babbo.   dipesi
2. **Spendere:** spese tutto per quella nobile causa; ho speso   to spend, to expend
    dieci dollari; non possono spendere tanto.
3. **Offendere:** mi ha offeso; siamo offesi; quelle parole li   to offend, to insult
    offesero; parla pure, non mi offenderò.   **parla pure:** speak out
4. **Difendere:** difesero la loro libertà; hanno difeso la loro to defend
    opinione; ci difenderemo fino alla morte.

E   I   Rispondere:

1. La gente cosa fa per festeggiare il Natale?
2. Che cosa commemora la Befana?
3. Cosa ha fatto (o farà) Lei per festeggiare il Capodanno?
4. Qual è la differenza fra i cosmonauti e gli astronauti?
5. Che cosa pensava di fare la prossima fine di settimana?

II   Domande sulla lettura:

1. Com'era l'Italia prima dell'unificazione?
2. Chi fu a capo del governo dell'Italia unita?
3. Storicamente, in Italia, che cosa vuol dire Risorgimento?
4. Che cosa contribuirono Mazzini e Cavour?

III   Argomenti da preparare:

1.   Preparare delle domande sulla lettura.
2.   Quali lotte interne ha *sostenuto* il Suo paese?   *to sustain, conj. like* **tenere**
3.   Che cosa ha servito a unificare il Suo paese?

VOCABOLARIO

affare (m)   *business*

alleato   *ally*

annessione (f)   *annexation*

generale (m)   *general*

governante   *ruler*

libertà   *liberty*

Marte *Mars*

moto   *motion, movement, uprising*

pianeta (m)   *planet*

rinnovamento   *renewal*

speranza   *hope*

tazza   *cup*

uomo di stato   *statesman*

vacanza *vacation*

progredito   *advanced*

rivoluzionario   *revolutionary*

affermare   *to affirm*

andarsene   *to go away*

colpire   *to strike*

comprendere (irr)   *to include*

dipendere (da)   *to depend (on)*

disturbare   *to disturb*

imbarcarsi   *to embark*

limitare   *to limit*

ottenere   *to obtain*

prestare   *to lend*

provenire (irr)   *to come from*

rendere (irr)   *to make, to give back*

riguardare   *to concern, to review*

rivolgersi (irr)   *to address oneself, to turn*

sostenere (irr)   *to sustain, to uphold*

stimare   *to esteem, to consider*

dapprima   *at first*

in seguito   *later, in due course*

Lezione XXII

CONGIUNTIVO IMPERFETTO E PIUCCHEPERFETTO (Imperfect and pluperfect of the subjunctive).

The **congiuntivo** (subjunctive) has four tenses: **presente, passato** (compound of the **presente**), **imperfetto** and **piuccheperfetto** (compound of the **imperfetto**).

The **congiuntivo imperfetto** and **piuccheperfetto** are studied in this **lezione** because it seems advisable to master the **periodo ipotetico** (conditional sentence) before learning other uses of the **congiuntivo**. The **periodo ipotetico** requires the use of the **imperfetto** and **piuccheperfetto congiuntivo**. These two tenses are, however, used also in other sentences, as will be seen later.

Congiuntivo imperfetto regolare. One uses the stem of the imperfect of the indicative.

COMPRARE	AVERE	CAPIRE	FARE
compra-vo	ave-vo	capi-vo	face-vo
compra-ssi	ave-ssi	capi-ssi	face-ssi
compra-ssi	ave-ssi	capi-ssi	face-ssi
compra-sse	ave-sse	capi-sse	face-sse
compra-ssimo	ave-ssimo	capi-ssimo	face-ssimo
compra-ste	ave-ste	capi-ste	face-ste
compra-ssero	ave-ssero	capi-ssero	face-ssero

Esempi. Notare che tutte le frasi che seguono sono **periodi ipotetici,** cioè esprimono quello che potrebbe accadere come conseguenza della realizzazione di una condizione che è considerata improbabile o impossibile (conditional sentences whereby the speaker expresses what could happen if the condition were not contrary to present fact or were not unlikely to be fulfilled in the future):

1. Se facesse caldo andrei a nuotare.   If it were warm I would go swimming.
2. Se tu venissi con me ti divertiresti.
3. Mangerebbe se avesse fame.
4. Se aveste due dollari gliene dareste uno?

Congiuntivo imperfetto irregolare:

ESSERE	DARE	STARE
fossi	dessi	stessi
fossi	dessi	stessi
fosse	desse	stesse
fossimo	dessimo	stessimo
foste	deste	steste
fossero	dessero	stessero

Inserire la forma dovuta **o** dell'imperfetto congiuntivo **o** del condizionale presente del verbo dato fra parentesi per ciascuno dei seguenti **periodi ipotetici:**

1. Se (piovere) .... mi metterei l'impermeabile.

2. Se (fare) .... freddo chiuderemmo la finestra.

3. Se loro non (potere) .... compiere il lavoro oggi, lo finirebbero domani.

4. Se tu (volere) .... lo potresti fare.

5. (Essere) .... bello se voi acquistaste la casa vicino a noi.

6. Se voi ci (fare) .... una visita saremmo felici.

7. Io li crederei se loro (dire) .... sempre la verità.

8. Se loro (affermare) .... questo sarebbero sciocchi.

9. Vorremmo parlarle subito se (essere) .... possibile.

10. Se la mamma stesse bene io (venire) .... con piacere.

11. Lo aiutereste se voi (essere) .... gentili.

12. Se tu (avere) .... coraggio sormonteresti queste difficoltà.

13. (Essere) .... meglio se Loro si rivolgessero al direttore.

14. Se voi (stare) .... zitti noi potremmo sentire la musica.

Il **congiuntivo piuccheperfetto** è il tempo composto: avessi avuto, avessi fatto, fossi tornato, fossi venuto.

Esempi. Notare che tutte le frasi che seguono sono periodi ipotetici:

1. Se avesse nevicato non saremmo venuti.   Had it snowed we wouldn't have come.
2. Si sarebbero annoiati se non ci fosse stato lui.
3. Leggerei un romanzo se avessi finito di studiare la lezione.
4. Se aveste viaggiato capireste meglio certe cose.

Inserire la forma dovuta dell'imperfetto **o** del piuccheperfetto congiuntivo, secondo il senso:

1. Ti avremmo dato del denaro se noi ne (avere) ....

2. Ti saresti divertito se tu (venire) .... con me.

3. Se tu non (parlare) .... sempre tanto avrebbero detto qualcosa anche loro.

4. Sarebbe stato bello se il babbo (potere) .... mantenere la promessa.

5 Sareste morti se voi (toccare) .... il *filo elettrico*.   *electric wire*

6. Non avrei paura degli esami se io (studiare) ....

7. Non domanderemmo il permesso se già lo (ottenere) ....

8. Se ieri il professore (spiegare) .... bene il compito, ora io saprei quello che devo fare.

9. Se il mio amico non (essere) .... tanto povero avrebbe contribuito anche lui.

10. Se Marcello non (avere) .... la barba l'avrei riconosciuto.

Osservazioni:

1. *Since the first and the second persons singular of the* **congiuntivo imperfetto** *are identical, in order to avoid ambiguity the subject pronoun is used.*

2. *Note that the second person plural of the* **imperfetto congiuntivo** *is identical with that of the* **passato remoto**.

3. *The* **periodo ipotetico** *is not the equivalent of all English conditional sentences. When the statement depends on a fulfilled condition or an a condition which is likely to be fulfilled in the future or the fulfilment of which does not concern the speaker, the indicative is used:*

a.	se nevicasse non uscirei	should it snow I **wouldn't** go out
		if it snowed I **wouldn't** go out
	se nevica non uscirò	if it snows I shall not go out
	se nevicherà non uscirò	if it will snow I shall not go out
b.	se ci vedessero qui che cosa direbbero?	should they see us here what **would** they say?
		if they saw us here what **would** they say?
	se ci vedono qui che cosa diranno?	if they see us here what will they say?
c.	se aveste studiato lo sapreste	had you studied you **would** know it
		if you had studied you **would** know it
	se aveste studiato l'avreste saputo	if you had studied you **would have** known it
	se avete studiato lo sapete	if you have studied you know it

When giving the Italian equivalent of an English conditional sentence, the most obvious cue in the English sentence is the presence or absence of **would** *in the main clause. If* **would** *is present, the sentence is a* **periodo ipotetico** *requiring the* **congiuntivo imperfetto o piuccheperfetto** *in the* **if (se)** *clause and the* **condizionale presente o passato** *in the main clause.*

Usi delle parole TEMPO, ORA, VOLTA.

Modelli:

A 1. Che *tempo* fa?   *weather*
   2. Il tempo è bello.
   3. Fa brutto tempo.
   4. Il tempo è *variabile*.   *changeable*
   5. Non ho molto *tempo*.   *time*
   6. Quanto tempo hai passato in Italia?
   7. Lo vidi molto tempo fa.
   8. Ai tempi del nonno non pensavano di andare sulla
      luna.
   9. Sei arrivato *in tempo* per salutare gli zii?   *in time*
   10. *Un tempo* le ragazze non uscivano da sole la sera.   *once upon a time*

B 1. *Una volta* le ragazze non uscivano da sole la sera.   *once upon a time*
   2. Vado al cinema *una volta* al mese.   *once (one time)*
   3. La prima volta non avevamo capito.
   4. Quante volte devo ripetere la stessa cosa?
   5. Li ho veduti *una sola volta*.   *one single time*
   6. Li ho veduti *solo una volta*.   *only once*
   7. Ripetere *una volta per uno*.   *once each*
   8. Parlare *uno alla volta*.   *one at a time*
   9. *Ogni volta* che mangio il *pesce* mi sento male.   *each time/fish*
   10. *Tutte le volte* che mangio il pesce mi sento male.   *every time*
   11. *A volte* non aveva il coraggio di parlare.   *at times*

C 1. Che ora è? Che ore sono?
   2. Andiamo a mangiare perchè è l'*ora del pranzo*.   *dinner time*
   3. Sono le otto, è l'ora del telegiornale.
   4. Qual è l'ora della tua lezione di storia dell'arte?
   5. La conferenza è finita *or ora*.   *just now*
   6. Lucia *non vedeva l'ora* di arrivare a casa.   *could hardly wait*

Dare l'equivalente italiano secondo i modelli:

1. At what time did you arrive? ....

2. Each time we were at the dentist's the time never seemed to pass. ....

3. There is never enough time. ....

4. We must do it three or four times. ....

5. They can hardly wait to leave for Europe. ....

6. In Napoleon's time the governments were *absolutist*. ....   **assolutista, -i**

7. Your (tu) father telephoned just now. ....

8. If the weather is good at what time shall we meet? ....

9. How many times have I told you (voi) to arrive on time? ....

10. Every time that you (Lei) can come it will be a pleasure to see you. ....

Il pronome relativo IL QUALE (LA QUALE, I QUALI, LE QUALI). Si usa come CHE, soggetto o oggetto diretto, e CUI, oggetto indiretto:

1. Ho parlato con i ragazzi **i quali** verranno stasera.
2. Potresti prestarmi le riviste **le quali** hai già letto?
3. Questo è il libro **del quale** ti parlavo.
4. Marta è la ragazza **con la quale** andrò al cinema.

Osservazioni:

IL QUALE *is used less than* **che** *and* **cui** *because it is cumbersome. It is used mostly to avoid ambiguity:*

1. *La zia del mio amico,* **che** *arriva oggi, è inglese.*   (who is arriving?)

    La zia del mio amico, **la quale** *arriva oggi, è inglese.*

    La zia del mio amico, **il quale** *arriva oggi, è inglese.*

2. *Il fratello della ragazza,* **a cui** *ho prestato del denaro, non è povero.*   (to whom was money lent?)

    Il fratello di Valeria **alla quale** *ho prestato del denaro, non è povero.*

    Il fratello di Valeria **al quale** *ho prestato del denaro, non è povero.*

ESERCIZI

A   I   Sostituire il pronome atono all'oggetto diretto e indiretto:

1. Ci ha lavato la biancheria.
2. Vi siete messi l'impermeabile?
3. Si prepara a partire dall'Inghilterra.
4. Mi meraviglio di quel tuo compagno.
5. Ha venduto loro la sua vecchia automobile.

6. È bene studiare i verbi perfettamente.
7. Le abbiamo parlato del nostro viaggio.
8. Ti sei fatta tagliare i capelli.
9. Avete spedito i pacchi al nonno?
10. Ho accompagnato le ragazze a casa.
11. Abbiamo avvertito tutti di non parlare di questa cosa.
12. Non hanno più di quel vino rosso.
13. Stasera andremo all'aeroporto a incontrare i nostri amici.
14. Non avevo mai sentito suonare quella musica.

II   Completare le seguenti frasi usando una delle parole «ora» «tempo» «volta»:

1. Che .... fa il tuo orologio?

2. Quanto .... durerà la rappresentazione?

3. Molto .... fa Firenze era il centro delle arti.

4. Quante .... è stato primo ministro Churchill?

5. Se fa brutto .... non basteranno due ore per il viaggio.

6. Non torneremo in .... per sentire il telegiornale.

7. Sapete a che .... comincerà la conferenza?

8. Ogni .... che poteva le mandava del denaro.

III   Copiare dando la forma dovuta del verbo fra parentesi:

1. Se i bambini hanno finito di studiare (potere) giocare.
2. Dobbiamo affrettarci se (essere) già le sette.
3. Se (potere) sposarsi in maggio sarebbe felice.
4. Si annoierebbero meno se (conoscere) qualcuno.
5. Non avreste fatto dei brutti sogni se (mangiare) meno.
6. Se noi avessimo risolto il problema non (rivolgersi) a Lei.
7. Se questo punto è chiaro noi (potere) andare avanti.
8. Se tu non (arrivare) in orario loro (andarsene) senza di te.
9. Sarebbero partiti se (ottenere) il permesso.
10. Anche se il primo ministro lo affermasse la gente non lo (credere).

B   Dare l'equivalente italiano:

Two weeks ago dad promised us that today we would go with him to a concert to hear an old friend of his who was to come to play in our city for the first time.

My father and this friend had gone to school together when they were children; they saw each other again about ten years ago and then they wrote each other several times. Dad often talks about him because we are studying music and we like it very much. If my father had been able to, he too would have become a musician (**musicista**). Instead, when he was twenty, my grandfather died and my father had to work to help his mother and his brothers.

Some days ago, my father wrote to his friend, whose name is John Pasquali, to invite him to dinner after the concert. Yesterday Mr. Pasquali phoned to say that he would have to leave immediately after the concert but that he would come to spend (**passare**) a Sunday with us soon. We are sorry that he cannot come to our house this time but we hope to meet him (to make his acquaintance) at the concert.

C   Leggere con attenzione.

Giuseppe Garibaldi (1807-1862)

Garibaldi fu il *guerriero*, il *comandante* delle forze armate che combatterono per *attuare* il Risorgimento. Nacque a Nizza, città che fu più tardi *ceduta* alla Francia in *compenso* per l'aiuto dato da questa contro l'Austria.

warrior/commander
to realize, to carry out
cedere: *to cede/compensation*

Fu chiamato «l'*eroe* dei due *mondi*» perchè, durante il suo esilio per ragioni politiche, combattè per la libertà nell'America del Sud. La sua impresa più famosa ha il nome di «*Spedizione* dei Mille», dal numero dei *volontari* che l'accompagnarono in Sicilia e nel Napoletano per aiutare quelle popolazioni a liberarsi.

hero/worlds

expedition
volontario: *volunteer*

L'Italia unita e indipendente

Una volta unita l'Italia dovè *affrontare* problemi molto difficili, fra cui:

to face

1. Il campanilismo degli italiani, cioè il loro *amore* eccessivo per la propria regione, *anzi* per la propria città. *Perfino* il Re, Vittorio Emanuele II, volle esser chiamato secondo, e non primo come avrebbe dovuto per indicare che era il re di un **nuovo** paese.

    love
    indeed, rather/even

2. Le grandi differenze storiche, economiche e sociali fra una regione e l'altra, in particolare fra il nord e il sud.

3. L'*analfabetismo* di una grande *maggioranza* della popolazione, e i molti dialetti che non permettevano ai cittadini di comunicare fra di loro.

    illiteracy/majority

4. La difficile situazione *finanziaria* per *far fronte alle spese* indispensabili per creare strade, *ferrovie, bonifiche,* e industrie.

    financial/to meet the expenses
    *railroads/***bonifica:*** *land reclamation*

5. La questione romana, religiosa e politica insieme, che dipendeva dall'*atteggiamento* del Vaticano, cioè del papa, verso il nuovo stato che aveva *tolto* il potere temporale alla chiesa pur conservandone il primato nel campo della religione. Il papa si considerava *prigioniero* nel suo palazzo del Vaticano e *scoraggiava* i cattolici dal partecipare alla vita politica dell'Italia.

attitude

togliere: *to remove, to take away;* *p.r.* **tolsi** *p.p.* **tolto**
prisoner
scoraggiare: *to discourage*

D   Alcune frasi utili:

1. Il tuo orologio *va avanti* e invece il mio *va indietro.*   *is fast/is slow*
2. L'orologio di Pietro segna l'ora *giusta.*   *correct*
3. Il professore è *giusto.*   *just*
4. È *ingiusto* condannare solo i capitalisti.   *unjust*
5. Due più due fa quattro: è giusto, è corretto.
6. Due più due fa tre: non è giusto, è scorretto.
7. Lei sbaglia: due più due fa quattro.
8. Tu sei *indietro.*   *behind*
9. Bisogna andare *avanti.*   *forward*

E   I   Rispondere:

1. Qual è l'ora secondo il Suo orologio?
2. Che cosa vorrebbe fare Lei adesso?
3. Che cosa dovrebbe fare Lei adesso?
4. Quali sono le Sue letture preferite?
5. Quanti anni circa durò il fascismo?

II   Dimostrare di saper distinguere fra le seguenti coppie di verbi:

1. mettersi   —   mettersi a
2. sentire   —   sentirsi
3. aspettare   —   aspettarsi
4. far male   —   farsi male

III   Domande sulla lettura:

1. Che cosa vuol dire «campanilismo»?
2. Spiegare in italiano la parola «analfabetismo».
3. Dopo l'unificazione, quale fu l'atteggiamento del papa? Perchè?

VOCABOLARIO

amore (m) *love*
analfabetismo *illiteracy*
atteggiamento *attitude*
bonifica *land reclamation*
comandante (m f) *commander*
compenso *compensation*
eroe (m) *hero*
ferrovie *railroads*
filo elettrico *electric wire*
guerriero *warrior*
maggioranza *majority*
mondo *world*
ora del pranzo *dinner time*
pesce (m) *fish*
spedizione (f) *expedition*
tempo *weather; time*
volontario *volunteer*

analfabeta (m f) *illiterate*
assolutista *absolutist*
finanziario *financial*
giusto *correct, just*
ingiusto *unjust*
variabile *changeable*

affrontare *to face*
cedere *to cede*
scoraggiare *to discourage*
togliere (irr) *to remove, to take away*

anzi *indeed, rather*
avanti *forward*
a volte *at times*
indietro *behind*
in tempo *in time*
non vedeva l'ora *could hardly wait*
ogni volta *each time*
or ora *just now*
perfino *even*
solo una volta *only once*
tutte le volte *every time*
una sola volta *one single time*
una volta *once (one time)*
una volta per uno *once each*
un tempo *once upon a time*
uno alla volta *one at a time*
va avanti *is fast*
va indietro *is slow*

Lezione XXIII

EQUIVALENTI DI FRASI INGLESI CHE ESPRIMONO OBBLIGO E OPPORTUNITÀ; POSSIBILITÀ E ABILITÀ; VOLONTÀ, BUONA VOLONTÀ E DESIDERIO (obligation and fitness; possibility and ability; will, willingness and desire).

Studiare con cura (care) i seguenti modelli:

A Obbligo e opportunità:

1.	he must (has to) leave today	deve partire oggi
2.	he should (ought to) leave today	dovrebbe partire oggi
3.	he will have to (must) leave soon	dovrà partire presto
4.	they said that he would have to leave soon	hanno detto che sarebbe dovuto partire presto
5.	he was supposed to leave yesterday	doveva partire ieri
6.	he should (ought to) have left yesterday	sarebbe dovuto partire ieri
7.	he had to (was obliged to) leave (he did)	è dovuto partire (dovè partire)
8.	he must have left (has he?)	deve esser partito

Notare:

1.	should he leave I would be sorry	se partisse mi dispiacerebbe
2.	shall we read? (I suggest we do)	leggiamo?

B Possibilità e abilità:

1.	he can (is able to) leave now	può partire ora
2.	he could (would be able to) leave now	potrebbe partire ora
3.	he might leave now	potrebbe partire ora
4.	he will be able to (can) leave soon	potrà partire presto
5.	they said that he could (would be able to) leave soon	hanno detto che sarebbe potuto partire presto
6.	he would have been able to leave yesterday	poteva partire (sarebbe potuto partire) ieri
7.	he could have left yesterday	poteva partire (sarebbe potuto partire) ieri
8.	he was able to leave yesterday (he did)	è potuto partire ieri (potè)

Notare:

1. he cannot sing (doesn't know how)   non sa cantare
2. can (would) you tell me what time it is   mi sa (saprebbe) dire che ora è

C   Volontà, buona volontà e desiderio:

1. he wants (wishes) to leave today   vuole partire oggi
2. he would like (wants) to leave today   vorrebbe partire oggi
3. he will want (wishes) to leave soon   vorrà partire presto
4. they hoped that he would want (wish) to leave soon   speravano che sarebbe voluto partire presto
5. he wanted to leave (intention)   voleva partire
6. he would have liked to leave   sarebbe voluto partire
7. he wanted to leave (he did)   è voluto partire (volle)
8. he would not leave (he did not)   non è voluto partire (non volle)

Notare:

1. he would leave if he could   partirebbe se potesse
2. will you repeat it please?   vuole ripeterlo, per piacere?
3. would you repeat it?   vorrebbe ripeterlo?
4. he will not (does not want to) do it   non vuole farlo
5. he will not do it   non lo farà
6. he would (used to) leave every year   partiva ogni anno
7. it would please him, isn't it so?   gli piacerebbe (gli farebbe piacere), no?
8. it would have pleased her, isn't it true?   le avrebbe fatto piacere (le sarebbe piaciuto), vero (non è vero)?
9. he would do it, would you?   lo farebbe, e tu?
10. he would arrive late! (just when he shouldn't)   arriva in ritardo!
11. they would arrive late! (just when they shouldn't have!)   sono arrivati in ritardo!

Dare l'equivalente inglese delle frasi che seguono:

1. Le abbiamo dovuto dire la verità.
2. Non avremmo dovuto dir loro una *menzogna*.   *lie*
3. Gli abbiamo potuto spiegare tutto.
4. Ci avrebbero potuto mostrare tutte le fotografie, non
    solo quelle.
5. Abbiamo voluto considerare tutte le opinioni.   **opinione** *(f): opinion*
6. Non ha voluto permetterci di entrare.
7. Non volevo mantenere quella promessa.
8. Vorrei presentarLe i miei genitori.
9. Potresti essere più *cordiale* con loro e più *affettuoso* con   *cordial/affectionate*
    lei.
10. Che cosa gli avrebbe risposto, Lei?
11. Che cosa avrebbe potuto rispondergli, Lei?
12. Lei, che cosa avrebbe dovuto dirgli?
13. Lei, che cosa avrebbe voluto dirgli?
14. Sareste dovuti arrivare all'una e sono già le due.
15. Signora, *Giuseppe* e *Liliana* possono andare al cinema   *Joseph/Lillian*
    con noi?
16. Saprebbe indicarci la via per andare al Colosseo?
17. Per piacere, vuole aprire le finestre?
18. Sarebbe bene pagare i conti alla fine del mese.
19. Malgrado le sue ragioni io non le avrei parlato più.
20. Si preoccupava tanto che non poteva dormire.

L'AGGETTIVO QUALCHE. Notare che **QUALCHE** (some, any, a few) può essere usato invece di alcuni, alcune ma è sempre singolare; i sostantivi e il verbo che lo accompagnano devono essere al singolare:

1. Hai **qualche** giornale italiano?   *any*
2. **Qualche** volta non capisco niente.   *at times*
3. **Qualche** volta andrò in Europa.   *some time*
4. **Qualche** studente non è a lezione oggi.   *a few*
5. Ha perduto **qualche cosa**?   *something*
6. **Qualche** giudice afferma che questo non è un diritto.

Osservazione:

QUALCHE *is not only always singular, but it is also an* **adjective** *and it must be followed by a noun. It is introduced here mainly for recognition.*

IL PRONOME RELATIVO IL CUI (LA CUI, I CUI, LE CUI) (whose).

Modelli:

1. La signora, il cui figlio parte oggi, è tedesca.
    (La signora, il figlio di cui parte oggi, è tedesca).
    (La signora, il figlio della quale parte oggi, è tedesca).
2. Spero di fare la conoscenza del poeta le cui poesie mi piacciono tanto.
3. Ecco la rivista fra le cui pagine avevo messo la lettera.
4. Parlerà al ragazzo i cui parenti verranno oggi.

Osservazione:

IL CUI *always agrees in gender and number with the thing possessed.*

Riscrivere le frasi che seguono sostituendo la forma appropriata di **il cui** al pronome relativo di cui **o** del quale:

1. Inviterò la ragazza il fratello della quale è all'ospedale.

    ....

2. Sono andati nel villaggio i cittadini di cui non hanno lavoro.

    ....

3. Sentiremo la scrittrice l'opera di cui studieremo.

    ....

4. Ecco il libro fra le pagine del quale ha trovato dieci dollari.

    ....

5. Non comprerò quello che vende la *ditta* gli operai di cui sono in *sciopero*.   *firm/strike*

    ....

ESERCIZI

A   I   Copiare inserendo **il partitivo**, oppure **qualche** o **alcuni alcune**:

1. Dobbiamo risolvere .... problemi.

2. Nel Suo saggio .... punto non è chiaro.

3. Tutti voi dovrete leggere .... poesia di Quasimodo.

4. Vogliono rappresentare .... drammi di Pirandello.

5. ....di queste tradizioni sono molto antiche.

6. Avrei bisogno di .... assistenza.

7. Lei vende .... libri di testo usati?

8. Il conferenziere ha presentato e sviluppato .... idee molto interessanti.

9. Riusciresti a farlo se tu avessi .... buona volontà.

10. Ha parlato di .... movimenti letterari.

11. Hai .... buon consiglio da darmi?

12. Tutti vogliono almeno .... libertà (freedom).

II   Copiare inserendo il pronome relativo e la preposizione se è necessaria:

1. Non so (who) è diventato primo ministro.
2. Quelli sono i pericoli (of which) abbiamo paura.
3. Finalmente (finally) ho trovato il mio passaporto (without which) non sarei potuto partire.
4. Non ricordo (to whom) ho prestato quel libro.
5. Quello è il paese (whose) progressi sono evidenti.
6. (Whose) libertà sarebbe in pericolo?
7. Non mi ha convinto (what) hai detto.
8.. L'impiegato (to whom) mi sono rivolto era molto gentile.
9. Il villaggio (from which) siamo partiti dista cento chilometri.
10. Vico, (whose) idee si diffondono solo adesso, fu un pensatore del Settecento.

B   Dare l'equivalente italiano:

I   1. Would you please help me carry these books?
     2. You (Lei) wouldn't do it, would you?
     3. They would pass my house every day but they
         would never come in.
     4. What a nice shop, shall we enter?
     5. I asked him to buy me a car but he would not do it.
     6. They should have arrived by now.
     7. You (tu) should think before talking.
     8. How could you tell her a lie!
     9. I thought that you (voi) would write to me at least once.
     10. It would have been better if you had consulted
         someone.
     11. They couldn't remember what they were supposed
         to do.
     12. May I ask you (Lei) a question?

II — *May I help you?*   **Desidera?**
   — I would like to see Professor Cerquetti.
   — Do you have an appointment?
   — Yes, at least he said that I could come at this time to
      speak to him.
   — In *that* case ... You may go in.   **questo**
   — Good morning, Professor Cerquetti. I wanted to ask
      you if you would explain what you wrote on my pa-
      per (essay).
   — Fine. Did you bring it with you? I must look at it be-
      cause I don't remember it.
   — Here it is ... You wrote that I ought to have worked
      harder, that I might have *organized* better what I   **di più**/*to organize:*
      wanted to say, that I should have ...   **organizzare**
   — May I look? Certainly you could have done better;
      one can always do better....
   — But I did work, I couldn't have worked harder; I
      didn't even go to the movies for a whole week.
   — Well ... You were supposed to write on *nature* in   **natura**
      Leopardi's poetry, therefore you should have read
      all his poems and then *analyzed* those in which he   *to analyze:*
      speaks of nature ... Then it would have been good to   **analizzare**
      think about the meaning of the word nature... What
      meanings could you give to the word?
   — I suppose countryside, I mean the nature around us,
      and ... the nature of man, his character ...
   — Mightn't we also *add* the order of the *universe,* that   **aggiungere** *(irr.)*
      is, the *laws* of the universe?   **universo**/**legge** *(f)*

C   Leggere con attenzione:

Il Fascismo

Il *fascismo* fu un movimento politico fondato da Benito Mus-   *fascism*
solini che salì al potere nel 1922 e dominò l'Italia fino al
1943.

Fu un movimento autoritario che non tollerava opposizione,
che promuoveva il nazionalismo *più spinto,* che *soffocava* con   *most acute*/**soffocare:** *to stifle*
la violenza ogni sentimento di libertà, e che considerava lo
stato come il supremo *arbitro* della vita dei cittadini.   *arbiter*

Conquistò il potere con il pretesto di ristabilire la legalità e
l'ordine, e gradualmente *impose* la *dittatura.* Uno degli slogan   **p.r. di imporre:** *to impose*
più usati fu: «Mussolini ha sempre ragione».   *dictatorship*

Gli anni del dominio *fascista* sono spesso chiamati **il venten-**   **fascista** *(m & f): fascist*
nio nero.

La Resistenza

Si chiama Resistenza, come indica la parola, quel movimento
di opposizione al fascismo che fu dapprima piuttosto passivo
e che diventò attivo durante la seconda guerra mondiale, specialmente *a partire* dal 1943 con la caduta di Mussolini.   *starting from*
Parteciparono alla Resistenza italiani di tutte le classi sociali
e di tutti i partiti politici, eccetto il fascismo. I partigiani (come
si chiamavano quelli che presero parte alla Resistenza) *con-*   **p.r. di condurre:** *to conduct,*
dussero la *guerriglia* contro i fascisti e i nazisti, *aiutando* *to lead/guerrilla/helping*
efficacemente gli alleati. Politicamente preparono il risor-
gere di un governo democratico in Italia.

La Repubblica Italiana

Alla fine della seconda guerra mondiale (accaduta per l'Italia
alla fine di aprile 1945) gli italiani furono chiamati a decidere
se mantenere la *monarchia* oppure *abolirla* e *istituire* una re-   *monarchy/to abolish it/to*
pubblica. Con il referendum del 2 giugno 1946 essi decisero di   *institute*
organizzarsi in repubblica parlamentare e di darsi una nuova   **organizzare:** *to organize*
costituzione. Il primo gennaio 1948 la nuova costituzione
entrò in *vigore*.   *(m) vigor,* **entrare in vigore:**
                                                                  to become effective

D   I   Domande sulla lettura:

   1. Quali erano le differenze fra l'Italia del 1870 e l'Italia del
       1945?
   2. Cos'è la Resistenza?
   3. Che cosa fu il fascismo?
   4. Perchè ci fu il referendum del 2 giugno 1946?

II   Dimostrare di saper distinguere fra le seguenti coppie di verbi:

   1. alzare   —   alzarsi
   2. far male   —   farsi male
   3. cambiare   —   cambiarsi

III   Argomenti da preparare:

   1. *Effetti* della seconda guerra.   *effects*
   2. Descrivere una scena fra un professore e uno studente.

VOCABOLARIO

arbitro *arbiter*
ditta *firm*
dittatura *dictatorship*
fascismo *fascism*
Giuseppe *Joseph*
guerriglia *guerrilla*
legge (f) *law*
Liliana *Lillian*
menzogna *lie*
monarchia *monarchy*
natura *nature*
opinione (f) *opinion*
sciopero *strike*
universo *universe*
vigore (m) *vigor*

affettuoso *affectionate*

cordiale *cordial*
fascista *fascist*

abolire *to abolish*
aggiungere (irr) *to add*
analizzare *to analyze*
condurre (irr) *to lead, to conduct*
imporre *to impose*
istituire *to institute*
organizzare *to organize*
soffocare *to stifle*

a partire da *starting from*
di più *harder*
entrare in vigore *to become effective*

Lezione XXIV

CONGIUNTIVO PRESENTE E PASSATO.

Congiuntivo presente.

CONSULTARE	CONOSCERE	COPRIRE	COSTRUIRE
consult-o consult-iamo	conosc-o conosc-iamo	copr-o copr-iamo	costruisc-o costru-iamo
consult-i	conosc-a	copr-a	costruisc-a
consult-i	conosc-a	copr-a	costruisc-a
consult-i	conosc-a	copr-a	costruisc-a
consult-iamo	conosc-iamo	copr-iamo	costru-iamo
consult-iate	conosc-iate	copr-iate	costru-iate
consult-ino	conosc-ano	copr-ano	costruisc-ano

Notare la radice (stem):

ANDARE	DOVERE	USCIRE	VENIRE	PORRE
vad-o and-iamo	dev-o dobb-iamo	esc-o usc-iamo	veng-o ven-iamo	pong-o pon-iamo
vad-a	dev-a	esc-a	veng-a	pong-a
vad-a	dev-a	esc-a	veng-a	pong-a
vad-a	dev-a	esc-a	veng-a	pong-a
and-iamo	dobb-iamo	usc-iamo	ven-iamo	pon-iamo
and-iate	dobb-iate	usc-iate	ven-iate	pon-iate
vad-ano	dev-ano	esc-ano	veng-ano	pong-ano

The **io, tu, lui, loro** persons of the **congiuntivo presente** use the stem of the first person of the **indicativo presente**; the **noi** and **voi** use the stem of the first person plural of the **indicativo presente** (actually the **noi** person is the same in the two tenses). Since the three persons singular are identical, the subject pronoun must be used whenever there is the possibility of ambiguity (therefore in most cases).

I **cinque verbi** che seguono hanno il **congiuntivo presente irregolare:**

ESSERE	AVERE	DARE	STARE	SAPERE
sia	abbia	dia	stia	sappia
sia	abbia	dia	stia	sappia
sia	abbia	dia	stia	sappia
siamo	abbiamo	diamo	stiamo	sappiamo
siate	abbiate	diate	stiate	sappiate
siano	abbiano	diano	stiano	sappiano

The **congiuntivo passato** is the compound tense: **sia stato, abbia avuto, sia venuta, abbia detto.**

USI DEL CONGIUNTIVO.

The **congiuntivo (presente, passato, imperfetto** *and* **piuccheperfetto)** *is used (with very few exceptions which will be studied later) in* **subordinate clauses.** *It expresses the emotions and wishes, or the possibility, improbability or unreality of an action* **from the point of view of the subject of the main clause.**
Therefore the subjunctive expresses hopes and fears, exhortations and commands, doubts and uncertainties, events and qualities which the speaker considers uncommon or inconstant or merely possible.
The subordinate clause is usually introduced by the conjunction **che** *but also by other conjunctions, by a relative pronoun the antecedent of which is indefinite or hypothetical, or by indefinite and interrogative words.*

VERBI ED ESPRESSIONI VERBALI *che normalmente (normally) reggono (govern, i.e., are followed by) il congiuntivo. Questi verbi esprimono desideri, comandi (commands), sentimenti (sentiments), ignoranza (ignorance), preferenze, opinioni.*

1.	domandare	— to request	7.	comandare	—	to command
2.	desiderare		8.	dire	—	meaning: to order
3.	preferire		9.	impedire	—	to prevent
4.	proporre		10.	ordinare	—	to order
5.	suggerire		11.	permettere	—	to permit, to allow
6.	volere		12.	pregare	—	to beg, to pray
			13.	proibire	—	to prohibit, to forbid

Inserire la forma dovuta del congiuntivo presente, cambiando la posizione e la forma del pronome atono se è necessario:

1. Piero domanda che tu (telefonargli) ....

2. I miei genitori desiderano che voi (venire) ....
   a passare le vacanze con noi.

3. Propongono che le *leggi* (essere) .... più *miti.*   *laws/mild*

4. Suggerisce che noi (rivolgersi) .... allo sportello a sinistra.

5. Vorrai che Marco e lei (divertirsi) ...., no?

6. L'operaio preferirà che Lei (pagarlo) .... subito.

7. Pregheremo che il nonno (guarire) .... presto.

8. Bisogna impedire che la gente (usare) .... il DDT.

9. Il *generale* comanderà che i soldati (riposarsi) ....   *general*

10. Ordinerò che loro *(acquistare)* .... duemila scatole   *to buy, to acquire*
    di cibo da *distribuire* ai poveri.   *to distribute*

11. La legge proibisce che la gente (sporcare) ....

12. Il professore permette che ognuno (consegnare) ....
    il saggio quando vuole.

Notare: I verbi **domandare, comandare, impedire, permettere, proibire, ordinare, proporre** e **suggerire** possono reggere l'infinito invece del congiuntivo, secondo i seguenti modelli:

1. Il generale comanderà che i soldati si riposino.   Il generale comanderà ai soldati di riposarsi.

2. Piero domanda che tu gli telefoni.   Piero ti domanda di telefonargli.

I verbi e le espressioni verbali che seguono possono reggere **o** il congiuntivo **o** il futuro quando l'azione della proposizione secondaria accade nel futuro. Il congiuntivo è usato quando l'azione sembra incerta.

Verbi già studiati:

1. credere
2. dispiacere
3. piacere
4. sperare
5. aspettarsi
6. meravigliarsi
7. non sapere (usually conjunction **se**)

Verbi non ancora studiati:

1. dubitare (mettere in dubbio)   — to doubt
2. immaginare   — to imagine
3. ignorare (usually conjunction **se**)   — to ignore, not to know
4. sospettare   — to suspect
5. supporre   — to suppose
6. temere (aver paura)   — to fear
7. adirarsi   — to become angry
8. domandarsi (usually conjunction **se**)   — to wonder
9. vergognarsi   — to be ashamed
10. esser adirato   — to be angry
11. esser contento (scontento, felice, triste, ecc.)

Modelli:

1. Credo che gli zii arrivino domani.   may arrive
   Credo che gli zii arriveranno domani.   will arrive
   Credo che gli zii siano arrivati.   have arrived

2. Sperano che tu faccia loro una visita.
   Sperano che tu farai loro una visita.
   Sperano che tu abbia fatto loro una visita.

Inserire, secondo i modelli, la forma dovuta del verbo:

1. Credete che noi (acquistare) .... quella casa?

2. Spera che suo figlio (trovare) .... la sua via.

3. Suppongono che voi (riuscire) .... a ottenere il permesso.

4. Mi dispiace che Lei non (potere) .... accettare l'invito.

5. Ti aspetti che lui (scriverti) .... da Parigi.

6. Si domandano se tu (potere) .... dar loro un consiglio.

7. Non sappiamo a chi tu (dovere) .... rivolgerti.

8. Avranno paura che gli operai (fare) .... uno sciopero.

9. Ignoro se loro (venire) .... o no.

10. Sospetterà che voi (volere) .... *appoggiare* il suo nemico.   *to support*

11. Teme che tu (dirlo) .... a tutti.

12. È adirato che i figli non (tornare) .... a casa.

Notare: *Se il soggetto della proposizione secondaria è lo stesso di quello della proposizione principale si usa l'infinito:*

   1. Spero di poter venire.
   2. Credono di aver ragione.
   3. Si aspettano di partire presto.
   4. Siamo contenti di essere arrivati in tempo.

ESERCIZI

A   Copiare inserendo la forma dovuta del verbo dato fra parentesi e dando la posizione corretta dei pronomi atoni:

   — Dubito che noi domani (potere) fare la riunione del Circolo perchè la neve, secondo il radiogiornale, (continuare) a cadere tutta la notte e probabilmente fino a domani sera. Mi domando se non (essere) bene che noi (decidere) di *ri-mandare* la riunione alla settimana prossima. Tu che (dir-ne)?   *to postpone*

   — Credo che tu (avere) ragione perchè noi non (potere) aspettarci che (venire) nessuno con questo tempo... Ma noi (dovere) telefonare a tutti per avvertirli.

— Suppongo che noi (poterlo) fare se (cominciare) subito. Io suggerisco che il Circolo (*riunirsi*) alla stessa ora, allo stesso posto, e lo stesso giorno della settimana prossima invece di questa.   *to assemble*

— Io (immaginarsi) che (essere) una buona idea, ma tu (aspettarsi) che il conferenziere (potere) venire?

— Credo di sì perchè lui (dire) che lui (essere) libero questa settimana oppure la prossima. Io (telefonargli) proprio ora per sentire ... (*Telefonata* al conferenziere)   *phone call*
Ha detto che (andare) bene e che lui (essere) molto felice che noi (decidere) di rimandare. Allora io (suggerire) che tu (telefonare) a ..... per domandare che loro (aiutarci) mentre io (preparare) le *liste* delle persone a cui ognuno   *lists*
(dovere) telefonare.

— Bene; allora tu (volere) che per ora io (domandare) solo se loro (essere) disposti ad aiutarci?

— Sì... no, tu (avere) ragione. È bene che prima noi (preparare) le liste.

B   Dare l'equivalente italiano:

I   Telephone call.

    — Hello.

    — Hello, may I speak to Miss Giorgini?

    — One moment, I'll call her; who is speaking?

    — Charles Menotti.

    — Hello.

    — Hello, Miss Giorgini, I wanted to talk to you about the Club...

    — Yes, the weather is really bad...

    — According to the radio it may continue to snow until tomorrow evening, therefore Paul and I thought that it would be a good idea to postpone the meeting until next Thursday...

    — You did well...

    — All *members* should be notified and I hope that you   **socio:** *member of a club*
can help us. I don't know if you have the time to call fifteen people, but if it is possible it would be a great help. Even if you could call only a few we would be *grateful* to you.   **grato**

— I'll be happy to help and fifteen persons are not too
many for me. Can you give me the names?

— Thank you very much. I have here the names and
also the telephone numbers...

II 1. I wonder if it is true.
    2. We expect them to arrive this evening.
    3. I suppose that your father is angry that (tu) paid
        that bill.
    4. My mother doubts that they have *become engaged*.   **fidanzarsi:** *to become engaged*
    5. I don't know if Sergio and Rita have gotten married.
    6. We are surprised that you (voi) have not yet met
        them.
    7. He thinks that there are no mistakes.
    8. I hope that I will finish in time to come with you
        (tu).
    9. I suggest that you(Lei) come to see me tomorrow
        morning at ten.
   10. Mother fears that grandfather has not received her
        letter.

C Leggere e imparare:

Elementi del sistema politico italiano

1. La Repubblica Italiana è parlamentare, cioè il potere po-
    litico *appartiene* al Parlamento che è *eletto* ogni cinque
    anni a *suffragio* universale da parte dei cittadini che han-
    no *raggiunto* i diciotto anni di età.

    appartenere: *to belong, conj. like*
    tenere/**eleggere:** *to elect*
    suffrage/**raggiungere:** *to reach*
    p.r. **raggiunsi,** *p.p.* **raggiunto**

    Gli italiani votano un candidato con sistema maggiorita-
    rio, temperato: il candidato che *ottiene* il maggior numero
    di voti ottiene il seggio in parlamento. I voti residui ven-
    gono redistribuiti e conteggiati secondo la *percentuale* di
    voti ottenuta da ciascun partito.

    ottenere: *to obtain, conj, like*
    tenere
    percentage

2. I partiti e movimenti politici sono numerosi. I più impor-
    tanti sono: Forza Italia, Democratici di sinistra, Alleanza
    nazionale, Unione democratici cristiani (CCD-CDU),
    Margherita, Lega Nord Padania, Rifondazione comunista.

3. Il Parlamento è *composto* di due organi, la Camera dei
    deputati e il Senato, e costituisce il potere legislativo.
    Ogni sette anni il Parlamento, *in seduta comune* e con
    l'*aggiunta* di tre delegati eletti da ogni regione, elegge il
    Presidente della Repubblica.

    comporre: *to compose*

    in joint session
    addition

4. Il Presidente della Repubblica è il *capo* dello Stato e rappresenta l'unità nazionale e la nazione *di fronte* ad altri paesi. Uno dei suoi compiti più importanti è di *nominare* il Presidente del Consiglio e, *su proposta* di questo, i vari ministri.

   head, chief
   before
   nominate
   on recommendation

5. Il Presidente del Consiglio dei Ministri, o Primo Ministro, con i suoi ministri forma il Consiglio o *Gabinetto* e rappresenta il potere esecutivo, quello che in Italia è chiamato il Governo.

   Cabinet

Il Consiglio per governare deve avere la *fiducia* del Parlamento; deve *dimettersi* quando, avendo domandato il voto di fiducia, non ottiene la maggioranza. Resta *in carica*, perciò, per periodi più o meno lunghi di tempo, ma non *oltre* cinque anni, *termine* delle elezioni politiche.

   trust, confidence
   to resign
   in office
   beyond/(m) term

Coniugazione di porre (to place, to put):

PRES. INDIC.	FUTURO	IMPERFETTO	PASS. REM.	PARTIC. PASS.
pongo	porrò	ponevo	posi	posto
poni	porrai	ponevi	ponesti	
pone	porrà	poneva	pose	
poniamo	porremo	ponevamo	ponemmo	
ponete	porrete	ponevate	poneste	
pongono	porranno	ponevano	posero	

Like **porre: comporre** *(to compose)*, **disporre** *(to dispose, to arrange, to enjoin)*, **esporre** *(to set forth)*, **opporre** *(to oppose)*, **proporre** *(to propose)*, **supporre** *(to suppose)*.

D   Alcune frasi utili di procedura parlamentare.

1. *L'ordine* del giorno di una *seduta*.
   agenda/session
2. Aprire la seduta.
3. Domandare oppure *chiedere* la parola.
   to ask, p.r. **chiesi,** *p.p.* **chiesto**
4. Dare oppure cedere la parola.
5. *Stendere* il *verbale*.
   to draft/minutes
6. Mettere in discussione un progetto di legge.
7. Presentare un *emendamento*.
   amendment
8. Gli argomenti a favore e in opposizione.
9. Dopo il dibattito la questione è stata *sottoposta* alla votazione.
   sottoporre: *to submit*
10. La *mozione* è stata *approvata* all'unanimità; è stata approvata con cento voti a favore e sei voti contrari.
   *motion/***approvare:** *to approve*
   aggiornare: *to adjourn, to bring up to date*
11. La seduta è stata *aggiornata*.
12. Bisogna aggiornare il *registro*.
   record book
13. È bene *tenersi al corrente* degli avvenimenti.
   to keep up to date

E   I   Rispondere:

1. Quali sono i partiti politici del Suo paese?
2. Di quali circoli è socio Lei?
3. Descriva un circolo o un'associazione di cui Lei è socio.
4. Quali sono i *diritti* e i *doveri* di un cittadino secondo Lei?   *rights / duties*
5. Quali sono le differenze fra il Presidente della Repubblica
   e il Presidente del Consiglio in Italia?
6. Quali sono le *somiglianze* e le differenze nelle elezioni fra   *similarities*
   l'Italia e il Suo paese?

II   Argomenti da preparare:

1. Vantaggi e svantaggi del sistema politico a due partiti.
2. Osservazioni sul sistema politico italiano.
3. Osservazioni sul sistema politico del Suo paese.

VOCABOLARIO

aggiunta   *addition*
capo   *chief, head*
Gabinetto   *Cabinet*
lista   *list*
percentuale (f)   *percentage*
seduta   *sitting, session*
sistema (m)   *system*
socio   *member of a club*
telefonata   *phone call*

grato   *grateful*
mite   *mild*

acquistare   *to buy, to acquire*
appartenere (irr like tenere)   *to belong*
comporre (irr like porre)   *to compose*
dubitare (mettere in dubbio)   *to doubt*
eleggere (irr like leggere)   *to elect*
esser adirato   *to be angry*

fidanzarsi   *to become engaged*
ignorare   *to ignore, not to know*
immaginare   *to imagine*
impedire   *to prevent*
nominare   *to nominate*
ordinare   *to order*
ottenere (irr like tenere)   *to obtain*
permettere (irr)   *to permit, to allow*
pregare   *to beg, to pray*
proibire   *to prohibit, to forbid*
raggiungere (irr)   *to reach, to catch up*
rimandare   *to postpone*
riunirsi   *to assemble*
sospettare   *to suspect*
temere (aver paura)   *to fear*
vergognarsi   *to be ashamed*

di fronte   *before*
in carica   *in office*
oltre   *beyond*
su proposta   *on recommendation*

Lezione XXV

CORRELAZIONE DEI TEMPI DEL VERBO AL CONGIUNTIVO (sequence of tenses). The present and the future indicative, and the imperative (which has not yet been studied) require that the verb in the subordinate clause be either in the **presente** or the **passato congiuntivo.** All other tenses require that the verb in the subordinate clause be either in the **imperfetto** or the **piuccheperfetto congiuntivo.**

Modelli:

Proposizione principale	Proposizione secondaria, azione contemporanea o futura	Proposizione secondaria, azione passata
1. Domanda	che tu gli scriva.	
2. Suppongono	che voi rispondiate.	che voi abbiate risposto.
3. Proporrò	che il voto sia segreto.	
4. Temono	che il governo si dimetta.	che il governo si sia dimesso.
5. Credevo	che arrivassero domani.	che fossero già arrivati.
6. Ha sospettato	che noi fossimo d'accordo.	
7. Si meravigliarono	che la gente non si agitasse.	che la gente non si fosse agitata.
8. Ci piacerebbe	che lo invitaste.	
9. Avrei suggerito	che ognuno facesse quello che vuole.	
10. Ha creduto	che io non dicessi la verità.	che io non avessi detto la verità.
11. Sospettò	che i ladri fuggissero.	che i ladri fossero fuggiti.
12. Non avrà saputo	che si aspettassero	che lui avesse comprato i rinfreschi.
13. Non so	se Luigi sappia	se Lucia abbia domandato se gli zii fossero partiti.

Verb in the main clause	Verb in the subordinate clause
presente indicativo presente congiuntivo futuro imperativo	presente congiuntivo (contemporaneous or future action) *credo che loro stiano per partire* passato congiuntivo (past action) *credo che loro abbiano studiato*
any past tense condizionale presente condizionale passato	imperfetto congiuntivo (contemporaneous or future action) *credevo che stessero per partire* piuccheperfetto congiuntivo (past action) *credevo che avessero studiato*

Alla proposizione secondaria **decidere di stabilirsi a Milano** (to decide to settle down in Milan) sarà preposta (prefixed) una proposizione principale per ogni frase. Inserire la forma dovuta del verbo **decidere** * e il pronome riflessivo dovuto. L'**azione** della proposizione secondaria è **contemporanea** o **futura**.

1. Spero che Giulia .... di stabilir........................ a Milano.

2. Speravano che la loro zia .... di stabilir........................ a Milano.

3. Hai sperato che io .... di stabilir........................ a Milano.

4. Credevo che voi .... di stabilir........................ a Milano.

5. Avrebbe preferito che tu .... di stabilir........................ a Milano.

6. Dubito che i miei genitori .... di stabilir........................ a Milano.

7. Il Signor Tucci vorrebbe che anche noi .... di stabilir........................ a Milano.

8. Ebbero paura che il direttore della ditta .... di stabilir........................ a Milano.

Questa volta la proposizione secondaria è **convincersi di ciò** (to become convinced of this or that thing, already mentioned). Dare la forma dovuta di **convincersi** ** cambiando la forma e la posizione del pronome riflessivo. L'**azione** della proposizione secondaria è **passata**.

1. Siamo contenti che la nostra famiglia .... di ciò.

2. M'immaginavo che voi .... di ciò.

3. Non sa se quei suoi amici .... di ciò.

4. Preferireste che il vostro ufficio .... di ciò.

5. Mi sembra che i Signori Spinelli .... di ciò.

6. Si sarebbe domandato se tu .... di ciò.

7. Non sapevano che noi .... di ciò.

8. Gli domanderete se il presidente .... di ciò.

---

* **Decidere:** *p.r. decisi, p.p. deciso.*
** **Convincere** *è coniugato come vincere.*

In generale **LE ESPRESSIONI IMPERSONALI** richiedono (require) il congiuntivo nella proposizione secondaria.

Esempi:

1. Accade* che uno faccia degli sbagli.
2. Bastava che lui lo avesse affermato e lo avremmo creduto.
3. *Bisognerebbe* che tu telefonassi a Isabella.   **bisognare:** *to be necessary*
4. Sembrò** che tutti fossero d'accordo.
5. *Può darsi* che voi abbiate ragione.   *it may be*
6. Sarebbe bene che vi cambiaste prima del pranzo.
7. È male che non vogliate studiare.
8. Sarebbe stato bello se non avessimo avuto lezione.
9. È necessario che Lei venga subito.
10. Era *strano* che nessuno volesse parlare.   *strange*

Notare:

1. Non è certo che **possano** venire.   Ma   È certo che **possono** venire.
2. Non era sicuro che **venissero**.   Ma   Era sicuro che **venivano**.
3. Non è vero che siano venuti.   Ma   È vero che **sono venuti**.

Osservazione:

È certo, è sicuro, è vero *are positive assertions which normally require the indicative.*

Inserire la forma dovuta del congiuntivo:

1. Non è vero che io (fare) .... quella proposta.

2. È stato incerto *fino all'ultimo* che loro (dare) ....   *until the last (moment)*

   il voto di fiducia al governo.

3. Non è sicuro che ieri loro (pagare) ....

4. È stato importante che Lei (spiegarcelo) ....

5. È *dubbio* che voi (ottenere) .... il permesso.   *doubtful*

6. Sarà *opportuno* che loro (scrivere) .... al presidente.   *opportune, advisable*

---

* *Instead of* **accadere** *(to happen) one may use* **avvenire** *(conjugated like venire) or* **succedere** *(p.r. third person* **successe,** *p.p.* **successo).**

** *Instead of* **sembrare** *(to seem, to appear) one may use* **parere** *(p.r. third person* **parve,** *p.p.* **parso).**

7. Era *inopportuno* che Franco (dire) ....   *inopportune, inadvisable*

    quello che ha detto.

8. Non so chi abbia telefonato, può darsi che (essere)

    .... Lucia.

9. Basterebbe che tu (studiare) .... un poco

    tutti i giorni.

10. Sarebbe stato meglio se Lei (definire) ....

    la parola prima di mettersi a scrivere.

Notare:

1. È bene arrivare in orario.
2. Per arrivare in tempo basterebbe partire alle dieci e
    mezzo.

Osservazione:

The infinitive is used in the subordinate clause when there is no personal subject.

FORMAZIONE DEGLI AVVERBI dagli aggettivi che esprimono una qualità.
Modelli:

1. serio: seria-mente confuso: confusa-mente stanco: stanca-mente	2. grave: grave-mente breve: breve-mente pesante: pesante-mente	3. facile: facil-mente debole: debol-mente regolare: regolar-mente volgare: volgar-mente

Osservazioni:

*1. Most adjectives can be transformed into adverbs by adding the suffix -**mente**.*
*2. The suffix -**mente** is added to the feminine singular of adjectives ending in -**o**, -**a**;
    to the singular of adjectives in -**e**.*
*3. Adjectives ending in -**le** and -**re** drop the final vowel before taking the suffix
    -**mente**.*
4. Note the three following adverbs which are formed irregularly:

leggero:	legger-mente	*light, nimble, flighty*
benevolo:	benevol-mente	*benevolent*
violento:	violente-mente	*violent*

Trasformare i seguenti aggettivi in avverbi:

1.	affettuoso	9.	mentale ....
2.	segreto	10.	timido ....
3.	cordiale	11.	particolare ....
4.	temporaneo	12.	dolce ....
5.	adeguato	13.	necessario ....
6.	difficile	14.	violento ....
7.	tradizionale	15.	generale ....
8.	esteriore	16.	cortese ....

Notare: *Adverbs normally follow the verb and precede other parts of speech.*

ESERCIZI

A   Esercizio sulla correlazione (sull'uso) dei tempi del verbo in generale (scegliere il tempo dovuto dell'indicativo, del congiuntivo o del condizionale). Copiare dando la forma dovuta del verbo fra parentesi:

1. Ieri (fare) molto freddo e io (mettersi) il cappotto *da* inverno.   **da:** *suited to, fit for*
2. Quando lui (vederla) l'ultima volta Vera (stare) poco bene.
3. Ha detto che il]Professor: Gelli (arrivare) *entro* una settimana.   *within*
4. Avevi scritto che in seguito tuo figlio (stabilirsi) in Australia.
5. Se noi (fidanzarsi) ora (potere) sposarci prima dell'estate.
6. Ci dispiace che Lei non (volere) appoggiare il presidente.
7. Credeva che noi già (organizzare) la festa.
8. Proposero che gli *eserciti* non (combattere) più.   *armies*
9. Io avrei proibito che i ragazzi (fare) tanto rumore.
10. Non sapevo che noi (dovere) analizzare quel *sonetto*.   *sonnet*
11. Se voi non vi parlate non (mettersi) mai d'accordo.
12. Promise che (arrivare) domani sera.
13. Tutti gli anni, fino a due anni fa, loro (festeggiare) il Natale insieme.

B Dare l'equivalente italiano:

1. I don't think that he is a great writer.
2. We wanted them to play tennis with us.
3. He was sorry that your sister stayed at home.
4. If they were already here everyone would be happy.
5. Why would you (tu) want him to get up early?
6. We had hoped that he would stay in office for another year at least.
7. Are Joseph and you (tu) afraid that she has forgotten her promise?
8. Those students did not want to take the exam (and they did not).
9. Weren't you (voi) supposed to hand in your essays today?
10. I wanted to eat it all but I couldn't.
11. When we were children, generally we went to our grandparents' home for Easter.

C Leggere con attenzione.

Il problema della lingua.

I *dialetti* italiani si svilupparono dal latino in modo diverso a *seconda* delle *circostanze* storiche *locali*. Essi sono numerosi e alcuni sono *assai* diversi dalla lingua che studiamo quando impariamo l'italiano. Gli italiani stessi non capiscono alcuni dialetti, a volte *perfino* gli abitanti di *villaggi* vicini si capiscono *a malapena* se parlano il proprio dialetto. [*dialects* / *according to* / *circumstances* / **locale:** *local* / **assai:** *molto* / *even* / **villaggio:** *village* / *hardly*]

La lingua italiana si sviluppò dal dialetto *fiorentino*. Fu *dapprima* una lingua letteraria che in seguito fu usata per le *comunicazioni ufficiali* (politiche) e anche per le comunicazioni fra persone *colte*. [**di Firenze** / *at first* / *communications* / *official* / *cultivated, cultured*]

Fra i tanti problemi che l'Italia dovè *affrontare* subito dopo la unificazione furono quelli della lingua e della scuola. Nel 1861 il 78 per cento degli italiani era analfabeta e per correggere la situazione *occorrevano* vasti *capitali* inesistenti per creare scuole, materiali didattici, e insegnanti *adeguatamente* preparati. Ma una delle più grandi difficoltà era il fatto che bisognava insegnare a parlare, a leggere e a scrivere l'italiano e non il dialetto locale usato *fuori* della scuola ogni giorno e in ogni circostanza. Anche là dove c'erano insegnanti capaci di insegnare l'italiano (e spesso *mancavano*), dopo aver terminato la scuola elementare i ragazzi che non continuavano gli studi (la grande maggioranza) presto dimenticavano la lingua imparata. *Uniche* eccezioni erano la Toscana e Roma dove i dialetti erano *simili* alla lingua italiana. In conclusione, molti italiani non solo erano analfabeti ma non potevano neanche comunicare fra di loro eccetto localmente. [*to face, to meet, to tackle* / *to be necessary* / **capitale** *(m): capital* / *adequately* / **fuori di:** *outside* / **mancare (essere):** *to be lacking* / *sole* / **simile:** *similar*]

Oggi, grazie alla radio, alla televisione, alle comunicazioni ra- | **esistere (essere),** *p.p.*
pide e all'emigrazione interna, è finalmente possibile dire che | **esistito:** *to exist*
esiste una lingua parlata e usata da tutti gli italiani. Là dove i | *alive/***bilingue:** *bilingual*
dialetti sono ancora *vivi*, gli italiani sono *bilingui*.

D Alcune frasi utili che riguardano la scuola:

1. Le *borse di studio* servono a pagare le tasse scolastiche   *scholarships*
   e, spesso, anche il *vitto* e l'*alloggio* degli studenti non   *food/lodging*
   agiati.   *well-to-do*
2. Le borse di studio sono *sussidi finanziari*.   **sussidio:** *subsidy/financial*
3. Uno studente frequenta un istituto e *assiste* alle lezioni.   **assistere:** *to assist, to be*
4. Gli studenti seguono un programma di studi, gli inse-   *present, p.p.* **assistito**
   gnanti *svolgono* il programma.   **svolgere:** *to develop, to carry*
5. I corsi sono obbligatori o *facoltativi*.   *out, p.r.* **svolse,** *p.p.* **svolto**
6. A volte ci sono corsi *fuori programma*.   *elective, extracurricular*

E I Rispondere:

1. Ci sono dialetti nel Suo paese?
2. C'è analfabetismo nel Suo paese?
3. L'educazione è un segno di classe?
4. La lingua è un simbolo di unità in un paese?

II Argomenti da preparare:

1. A che cosa dovrebbe servire l'educazione pubblica?
2. Quali sono alcune questioni di fondo (basic) dell'educazione contemporanea?
3. Quali sono le Sue reazioni alla Sua educazione?

VOCABOLARIO

alloggio   *lodging*
circostanza   *circumstance*
comunicazione (f)   *communication*
dialetto   *dialect*
dubbio   *doubt*
esercito   *army*
materiale (m)   *material*
programma (m)   *program*
sonetto   *sonnet*
sussidio   *subsidy*
villaggio   *village*
vitto   *food*

adeguato   *adequate*
agiato   *well-to-do*
benevolo   *benevolent*
bilingue   *bilingual*
breve   *short, brief*
colto   *cultivated, cultured*
facoltativo   *elective*
incerto   *uncertain*
inopportuno   *inopportune, inadvisable*
opportuno   *opportune, advisable*
rozzo   *crude, coarse*
simile   *similar*

strano   *strange*
ufficiale   *official*
unico   *sole*
violento   *violent*
vivo   *alive*
volgare   *vulgar*

affrontare   *to face, to meet, to tackle*
esistere (essere) p.p. esistito   *to exist*
mancare (essere)   *to be lacking*
occorrere (essere, irr like correre)   *to be necessary*
svolgere (irr)   *to develop, to carry out*

a seconda   *according to*
assai   *molto*
dapprima   *at first*
entro   *within*
fino all'ultimo   *until the last (moment)*
fuori (di)   *outside*
perfino   *even*
può darsi   *it may be*

Lezione XXVI

CONGIUNZIONI CHE RICHIEDONO IL CONGIUNTIVO.

Esempi:

1.	Parlerò lentamente **affinchè** capiate.	so that
2.	**Benchè** nevichi ci andremo.	although
3.	Ci siamo andati **quantunque** nevicasse.	although
4.	**Sebbene** avesse nevicato ci andammo.	although
5.	**Malgrado** fossimo molto stanchi continuammo a lavorare.	in spite of the fact, although
6.	L'ha ripetuto **nel caso che** non avessero capito.	in case, in the event
7.	Lo farò **prima che** me lo domandino.	before
8.	Potrete andare al cinema **purchè** abbiate finito di studiare.	provided that
9.	Partirono **senza che** noi lo sapessimo.	without
10.	Aspetteremo **finchè non** arrivino.	until
11.	Ci andrà lui **a meno che** ci voglia andare tu.	unless
12.	Lo faranno **anche se** * tu lo proibissi.	even if
13.	Si sono vestiti **come se** * facesse caldo.	as if
14.	Lo affermi **quasi** * lo credessi.	almost as if

VOCABOLI INDEFINITI (indefinite words) CHE RICHIEDONO IL CONGIUNTIVO.

Esempi:

1.	A **chiunque** domandi di te dirò che sei occupato.	whoever	
2.	**Dovunque** guardasse non vedeva altro che un *deserto*.	wherever	*desert*
3.	Si annoiava **qualunque cosa** facesse.	whatever, no matter what	
4.	**Qualunque persona** incontri gli pare un nemico.	whoever	
5.	In **qualunque modo** vadano le elezioni è certo che Rossi non sarà eletto.	whatever manner, however	
6.	**Comunque** vadano le elezioni è certo che Rossi non sarà eletto.	no matter how, however	
7.	**Per quanto** mi piaccia quel vestito, costa troppo per me.	no matter how much	
8.	Non vi darà il permesso **per quanto** lo preghiate.		

Inserire l'equivalente italiano e prepararsi a dare l'equivalente inglese:

1. C'è posto per tutti (in spite of the fact) .... la gente sia molta.

2. Vi aspetterò (provided) .... non arriviate con troppo *ritardo*.   *delay*

---

* **Anche se, come se, quasi** *usually take the* **imperfetto** *or* **piuccheperfetto congiuntivo.**

3. Si fidanzerà con (whomever) .... voglia sposarla.
4. Tu racconti la notizia (almost as if) .... fosse certa.
5. Ecco dieci dollari (in case) .... tu abbia bisogno di denaro.
6. Non hanno potuto farlo (no matter how much) .... volessero.
7. Abbiamo fatto la riunione (although) .... non ci fosse quasi nessuno.
8. (However) .... vadano gli esami, saremo liberi per un po'.
9. Mi divertivo (whatever) .... facessi.
10. Ve lo dirà (before) .... ve ne andiate.
11. Abbiamo capito (without) .... il professore ce lo spiegasse.
12. Parlate (as if) .... non aveste ascoltato.
13. Gli telefonerò (so that) .... non ci aspetti stasera.
14. Ormai è troppo tardi (even if) .... chiamassero la polizia.

IL CONGIUNTIVO IN PROPOSIZIONI INTRODOTTE DA UN PRONOME RELATIVO. Si usa il congiuntivo:

1. Quando l'antecedente del pronome relativo è indefinito o ipotetico (may or may not exist).
2. Quando la condizione o l'azione dell'antecedente del pronome relativo è limitata a **una** fra le tante possibili.

Esempi:

1. Cercava **un** libro che spiegasse il sistema politico italiano.
2. Desidera **una** bibita che non sia dolce.
3. Non trovano **chi** possa accompagnarli.
4. C'è **qualcuno** che abbia due dollari da prestarmi?
5. Comprerò **qualcosa** che piaccia al nonno.
6. Non ci fu **nessuno** che volesse proseguire la discussione.
7. Non c'è più **nulla** che Lei deva fare oggi.
8. Non ho **nessun** compagno con cui io possa viaggiare.
9. **Il più bel** quadro che io abbia veduto è di *Tiziano*. — *Titian*
10. Furono **gli** esami **meno difficili** che avessimo dato.
11. Lei è **la prima** persona che sappia indicarmi la via.
12. Questa è **l'ultima** cosa che io voglia fare.
13. **L'unica** qualità che Lucia abbia è la pazienza.
14. Piero era **l'unica** persona con cui Renato non fosse timido.
15. Sono **gli unici** *autori* di cui abbiamo letto tutte le opere. — **autore:** *author*
16. Erano **i migliori** amici che avessero. — *best*
17. È un brutto esempio, **il peggiore** che uno possa dare. — *worst*

Osservazione:
In all the models above, if the action referred clearly to a future time the verb would be in the future.

USO delle espressioni verbali METTERCI (avere) e VOLERCI (essere).

1. Ci ho messo un'ora per fare il compito.	it took me one hour to
2. Il treno ci mette quattro ore, ma l'aereo ce ne mette solo una.	the train takes four hours
3. Ci è voluta un'ora per fare il compito.	it took one hour
4. Ci vogliono tre ore in treno e mezz'ora in aereo.	it takes... by train
5. Ci sono voluti due mesi per risolvere la *crisi*.	*crisis*
6. Ci vorrà molta pazienza per cercare di convincerlo.	it will take a lot of patience
7. Ci vuole mezz'ora per andare in città in treno, ma io ci metto almeno un'ora in automobile.	

Osservazione:
When the subject performing the action is definite, one uses **METTERCI,** *when the subject is indefinite one uses* **VOLERCI.**

Completare le seguenti frasi inserendo la forma dovuta di **metterci** o **volerci:**

1. Signorina, quanto tempo .... per leggere tutto il racconto?

2. Se il tempo fosse bello noi .... tre quarti d'ora.

3. Una volta quel viaggio era lungo, ... tre mesi.

4. Quanto tempo .... da qui alla stazione a piedi?

5. Per viaggiare .... molto denaro.

6. Noi .... molta buona volontà ma non siamo riusciti a finirlo.

7. Sarà bene mandare un telegramma perchè la posta .... due giorni.

8. Loro .... cinque ore, ma di solito .... quattro.

MANCARE (essere) e SENTIRE LA MANCANZA.

Esempi:

1. Oggi mi manca il tempo di venire.	I lack the time
2. Ci sono mancati i francobolli.	
3. Le è mancata la forza di alzarsi.	
4. Chi è mancato ieri alla lezione?	who was missing, absent
5. Mancavano alcune pagine in quel libro.	
6. Sentiva la mancanza della sua famiglia.	he felt the absence, he missed
7. Sentì molto la mancanza di amici e parenti.	

Osservazioni:

1. **MANCARE** *in the sense of* **to lack** *follows the pattern of* **piacere.**
2. **MANCANZA** *as a noun means: absence, deficiency, lack:* **la mancanza di tempo mi ha impedito di venire.**

DAL DISCORSO DIRETTO AL DISCORSO INDIRETTO, correlazione dei tempi del verbo.

Esempi:

1. Gli studenti hanno domandato: *«***Dobbiamo** scrivere tutte le frasi*»*?
   Gli studenti hanno domandato se **dovevano** scrivere tutte le frasi.
2. Lucio ha risposto: *«***Mangerò** presto e ti **incontrerò** all'una*»*.
   Lucio ha risposto che **avrebbe mangiato** presto e l'**avrebbe incontrata** all'una.
3. Giuliana ha detto: *«***Camminavo** in Via Roma e **ho incontrato** lo zio*»*.
   Giuliana ha detto che **aveva camminato** in Via Roma e **aveva incontrato** lo zio.
4. Paolo ha affermato: *«***Dovrei** andare a lezione ma **sono** stanco e **resterò** a casa*»*.
   Paolo ha affermato che **doveva** andare a lezione ma che **era** stanco e **sarebbe restato** a casa.
   Paolo ha affermato che **sarebbe dovuto** andare a lezione ma che **era** stanco e **sarebbe restato** a casa.
5. Il deputato ha detto: *«*Mi **pare** che le elezioni **siano andate** male per il nostro **partito**»*.
   Il deputato ha detto che gli **pareva** che le elezioni **fossero andate** male per il loro partito.
6. Il professore ha aggiunto: *«*Non **so** se le mie spiegazioni **siano** chiare*»*.
   Il professore ha aggiunto che non **sapeva** se le sue spiegazioni **fossero** chiare.

ESERCIZI

A I Mettere al discorso indiretto:

1. I bambini hanno domandato: «Possiamo andare da Giorgio»?
2. Il professore ha aggiunto: «Dovreste preparare delle domande sul racconto».
3. Il babbo ha detto: «Stasera tornerò tardi».
4. La mamma ha osservato: «Mi pare che tu non studi abbastanza».

5. Luciano ha detto: «Domani verrò a prenderti alle tre».
6. Marta ha detto: «Mi fanno male i piedi, ho comprato delle scarpe troppo strette».
7. Renato ha offerto: «Signorina, se vuole L'accompagnerò in macchina».
8. La cameriera ha detto: «Signora, mi dispiace disturbarLa, ma mi pare che la casa bruci».
9. Hanno domandato: «Possiamo parlarLe un momento»?
10. Lo studente ha *confessato:* «Non so chi sia stato il primo re d'Italia».

confessare: *to confess*

II Leggere con attenzione il seguente aneddoto, poi copiarlo volgendolo al passato. Usare il **passato remoto** come tempo principale.

Le *fontane** di Roma sono famose per la loro *bellezza* e *ricchezza* d'acqua; nessuna città del mondo ne ha tante e così *meravigliose.* Nel 1657 la Regina Cristina di *Svezia* visita la città ed è ricevuta con molta *festa* dai romani: il papa le *va incontro* alle porte della città e l'accompagna subito a fare un giro in *carrozza.* La regina vede in ogni piazza una fontana e pensa che tutta quell'acqua sia stata fatta *scorrere* in suo *onore.* Non dice niente al papa, ma pensa che i romani siano molto gentili con lei. Il secondo giorno vuole uscire sola dal suo palazzo e vede che le fontane ancora danno acqua. Allora va dal *Sindaco* della città e dice che lo ringrazia per l'onore che i romani le fanno *aprendo* tutte le fontane ma che crede che sia ora di chiudere l'acqua per non *sprecarne* tanta. Il sindaco risponde *sorridendo* che le fontane di Roma hanno sempre acqua, notte e giorno, che non sono state aperte per *farle festa,* ma per la *gioia* dei cittadini e degli stranieri che vengono a visitare la città. La regina *arrossisce* e risponde che i romani sono un popolo fortunato, felice e *invidiabile.* Da quel momento *si innamora* della città e decide di viverci per il resto della sua vita. Ella infatti muore a Roma ed è *sepolta* in San Pietro.

fountains/beauty
wealth
marvelous/Sweden
festivity/meets

carriage
to flow/honor

mayor
opening
to waste
smiling
to honor, to celebrate
joy
arrossire (essere): *to blush*
enviable
innamorarsi: *to fall in love*
buried

B Dare l'equivalente italiano:

I 1. He was **speaking** to us not to them.
2. What is your (Lei) name?
3. We are going with him, in his car.
4. He did everything for her, but she left him just the **same.**
5. They will worry about him if not about me.
6. I did telephone him and her, but neither answered.
7. They see each other every Sunday.
8. I cannot hurry, my leg hurts.

* *Pare che a Roma ci siano almeno 1300 fontane.*

      9. She washed our linen.

   10. I'll tell him to call you (Lei) when he returns.

II   1. May I take this book?

     2. Shouldn't you (tu) do your homework?

     3. We would go to the mountains every summer if we could.

     4. By now they must have arrived in Greece.

     5. If I were you (tu) I wouldn't tell him.

     6. I asked him to go with us but he wouldn't.

     7. I am sorry that I was not able to read it at all.

     8. They couldn't remember what they had to do.

III 1. Although you (voi) have not convinced me, I shall do what you want.

     2. I must clean the house before the guests arrive.

     3. He was not aware that I owed him some money.

     4. They will wait until the train arrives.

     5. You (tu) speak as if you were afraid of him.

     6. She never likes whatever we do or say.

     7. Are you (voi) looking for someone who might go with you?

     8. He was the most intelligent person with whom she had ever talked.

     9. Although the train takes a long time, I prefer it.

   10. We can leave now provided nobody is missing.

C   Lettura. Una poesia in dialetto.

La poesia che segue può servire di commento al fatto
storico dell'unificazione dell'Italia, e allo stesso tempo mostra che alcuni dialetti sono, sì, assai simili
alla lingua italiana, ma presentano anche delle *note-*
voli differenze.

notevole: *substantial,*
considerable

La fratellanza degli italiani

Tutti fratelli! s'è strillato tanto,
Ma *fin'a qui s'è fatto di parole.*
Lei di dov'è? «Lombardo e me ne vanto».
E lei? «*Son fiorentino, se Dio vole*».
       Tutti *citrulli semo; e questo è quanto.*
       Se ci ripenso, *quanto è vero 'r sole,*
       Dalla *velgogna* mi si *smove 'r pianto:*
       Nun credo più nemmeno *'n* delle *scole.*
Però *ar mi' bimbo* gliel'ho già 'nsegnato;
Tieni a mente, *'ni* dissi, *siei* pisano,
Pelchè 'n Pisa t'avemo battezzato.
       Ma a Pisa *'un ci pensa', te* siei toscano,
       Quer «Me ne vanto» poi, *mondo sagrado!*
       Dillo: ma prima *di':* «Son italiano».

strillare: *to shout, to scream*
sense: until now we've only talked

thank heaven, **vole: vuole**

fools/**siamo**/*sense: and that's all*
as true as the sun is, **'r: il**
vergogna/*sense: I want to cry*
non/**in**/**scuole**
al mio bambino
gli/**sei**
perchè/**abbiamo**/*baptized*
non ci pensare/**tu**
quel/*for heaven's sake*
say it/*say*

Questa poesia, composta nel 1871, è di Renato Fuci-
ni (1843-1922), uno scrittore di Pisa, conosciuto per
i suoi racconti il cui *ambiente* è la Toscana. La poesia è in forma di sonetto, composta perciò di due
quartine e di due *terzine* di *versi endecasillabi*.

background

stanzas of 4 and 3 lines
eleven syllable lines

VOCABOLARIO

ambiente (m) *background, environment*
bellezza *beauty*
borghesia *middle class*
boria *arrogance*
bosco *woods, forest*
carrozza . *carriage*
dispiacere *sorrow*
festa *festivity, feast*
fontana *fountain*
gioia *joy*
mancanza *absence*
onore (m) *honor*
ricchezza *wealth*
sindaco *mayor*
verso *verse, line of poetry*

invidiabile *enviable*
meraviglioso *marvelous*

notevole *substantial, considerable*
sepolto *buried*

alludere (irr) *to allude, to hint*
ammaestrare *to train*
arrossire (essere) *to blush*
confessare *to confess*
fare festa *to honor, to celebrate*
imparare a memoria *to memorize*
innamorarsi *to fall in love*
mettere in rilievo *to put in relief, to emphasize,*
  to bring out
scorrere (irr) *to flow*
sprecare *to waste*
strillare *to shriek*

ad alta voce *out loud*
sottovoce *in a low tone of voice*

Lezione XXVII

IMPERATIVO REGOLARE. Di solito il soggetto non è usato con l'imperativo, ma se, per enfasi, è necessario esso segue il verbo. Naturalmente la prima persona singolare manca.

To speak	PARL-ARE	LEGG-ERE	FIN-IRE	SENT-IRE	USC-IRE	VEN-IRE
speak	parl-a (tu)	legg-i	fin-isci	sent-i	esc-i	vieni
speak	parl-i (Lei)	legg-a	fin-isca	sent-a	esc-a	venga
let us speak	parl-iamo (noi)	legg-iamo	fin-iamo	sent-iamo	usc-iamo	veniamo
speak	parl-ate (voi)	legg-ete	fin-ite	sent-ite	usc-ite	venite
speak	parl-ino (Loro)	legg-ano	fin-iscano	sent-ano	esc-ano	vengano

Osservazioni:

1. *The third persons, singular and plural, are borrowed from the present subjunctive.*
2. *The second person singular and the first and second persons plural are borrowed from the present indicative. Note, however, that the second person singular of verbs in* -are *ends in* -a, *the third in* -i.
3. *The negative imperative of the second person singular is the infinitive:*

> *non leggere   (tu)*
> *non parlare*
> *non venire*

PRONOMI ATONI CON L'IMPERATIVO:

Esempi:

1. La mamma dice al bambino: «Rispondi**mi**».
2. La mamma dice ai bambini: «Mangiate**lo**».
3. Dico ai miei amici: «Leggiamo**lo** insieme».
4. Il professore dice alla studentessa: «**Lo legga** di nuovo».
5. La guida dice ai turisti: «**Si** affrettino».

6. La mamma dice alla figlia: «Non **ci** andare da sola».
7. Il professore dice allo studente: «Non **lo** scriva ancora».
8. Esorto il mio amico: «Non **ne** parliamo più».
9. Dico ai miei compagni: «Non **glielo** domandate».
10. La guida dice ai turisti: «Non **se ne** preoccupino».

Ricapitolazione:

leggi**lo**	non **lo** leggere
lo legga	non **lo** legga
leggiamo**lo**	non **lo** leggiamo
leggete**lo**	non **lo** leggete
lo leggano	non **lo** leggano

Osservazioni:

1. *When the imperative is* **positive,** *the third persons, borrowed from the subjunctive, take the* **pronomi atoni** *before the verb, but the* **pronomi atoni follow and are attached to the second person singular and to the first and second persons plural.**

2. *It is normal to place the* **pronomi atoni** *before the verb when the imperative is* **negative.** *There is, however, a great deal of uncertainty among Italians.*

Dare la forma dovuta dell'imperativo dei verbi fra parentesi e, quando sia necessario, dare la forma dovuta e la posizione dei pronomi atoni:

1. (Tu, prendere) .... il libro.

2. (Voi, lasciarmi) .... in pace.

3. (Loro, venire) .... a trovarci.

4. (Lei, *accomodarsi*) ....   *to make oneself comfortable*

5. (Tu, non disturbarlo) ....

6. (Lei, non ascoltarli) ....

7. (Voi, non preoccuparsene) ....

8. (Noi, non fermarsi) .... qui.

9. (Lei, non mettersi) ....a lavorare.

10. (Loro, non parlarne) .... a nessuno.

11. (Tu, non meravigliarti) .... tanto.

GRADI DI COMPARAZIONE (degrees of comparison).

A
| more ... than : | più ... di |
| less ... than : | meno ... di |

Esempi:

1. Marisa è **più** simpatica **di** Luisa.
2. Giancarlo è **meno** bravo **di** Renato.
3. Il duomo è **più** antico **del** campanile ma **meno del** battistero.
4. Questa *borsa* mi piaçe **più di** quella.   *bag, handbag*
5. Il suo vestito è costato **meno del** tuo.
6. Quella giacca è **più** calda **di** questa.
7. Ti hanno aspettato per **più di** un'ora.
8. Non comprare **meno di** cinque regali.
9. L'aereo ci ha messo **meno di** cinquanta minuti.

Osservazione:

One uses **di** *to translate* **than** *when than is followed immediately by a numeral, a pronoun, or a noun (modified or not by an adjective).*

B
| more ... than : | più ... che |
| less ... than : | meno ... che |

Esempi:

1. Alberto è **più** *distratto* **che** *negligente*.   *absent-minded / negligent*
2. Renata è **più** simpatica **che** bella.
3. In estate a Firenze ci sono **più** stranieri **che** italiani.
4. Ci piace **meno** il latte **che** il vino.
5. Preferisce ascoltare la musica **più che** suonarla.
6. Hanno **meno** bisogno di noi **che** del medico.
7. Ci andrei **meno** volentieri con loro **che** con te.
8. Gli piace andare velocemente **più che** lentamente.

Osservazioni:

1. One uses **che** to translate **than** when than is placed between two nouns not compared to each other, or two adjectives referring to the same noun.
2. **Che** is used also before any part of speech other than a noun, pronoun or numeral, or an inflected part of the verb (see p. 239).

Scrivere delle frasi comparative usando il principio della frase che sarà dato.

Esempi:

Cesare è simpatico ma sua sorella è più simpatica.

Cesare è   (meno simpatico di sua sorella)

La sorella di Cesare è   (più simpatica di Cesare)

Credevo di avere sei dollari, invece ne ho solo quattro.

Ho   (meno di sei dollari)

1. Pietro studia almeno sette ore al giorno.

   Pietro studia ....

2. Silvia è molto intelligente, le sue sorelle non sono così intelligenti.

   Silvia è ....

   Le sorelle di Silvia sono ....

3. Non abbiamo neanche cento dollari.

   Abbiamo ....

4. Quel quadro è bello ma questo è più bello.

   Questo quadro è ....

   Quel quadro è ....

5. Mio marito è povero, il tuo non è povero.

   Mio marito è ....

6. Giancarlo parlò a tutti ma specialmente a te.

   Giancarlo parlò meno agli altri ....

7. Comprerò cinque giornali e tre riviste.

   Comprerò più ....

8. Mi pareva che qui ci fossero quindici sedie ma ne vedo solo tredici.

   Qui ci sono ....

9. Gli piace anche il caffé ma preferisce il latte.

   Gli piace ....

10. Io studio abbastanza ma lui studia molto.

    Lui studia ....

ESERCIZI

A   Mettere la seconda parte di ogni frase al discorso diretto (imperativo). Per esempio:

> Dice a suo figlio di mostrarle il compito.
>
> Dice a suo figlio: «Mostrami il compito».

1. La mamma dice al bambino di rispondere.
2. La zia ordina al nipote di venire subito.
3. I miei genitori mi hanno pregata di non viaggiare da sola.
4. Tuo padre ti ha scritto di cercare di studiare molto ma anche di divertirti.
5. Annamaria dice ai ragazzi di non gridare tanto.
6. Il professore dice agli studenti di leggere tutti insieme.
7. Invito la signora ad accomodarsi.
8. Ha pregato gli ospiti di entrare in salotto.
9. Il nonno domanda al nipotino di portargli il giornale.
10. Siamo d'accordo di vederci domani.
11. La mamma dice ai ragazzi di mettersi la maglia.
12. La professoressa invita lo studente a venire a parlarle in ufficio.

B   Dare l'equivalente italiano:

Carissimo Guido: Taormina, February 28, 19...   *dearest*

I don't know how to tell you how much I miss you even if
I am having fun... My parents and I arrived here a few
days ago by car from Milano. It took us only seven hours
to go from New York to Milano by jet and then by (con)
the Autostrada del Sole (the Highway of the Sun, isn't it a

pretty name?) it took less than six hours to reach Rome
and another hour and a half to get to Napoli. We stopped
in Milano only overnight (la notte) because it was very cold
and we decided to go to Sicily right away, but we had to
spend a night in Napoli to rest. The trip from Napoli to Sicily is very long because there are only old roads, the new
one, the continuation of the Highway of the Sun, is not yet
finished. The *landscape* is magnificent, through (attraverso)   **paesaggio**
the mountains and along (lungo) the sea, but I must admit
that Italy is too long ...

Taormina is beautiful, on a mountain above the sea; the
sea is very blue, the hills around are green, the top of
Mount Aetna (il Monte Etna) is covered with snow, and
there are already many flowers. It is warm enough to swim
and I go every morning. In the afternoon we are *tourists*   **turista** *(m & f)*
and go to various historical places. There is a Greco-
Roman theatre here, but we have also seen the Greek one
in Siracusa. What a shame that you are not with us! But I
often think of you and I beg you not to forget me even if
you do go out with Helen and the other girls.

I shall write again soon. Greetings to everybody.

     Love,   **con molto affetto**

               Clara

C   Lettura. Due poesie ispirate dalla seconda guerra mondiale: **Alle fronde dei salici** di **Salvatore** Quasimodo e **Non gridate più** di Giuseppe Ungaretti.

La prima poesia è di Salvatore Quasimodo (1901-1968), un
siciliano che si *trasferì* a Milano dove insegnò nel Conservato-   **trasferirsi:** *to transfer oneself*
rio di Musica. Nel 1959 ricevette il premio Nobel per la lette-
ratura. La seconda poesia è di Giuseppe Ungaretti (1888-1970)
che nacque a Lucca, *crebbe* in Egitto, studiò a Parigi, fu sol-   **crescere (essere):** *to grow*
dato nell'esercito italiano nella prima guerra mondiale, in-
segnò all'Università di San Paolo nel Brasile e poi all'Università di Roma.

La poesia di Quasimodo è composta di un'unica *strofa* di ver-   *stanza*
si endecasillabi senza *rima*.   *rhyme*

Alle *fronde* **dei** *salici*   *boughs*/**salice:** *willow*

E come potevamo noi cantare
con il piede straniero sopra il *cuore,*   *heart*
fra i morti *abbandonati* nelle piazze   **abbandonare:** *to abandon*
sull'erba *dura* di ghiaccio,   *hard*
al lamento d'*agnello* dei *fanciulli,*   *lamb*/**ragazzi**
all'*urlo* nero della madre che andava   *shriek, howl*
incontro al figlio *crocifisso*   **verso**/*crucified*
sul *palo* del *telegrafo?*   *pole*/*telegraph*
Alle fronde dei salici, *per voto,*   *as a vow*
anche le nostre *cetre* erano *appese,*   *lyres*/**appendere:** *to hang*
oscillavano lievi al triste vento.   *swung*/**lieve:** *light, here: lightly*

(da **Giorno dopo giorno**)

La poesia di Ungaretti è composta di due strofe, la prima di
quattro *novenari,* la seconda di un endecasillabo, di due sette-   *nine syllable line*
nari e di un novenario.

Non *gridate* **più**   **gridare:** *to shout*

Cessate d'uccidere i morti,   **cessare:** *to cease, to stop*/*to kill*
Non gridate più, non gridate
Se li volete ancora udire.
Se sperate di non *perire.*   *to perish*

Hanno l'*impercettibile sussurro*   *imperceptible*/*whisper, murmur*
Non fanno più rumore
Del crescere dell'*erba,*   *grass*
Lieta dove non passa l'uomo.   *cheerful*

(da **Il dolore**)

D   Cercare di spiegare e commentare l'una o l'altra poesia.

VOCABOLARIO

affetto   *affection*
agnello   *lamb*
borsa   *bag, handbag*
crocifisso   *crucifix*
cuore (m)   *heart*
erba   *grass*
fanciullo   *boy*
paesaggio   *landscape*
rima   *rhyme*
salice (m)   *willow*
strofa   *stanza*
sussurro   *murmur, whisper*
urlo   *howl*

carissimo   *dearest*

crocifisso   *crucified*
distratto   *absent-minded*
duro   *hard, harsh*
impercettibile   *imperceptible*
lieto   *cheerful, glad*
lieve   *slight*
negligente   *negligent*

abbandonare   *to abandon*
accomodarsi   *to make oneself comfortable*
appendere (irr)   *to hang*
cessare   *to cease*
oscillare   *to swing, to oscillate*
perire   *to perish*
uccidere (irr)   *to kill*

Lezione XXVIII

IMPERATIVO IRREGOLARE.

ESSERE	AVERE	SAPERE	
sii	abbi	sappi	(you must know, let it be known to you)
sia	abbia	sappia	
siamo	abbiamo	sappiamo	
siate	abbiate	sappiate	
siano	abbiano	sappiano	

I cinque verbi che seguono hanno la seconda persona singolare irregolare, altrimenti sono regolari:

ANDARE	DARE	FARE	STARE	DIRE
va'	da'	fa'	sta'	di'
vada	dia	faccia	stia	dica
andiamo	diamo	facciamo	stiamo	diciamo
andate	date	fate	state	dite
vadano	diano	facciano	stiano	dicano

PRONOMI ATONI con la seconda persona singolare dell'imperativo di **andare, dare, fare, stare** e **dire:**

1.	**dammi** il libro	give me
2.	**dalle** la rivista	give her
3.	**dacci** una risposta	give us
4.	**da' loro** il denaro	
5.	**va'** dal nonno, **vacci** subito	
6.	**vattene**	go away
7.	**fammi** il piacere	do me the favor
8.	**faglielo** vedere	make him/her see it, show it to him/her
9.	**stacci** a sentire	listen to us
10.	**digli** di venire	
11.	**dille** di venire	
12.	**dillo** a Marco	say it, tell Marc

Osservazioni:

1. *Because the second person singular of these five verbs is a monosyllable,* the consonant of the **pronome atono,** except **gli,** is doubled.
2. *The position of* **pronomi atoni** *is the same for the irregular imperative as it is for the regular.*

Dare la forma dovuta dell'imperativo dei verbi fra parentesi e, quando sia necessario, dare la forma dovuta e la posizione dei pronomi atoni:

1. (Tu, essere) .... sempre cortese.

2. (Voi, essere) .... pronti alle sette.

3. (Lei, avere) .... pazienza.

4. (Tu, avere) .... *fiducia.*   *trust, confidence*

5. (Lei, sapere) .... che c'è uno sciopero.

6. (Loro, avere) .... *fede* in *Dio.*   *(f) faith / God*

7. (Lei, fare) .... *presto.*   **far presto:** *to hurry*

8. (Tu, farlo) .... *per amore* della giustizia.   *for the sake,*
                                                                                               (m) love

9. (Loro, non stare) .... in piedi, (accomodarsi) ....

10. (Tu, dirle) .... che verremo questo pomeriggio.

11. (Lei, stare) .... attenta a quello che dico.

12. (Voi, essere) .... buoni e non (fare) .... rumore.

13. (Tu, non dirlo) .... a nessuno.

14. (Lei, non darle) .... un dispiacere.

15. (Noi, farlo) .... per amore della *pace.*   *peace*

16. (Tu, andarci) .... oggi, se puoi.

17. (Loro, *farci*) .... *spiegare* quello che è accaduto.   *let us / explain*

18. (Tu, non farmi) .... ripetere sempre le stesse cose.

GRADI DI COMPARAZIONE.

C

more ... than + conjugated part of the verb:	più ... di quel che
	più ... che non
less ... than + conjugated part of the verb:	meno ... di quel che
	meno ... che non

Esempi:

1. Paolo è meno negligente **di quel che** pensavo.
2. Avevano *guadagnato* **più di quel** che ammettevano.   **guadagnare:** *to gain, to*
                                                                          profit (to make a profit)
3. Sarà stato più malato **che non** pensassimo.
4. Studia molto meno **che** suo padre **non** creda.

Osservazioni:

1. **Di quel che** *and* **che non** *are interchangeable.*
2. *They are followed by either the indicative or the subjunctive, but* **che non** *is pre-
    ferred if the action of the comparative clause seems uncertain and the subjunctive is
    preferred.*
3. *Notare la differenza:*

    è il più bel libro **che** *io abbia letto*   —   *it is the most beautiful book* **that**
                                                           I have read

    il libro è più bello **di quel che** *pensavo* —   *the book is more beautiful* **than**
    (che non *pensassi)*   *I thought*

D
the most ... in:	il più ... di + the article if required
the least ... in:	il meno ... di + the article if required

Esempi:

1. Arturo è **il più** intelligente **dei** due.
2. Arturo è **il più** intelligente **della** classe.
3. Il Mississipì è **il** fiume **più** lungo **degli** Stati Uniti.
4. Questo è **il** racconto **meno** interessante **dell'***antologia.*   *anthology*
5. La conclusione è **la** parte **meno** *riuscita* **del** Suo saggio.   *successful*
6. Quel monumento è **il più** antico **della** città.
7. Isabella è **la meno** simpatica **di** tutte quelle ragazze.
8. San Pietro è **la** chiesa **più** grande **del** mondo.

Osservazione:

*No distinction is made in Italian between, for example, «the taller of the two», and
«the tallest in the class», both are:* **il più alto dei due (della classe).**

First in, only in:

1. Arturo è il primo della classe.
2. Vidi l'unico *stabilimento* nucleare di quel paese.   *installation, factory*
3. È la sola studentessa straniera dell'istituto.

E   **Comparazione di uguaglianza (equality):**

> as ... as: così ... come
>   tanto ... quanto

Esempi:

1. Tu sei **così** distratto **come** Luciano.
2. Tu sei distratto **come** Luciano.
3. La chiesa è **tanto** antica **quanto** il campanile.
4. La chiesa è antica **quanto** il campanile.
5. La cosa non fu **così** seria **come** mi aspettavo.
6. Ha parlato **tanto** a Marcello **quanto** a me.
7. Ho seguito **tanti** corsi di *fisica* **quanto** te.   *physics*
8. Hanno ricevuto **tante** *cartoline* di Natale **quanto** noi.   *postcards, cards*

Osservazioni:

1. **Così** and **tanto** *frequently are omitted except before nouns.*
2. **Come** and **quanto** *are interchangeable, although* **come** *preferably expresses quality and* **quanto** *quantity.*
3. *When* **tanto** *is followed by a noun it is an adjective and must agree in gender and number with the noun.*
4. *The verb is in the indicative, or, occasionally, in the conditional:*

> *I will defend him as I would defend you:*
> Difenderò lui come difenderei * te.

---

*   **difendere,** *p.r.* **difesi,** *p.p.* **difeso.**

Scrivere delle frasi comparative usando il principio della frase che sarà dato:

1. Non aveva mai veduto un paesaggio così bello.

    Era il paesaggio ....

2. Credeva che solo cinque deputati socialisti sarebbero stati eletti, invece ne sono stati eletti quindici.

    Sono stati eletti più deputati socialisti ....

3. In tutto il paese non c'era un uomo meno cordiale di lui.

    Lui era ....

4. Nella città non c'è un monumento più antico di quello.

    Quello è ....

5. Non ho mai dovuto scrivere un saggio così difficile.

    È il saggio ....

6. Al mondo non ci possono essere cose più noiose di queste.

    Queste sono ....

7. Sembrava che avesse capito tutto e invece non ha capito quasi niente.

    Ha capito meno ....

8. Questo quadro è diverso da quello ma è altrettanto bello.

    Quel quadro è bello ....

9. Tu credi che Luciana mangi molto, ma non è vero.

    Luciana mangia ....

ESERCIZI

A   I   A ciascuna delle due proposizioni secondarie che seguono (a. e b.) premettere le proposizioni principali indicate e fare i cambiamenti necessari.

       a.   **trattare un argomento scientifico** (azione contemporanea o futura)   *to deal with, to discuss*

         1.   L'inviteremo affinchè lui
         2.   Non c'è nessuno che
         3.   Sappiamo che il Dottor Luchini
         4.   Sperano che tutti i conferenzieri
         5.   Disse che la Signorina Minchetti
         6.   Voleva che io

b. **andarsene** (azione passata)

1. Gli dispiace che voi
2. Paolo ha detto che suo fratello
3. Te lo dissi prima che tu
4. Aspettarono finchè io non
5. Sperano che i loro compagni
6. È accaduto dopo che noi

II   Mettere la seconda parte di ogni frase al discorso diretto (usare l'imperativo):

1. La mamma dice al bambino di dirle la verità.
2. Il nonno dice al nipotino di fargli il piacere di dargli il giornale.
3. Il babbo dice al bambino di stare zitto.
4. Il professore invita gli studenti ad avere pazienza.
5. Il signore prega l'impiegato di dargli la ricevuta.
6. Domando ai miei amici di andarsene subito.
7. La mia amica mi *esorta* a divertirmi e ad essere felice.   esortare (a): *to exhort*
8. Renata ha pregato Marcello di non andar via, di restare con lei e di farle *compagnia*.   *company*
9. La signora domanda all'impiegata di farle vedere della stoffa di seta.
10. L'impiegato spiega ai signori di andare allo sportello numero otto.

III   Mettere la seconda parte di ogni frase al discorso indiretto facendo tutti i cambiamenti necessari:

1. Il Presidente del Consiglio dice: «*Ridurremo* le tasse entro l'anno».   ridurre: *to reduce,* conj. *like* tradurre
2. I bambini pregano la mamma: «Lasciaci giocare nella neve».
3. La cameriera domanda alla signora: «Devo preparare la camera per gli ospiti»?
4. I figli scrivono al padre: «Mandaci un assegno al più presto perchè vorremmo andare a sciare».
5. Il Signor Tonioli mi ha telefonato: «Mi dispiace che stasera non potrò venire a casa Sua, non sto bene».
6. Il dentista ha detto: «Torni fra sei mesi».

7. Il dottore dice al paziente: «Non si preoccupi, fra qualche giorno Lei starà come prima».
8. Il viaggiatore ha domandato: «C'è un treno che arrivi a Palermo verso le otto di mattina»?
9. Il sindaco di Roma disse: «Le fontane di Roma hanno sempre acqua, scorrono notte e giorno».
10. Laura scrisse a Roberto: «Mi diverto, ma sento molto la tua mancanza. Scrivimi presto e a lungo».

B   Dare l'equivalente italiano:

When I was in my last year of *high school,* I was a negligent and absent-minded student. I should have studied a lot to prepare for my examinations, instead I did little, especially in Latin and mathematics. I didn't like Latin very much and I found *mathematics* difficult...   **liceo**

matematica

One day my mother said that she would phone the Latin professor to *find out* how I was doing; *rather,* that she was going to go to speak to him at school. I wanted to say to her that it was not a good idea, to wait, but I said nothing. I knew what the professor would say; I could imagine the scene...   **sapere/anzi**

— Good morning, Professor, I am Gianni Petruccelli's mother ...
— Pleased to meet you, Mrs. Petruccelli.
— I would like to speak to you about my son's work, I would like to know how he is doing... Do you think that he will pass his examinations?
— I am sorry, but your son doesn't study enough; he could and should do much better... He doesn't always come to class, when he comes he seems to think of *something else*...   **altro**
My mother would return home sad and angry, she would speak to father, and then both would call me... If I had only done my work I wouldn't find myself in this situation!

C   Lettura. *Economia* dell'Italia.   *economy*

L'Italia si *estende* da nord a sud per circa settecento miglia.   **estendere:** *to extend*
p.r. **estesi,** *p.p.* **esteso**

surface, area/square miles

La sua *superficie* è di circa 116.280 *miglia quadrate* e corrisponde più o meno a due terzi della California, oppure al New England più lo stato di New York, oppure alla Georgia e alla Florida insieme. È un po' più grande della Gran Bretagna ed è un po' più piccola della Francia. La popolazione ha superato i 57 milioni.

Le *montagne* e le *colline* costituiscono più di due terzi della superficie del paese e le pianure, eccettuata la pianura del Po, erano fino a poco tempo fa *paludose* o aride.

mountains/hills

marshy

La mancanza di materie prime, la povertà del *terreno*, la configurazione montuosa che *rende* difficile le comunicazioni e anche le circostanze storiche sono state a lungo *ostacoli* assai gravi allo sviluppo economico del paese, ma dal 1870 in poi le condizioni sono andate *gradatamente* migliorando, con l'*aumento* della produzione *agricola* e con lo sviluppo della produzione industriale, *alimentata* dall'*importazione* di materie prime.

land
rendere: *to render, to make,* p.r. **resi,** p.p. **reso**/*obstacles*

gradually
increase/agricultural
alimentare: *to nourish*
importation, import

Dopo la seconda guerra mondiale, lo *sforzo* di ricostruzione, la reazione agli anni fascisti di *isolamento* economico, l'eccezionale sviluppo dell'energia elettrica e del *metano*, la *riserva* di *mano d'opera* nel sud, un tempo *disoccupata*, sono state le cause del *cosiddetto miracolo* economico, che ha portato l'Italia ad essere tra le prime nazioni del mondo per il *tasso* di sviluppo economico.

effort
isolation
methane
reserve/labor force/unemployed
so-called/miracle

rate

L'industria italiana è concentrata prevalentemente nel nord e il nord è inoltre più produttivo del sud nel campo agricolo. Il recente *incremento* dello sviluppo economico non ha fatto che contribuire allo *squilibrio* fra il nord e il sud. Il sud, o Mezzogiorno, comprende tutta la penisola a sud di Roma con gli Abruzzi, la Sicilia e la Sardegna. Il governo, con il programma chiamato *Cassa del Mezzogiorno* istituito nel 1951, *si era prefisso* di portare il sud al *livello* del nord attraverso la costruzione di grandi opere d'irrigazione, strade, scuole, ospedali, porti, case, e con opere di *bonifica*. Sono sorti grandi *impianti* industriali in varie parti del sud, per esempio nella Sicilia meridionale (a Gela e a Ragusa), in Calabria, nelle Puglie (a Taranto e a Bari). Molti progressi sono stati compiuti, però è *innegabile* che lo squilibrio tende ad accentuarsi *anzichè* a diminuire. Molti meridionali si sono trasferiti nelle città industriali del nord, specialmente a Torino e a Milano, in *cerca* di un futuro *migliore*.

increment, increase
unbalance, inbalance

Southern Italy Development Fund/aims/level

land reclamation
installations

undeniable
rather than

search
better

Lo sviluppo economico dell'Italia è facilitato da una ottima rete di comunicazioni stradali, ferroviarie e aeree, che collegano tutte le parti del paese e che sono aumentate e modernizzate *di continuo*.

continuously

D   I   Rispondere:

1. Qual è lo *scopo* della Cassa del Mezzogiorno e quali *mez-*   *aim, purpose*
    zi sono usati per raggiungere lo scopo?   *means*
2. Quali sono state alcune delle condizioni che hanno contri-
    buito al «miracolo» economico?
3. Quali sono le risorse più importanti del Suo paese?
4. Perchè, secondo Lei, i turisti vanno in Italia?
5. Per quali ragioni Lei vorrebbe (o non) includere l'Italia in
    un Suo itinerario?
6. Qual è un problema economico dell'Italia che *rispecchia*   *to reflect, to mirror*
    un problema economico mondiale?

II   Svolgere uno dei seguenti *temi:*   **il tema, i temi:** *theme*

1. Una scena della propria *infanzia* o della propria *adole-*   *childhood/adolescence;*
    scenza.   **adolescente:** *adolescent*
2. Se io fossi ...

VOCABOLARIO

antologia   *anthology*
aumento   *increase*
bonifica   *land reclamation*
cartolina   *postcard, card*
censimento   *census*
compagnia   *company*
Dio   *God*
fede (f)   *faith*
impianto   *installation*
liceo   *high school*
mano d'opera   *labor force*
mezzo   *means, instrument*
miracolo   *miracle*
pace (f)   *peace*
riserva   *reserve*
scopo   *aim, purpose*
sforzo   *effort*
squilibrio   *unbalance, inbalance*
stabilimento   *factory, installation*
superficie (f)   *surface, area*
tema (m)   *theme*
terreno   *land*

disoccupato   *unemployed*
innegabile   *undeniable*
migliore   *better*
paludoso   *marshy*
riuscito   *successful*

alimentare   *to nourish*
attrezzare   *to equip*
esortare (a)   *to exhort*
far presto   *to hurry*
guadagnare   *to earn, to make a profit*
ridurre (irr)   *to reduce*
rispecchiare   *to reflect*
trascurare   *to neglect*
trattare   *to deal with*

anzi   *rather, on the contrary, indeed*
di continuo   *continuously*
gradatamente   *gradually*

Lezione XXIX

ESERCIZI DI RICAPITOLAZIONE

A I Comparativi. Sulla base di ogni frase completa scrivere delle frasi comparative usando il principio di frase indicato:

1. L'Italia ha avuto molti poeti ma nessuno grande come Dante.

   Dante è ....

2. Pirandello ha scritto molte poesie ma anche più drammi.

   Pirandello ha scritto meno ....

3. In questa classe tutti sono bravi, però Valeria è molto brava.

   Valeria è ....

4. Mangiamo spesso la carne ma a volte anche il pesce.

   Mangiamo più ....

5. In questa regione non c'è un uomo più povero di lui.

   Lui è ....

6. Questa poltrona è bella ma scomoda.

   Questa poltrona è meno ....

7. Ci metterò tre giorni e più per finire questo lavoro.

   Ci metterò ....

8. Il tuo saggio è lungo, il mio è breve.

   Il mio saggio è ....

9. Non ho mai incontrato un giovane più sfortunato di lui.

   È il giovane ....

10. Non si aspettavano che noi guadagnassimo tanto.

    Guadagniamo più ....

Copiare le seguenti frasi completandole con l'equivalente di «than», «in», «that» o «as»:

1. Carlo è timido .... Silvio.

2. In questo stabilimento ci sono più impiegati .... operai.

3. I loro genitori sono meno agiati .... miei.

4. Roma è più antica .... Parigi.

5. Conoscono lo scrittore più famoso .... Europa.

6. Fu il corso più interessante .... io abbia mai seguito.

7. Visse così più per un senso di dovere .... per povertà.

8. Siamo stanchi .... te.

9. Visiteremo più .... ventinove stati degli Stati Uniti.

10. Mangia meno .... Lei non creda.

II Correlazione dei tempi del verbo. Copiare le frasi che seguono dando la forma dovuta del verbo fra parentesi:

    1. Se potesse diventare musicista (essere) felice.
    2. Se il direttore è occupato Lei non (disturbarlo).
    3. Se loro (rimandare) la seduta del consiglio sarebbe stato meglio.
    4. Si domandava chi (essere) adatto a quel lavoro.
    5. Alcuni anni fa noi (metterci) diciotto ore per fare quel viaggio.
    6. Annamaria si è vestita come se (fare) freddo.
    7. Il direttore disse che fra qualche giorno lui (decidere).
    8. Nel caso che Sergio (essere) distratto come di solito, tu (ricordargli) l'appuntamento.
    9. È meglio che Loro (andarsene).
    10. Io (stare) per uscire di casa quando (suonare) il telefono.

III Pronomi atoni e tonici. Sostituire il pronome atono (o tonico se necessario) all'oggetto diretto e indiretto:

    1. Mi dà il giornale.
    2. Questo pacco viene dalla Svezia.
    3. Ho già scritto di ciò al direttore.
    4. Desidera far vedere quel programma a suo figlio.
    5. Sono piaciuti a tuo padre gli ultimi numeri di quella rivista?
    6. Visiterò alcuni dei nostri parenti.
    7. Da' i miei saluti a tua madre.
    8. Andremo al concerto con i Signori Spini.
    9. Giorgio si è fatto crescere la barba.
    10. Alla mia compagna fa male la gola.
    11. Ho veduto la Signora Giacometti ma non suo marito.
    12. Farò lavare l'automobile da Giancarlo.

B   Dare l'equivalente italiano:

1. They said that it would take us one hour.
2. They would have continued to work if they hadn't hurt themselves.
3. He used to invite her every time he could.
4. You (Lei) should have called us and we would have come.
5. Could you lend him five dollars?
6. Tell (tu) her to meet us at four thirty.
7. We dislike fish and never eat it.
8. Excuse (Lei) me, will you repeat it?
9. I shall come to pick you (tu) up at Isabella's this afternoon.
10. Let (tu) him study now, but don't forget to call him in time for the lecture.
11. We thought that we had nothing to do for today.
12. Go (voi) away and don't ever return.
13. Do you (Loro) know whose gloves these are?
14. Marisa told us that she had not been able to see them before they left.
15. Unless you (tu) are courteous to (con) me, I shall not help you.
16. Help (voi) them without their asking you.
17. Yesterday we learned that they will not get married.
18. He could do it but he did not want to do it.
19. Wherever he went he felt unhappy.
20. Do you remember the name of the author whose stories are as strange as these?

C   I   Leggere attentamente per capire, poi copiare dando la forma dovuta dei verbi fra parentesi e mettendo il discorso diretto al discorso indiretto. Il tempo principale dei verbi deve essere il **passato remoto:**

Aneddoto su Giotto
pittore, scultore e architetto, **(1266-1337).**   *painter / sculptor / architect*

Giorgio Vasari (raccontare) nelle sue **Vite** dei grandi *artisti* che il papa (volere) far *dipingere* dei quadri per San Pietro e che perciò (mandare) un *messaggero* da Giotto, di cui (conoscere) la *fama.*

artista artisti: *artist / dipingere: to paint,* p.r. **dipinsi,** p.p. **dipinto**
messenger
fame

Mentre (viaggiare) verso Firenze, il messaggero (fermarsi) da molti altri e (farsi) dare dei *disegni* da mostrare al papa. Finalmente (arrivare) allo studio di Giotto, (spiegargli) la sua commissione e (domandare) anche a lui un disegno per il papa. Giotto, che (essere) molto cortese, (mettersi) al tavolo, (prendere) un *pennello* e con un unico movimento della mano (dise-

drawings

brush (painting)

gnare) un *cerchio* così perfetto che (essere) una *meraviglia* a   *circle/marvel*
vederlo. (Girarsi) verso il messaggero e (dire): «Ecco il dise-
gno». Il messaggero domandò: «Non mi vuoi dare altro che
questo»? Giotto (rispondere): «*Basta e ne avanza*. Portalo dal   *it is enough and to spare*
papa e vedrai che ne riconoscerà il valore».
Il messaggero (andarsene) scontento, ma (portare) via il 'disegno con quelli degli altri artisti e (darli) al papa il quale subi-
to (capire) che Giotto (essere) *il migliore* artista di quel tempo.   *the best*

II   Rispondere in italiano alle seguenti domande:

1. Prima della Repubblica che governo aveva l'Italia?
2. Chi era Mussolini?
3. Perchè qualche volta gli italiani sono chiamati bilingui?
4. Per governare, che cosa deve avere il Consiglio dei Ministri?
5. Quali sono i partiti politici italiani più importanti?
6. Chi può votare?
7. Quali sono alcune differenze fra il sistema governativo
   italiano e quello americano?

VOCABOLARIO

architetto   *architect*
artista (m f)   *artist*
cerchio   *circle*
disegno   *drawing*
fama   *fame*
messaggero   *messenger*
pennello   *brush (painting)*

pittore (m)   *painter*
pittrice (f)   *painter*
scultore (m)   *sculptor*
scultrice (f)   *sculptor*

dipingere (irr)   *to paint*
scolpire   *to sculpt*

Lezione XXX

GRADI DI COMPARAZIONE.

F **Superlativo assoluto** (Absolute superlative).

Modelli:

1.	molto bello		very beautiful
	estremamente bello	bell-issimo	extremely beautiful
	supremamente bello		supremely beautiful

2.	molto intelligente		
	estremamente intelligente	intelligent-issimo	
	supremamente intelligente		

Osservazioni:

1. *With a few exceptions (best learned as they occur) drop the final vowel of the adjective and add the suffix (ending):* -issimo, -issima, -issimi, -issime.
2. *It is equally correct to use, for instance,* **estremamente bello** *or* **bellissimo.**

G **Comparativi e superlativi particolari:**

a.	buono	**migliore**	**il migliore**	**ottimo**
		più buono	il più buono	buonissimo
		(better)	(the best)	(extremely good, excellent)
	cattivo	**peggiore**	**il peggiore**	**pessimo**
		più cattivo	il più cattivo	cattivissimo
		(worse)	(the worst)	(extremely bad)
b.	grande	**maggiore**	**il maggiore**	**massimo**
		più grande	il più grande	grandissimo
		(greater, bigger)	(the biggest, the greatest)	(extremely great, very big)
	piccolo	**minore**	**il minore**	**minimo**
		più piccolo	il più piccolo	piccolissimo
		(smaller, lesser)	(the smallest)	(extremely small)

c. alto **superiore**   **il superiore**   **supremo**
        più alto   il più alto   altissimo
        (superior, higher,   (the highest, the   (extremely high, very tall,
        taller)   tallest)   supreme)

   basso **inferiore**   **l'inferiore**   **infimo**
        più basso   il più basso   bassissimo
        (lower, inferior)   (the lowest)   (extremely low, very base)

Osservazione:

These adjectives are highly idiomatic and their correct use can best be learned by practice.

Esempi dell'uso dei comparativi e superlativi particolari:

a. 1. Carlo è migliore di Guido ma è meno buono.
            better in general   *morally less good*
    2. Questa frutta sembra migliore ma è meno buona di quella di ieri.
                            better   *less tasty*
    3. Antonietta è brava, è la migliore della classe.
                            the best
    4. Cesare è negligente e cattivo, è il peggiore ragazzo che io conosca.
                                the worst
    5. Non ho mai mangiato pesce peggiore di questo, è pessimo.
                        worse   *awful*
    6. Cavour fu un ottimo uomo di stato.
                excellent
    7. Gli spaghetti con il sugo che fa la nonna sono ottimi.

b. 1. Mia sorella è maggiore di me, ma non è la maggiore della famiglia.
                older   *the oldest*
    2. Ho un fratello e una sorella minori.
                                younger
    3. ˙Avete letto le opere minori di Dante?
                        minor, secondary
    4. Dante è uno dei poeti maggiori del mondo e è il massimo poeta italiano.
                        major, greatest   *the greatest*
    5. La temperatura massima e minima sarà *registrata* ogni giorno.   *recorded*
                highest   *lowest*
    6. La *terra* è minima di fronte all'universo.   *earth*
            infinitesimal

Lezione XXX

c. 1. Ha lasciato gli *occhiali* al *piano* superiore.   *eyeglasses/floor*
            above

    2. Quel giovane ha un'intelligenza superiore.
                    above average

    3. Al piano inferiore abita una famiglia greca.
            below, lower

    4. Quell'impiegato è superiore a me ma inferiore al direttore.
            my superior   subordinate

    5. Il *comando* supremo decise così.   *command*
            supreme

    6. Fecero una cosa infima.
            exceedingly base

    7. Nei *bassifondi* la gente vive in condizioni infime.   *slums*
                        most abject

Notare: Il minimo che posso spendere è cento dollari, il massimo centocinquanta.
        the minimum   *the maximum*

Completare le frasi che seguono con il comparativo o superlativo particolare appropriato:

1. Siamo in tre fra fratelli e sorelle. Maria è nata nel 1963,
    Giancarlo nel 1965, e io nel 1961. Io sono ....

2. Il giornale radio ogni mattina dà la temperatura
    .... e .... del giorno prima.

3. Fra tutti i professori trovo che il Professor Smith è il più
    bravo e il più gentile. Secondo me è ....

4. In quella famiglia ci sono sei figli. Paolina è l'ultima nata,
    è ....

5. La *serata* non è stata affatto interessante, tutto era me-   *evening party*
    diocre, la *compagnia,* i rinfreschi, la conversazione. Ho   *company*
    passato una serata ....

6. I Rossi abitano nell'appartamento sopra di noi. Per ve-
    derli bisogna che Lei vada al piano ....

7. Perdere la vita per un'idea è fare il *sacrificio*   *sacrifice*
    ....

VERBO IRREGOLARE TRARRE. Il verbo trarre è coniugato in parte sulla radice dell'infinito latino trahere, diventato nell'italiano antico traere. **TRARRE:** to drag, to haul, to pluck.

Pres. indic.	Imperf. indic.	Futuro	Congiunt. pres.	Pass. rem.	Partic. pass.
traggo	traevo	trarrò	tragga	trassi	tratto
trai	traevi	trarrai	tragga	traesti	
trae	traeva	trarrà	tragga	trasse	
traiamo	traevamo	trarremo	traiamo	traemmo	
traete	traevate	trarrete	traiate	traeste	
traggono	traevano	trarranno	traggano	trassero	

Composti del verbo trarre:

attrarre	to attract
contrarre	to contract (to make a contract: **contrattare**)
detrarre	to detract, to deduct
distrarre	to distract
estrarre	to extract, to dig out
protrarre	to protract, to prolong
ritrarre	to portray, to depict, to retract
sottrarre	to subtract, to take away, to steal

Inserire la forma dovuta del verbo dato fra parentesi:

1. Quel pittore (ritrarre) .... sempre paesaggi di montagna.

2. Se andrai da Alberto (contrarre) .... la sua malattia.

3. Secondo la radio i ladri (sottrarre) .... quadri per il valore di tredici milioni di lire.

4. Mi (attrarre) .... l'idea di stabilirmi in Australia, ma poi decisi di restare qui.

5. Va bene se io (sottrarre) .... quello che mi devi dall'assegno che ti scrivo?

6. Non (protrarre, noi) .... la seduta, è già molto tardi.

7. I *cavalli* un tempo (trarre) .... le *diligenze* per i viaggi lunghi.   *horses/diligences*

8. Credeva che la musica ci (distrarre) .... dal nostro lavoro.

9. Nel 1876 alcuni archeologi (estrarre) .... una statua antichissima.

10. I poeti (ritrarre) .... i sentimenti più *profondi* dell'uomo.   *deep, profound*

11. Poverino, il dentista gli (estrarre) .... un *dente* del *giudizio*.   *tooth/judgment, wisdom*

12. Continuate a studiare, non (distrarvi) ....

AGGETTIVI SEGUITI DA UN VERBO ALL'INFINITO.

Modelli:

    a. 1. Era **bello** tornare a casa dopo aver viaggiato tanto.
        2. Fu **inutile** cercare di persuaderlo di firmare il trattato.
        3. Sarà **strano** non dover più andare a scuola.
        4. È più **sicuro** andare a piedi.
        5. È sempre **triste** perdere degli amici.

    b. 1. Marco è **curioso di** sentire le tue avventure.
        2. Sono **entusiasta di** appoggiare quel candidato.   *(m & f) enthusiastic*
        3. Siamo **certi di** venire da voi fra due giorni.
        4. Sarete **tristi di** vederlo partire.
        5. Gli studenti sono **impazienti di** cominciare la lezione.   *anxious*

    c. 1. Siamo **pronti ad** aiutarla.   *ready*
        2. Il professore non è **disposto a** darci un altro esame.   *disposed, inclined*
        3. Non sono **propenso a** crederti.   *inclined*
        4. Marcello fu **l'unico ad** accettare l'invito.
        5. Annamaria è stata la **sola a** ballare con Sergio.
        6. Sta' **attento a** non cadere.
        7. Voi siete sempre i **primi ad** arrivare e gli **ultimi ad** andarvene.

Osservazioni:

1. In general adjectives which are used in impersonal expressions are followed by an infinitive without a preposition. The preposition **di** *may be used at the discretion of the speaker.*

2. Most adjectives in personal expressions (i.e., when there is a definite subject) are followed by the preposition **di** *before an infinitive.*

3. A few **adjectives,** *most of them listed above, are followed by the preposition* **a** *before an infinitive.*

Inserire o meno la preposizione **a** o **di:**

    1. È brutto .... dire male degli altri.

    2. Loro sono sempre propensi .... dubitare di tutti.

    3. Paolo è sicuro .... vincere il premio.

    4. Dovreste essere pronti .... rispondere a tutte queste domande.

    5. L'ultima .... accorgersene fu Mariagrazia.

    6. Sarà inutile .... dargli dei consigli.

7. Era piacevole .... riposarsi per qualche giorno al mare.

8. Sono molto impaziente .... rivederti.

9. Non è affatto giusto .... non consultarlo.

10. Non eravamo soli .... preoccuparci della situazione.

11. Le siamo molto *grati* .... averci invitati.   *grateful*

12. Lei è disposto .... lavorare *di notte?*   *night time*

13. Era stanca .... dover sopportare tante difficoltà.

ESERCIZI

A   I   Mettere la seconda parte di ogni frase al discorso indiretto facendo tutti i cambiamenti necessari:

    1. Ha detto alla zia: «Partirò fra qualche giorno».
    2. Ho detto a mio cugino: «Tua madre mi ha mandato un bellissimo regalo».
    3. La moglie ha detto al marito: «Stasera non possiamo andare al cinema perchè abbiamo degli ospiti a pranzo».
    4. L'ospite ha confessato: «Loro sono così gentili che non vorrei più andare via».
    5. Gli operai hanno risposto al direttore: «Ci dia cinque dollari di più al giorno».
    6. Ha telefonato agli amici: «Cerco qualcuno che voglia andare in Europa con me».

II   Mettere la seconda parte di ogni frase al discorso diretto facendo tutti i cambiamenti necessari:

    1. La mamma dice alla figlia di andare al piano superiore a prendere i guanti che ha dimenticato.
    2. Un signore ha domandato all'impiegato quanto costava mandare una lettera in Europa per via aerea e di dargli dieci di quei francobolli.
    3. Il professore ha telefonato che stava male e che non poteva far lezione quel giorno. Ha detto di riguardare il racconto e di farne un riassunto per la lezione seguente.
    4. Giorgio ha scritto che si meravigliava che non gli avessimo mandato nessuna lettera ma che sperava che stessimo bene e che presto gli avremmo scritto.
    5. Il babbo mi ha raccomandato di farmi dare la ricevuta e di non perderla.

III Alla proposizione secondaria che segue premettere le proposizioni principali indicate e fare i cambiamenti necessari:

lamentarsi di tutto *to complain about everything*

1. Mi è simpatico benchè ....

2. Mi erano antipatici perchè ....

3. Non è bello che tu ....

4. Gli sembrava che lei ....

5. Parlate come se noi ....

6. Quando non aveva nulla da fare lui ....

7. Erano i soli che ....

8. In questa casa non c'è nessuno che non ....

B Dare l'equivalente italiano:

I 1. The cathedral doesn't seem as ancient as the bell tower.
2. He gave me as much money as he gave you.
3. The package was not as large as we imagined.
4. He is the greatest scientist in South America.
5. Your (Lei) work is inferior, you can do better.
6. They received an exceedingly sad piece of news.
7. The performance of *Othello*, last night, was excellent. **Otello**
8. The most he can earn is twenty-five dollars a day.
9. I have never heard a better concert than this one.
10. It always takes a lot of courage to confess *one's* sins. *use:* **propri**
11. It took us a long time to extract those words from him.
12. He believes that his son has contracted a dangerous illness.
13. While one distracted her the other stole her watch.
14. The author portrays the life of a family in the sixteenth century.
15. If you (tu) subtract what you owe them you won't have anything to give me.

II Italian literature began later than that of other European nations, but produced immediately three very great poets.
The first examples of Italian literature belong to the thirteenth century. The three great authors are of the fourteenth century. The first among these in order of time is Dante Alighieri, who was born in twelve hundred and sixty-five and was a Florentine like the other

two. Dante composed the poem which is called **Divina**
commedia in which he narrates a *vision*, his *imaginary*
journey through the three kingdoms beyond the *tomb*,
that is through *Hell, Purgatory* and *Paradise*.
Dante's purpose is to show how man may find *salva-*
tion in this life and in the next. Salvation in this sense
means *happiness*. According to Dante, happiness *con-*
sists in living in peace and *harmony* with the world,
with oneself and with God. Dante *dedicated* his poem
to Beatrice, the woman he loved in his *youth* and who
served him as *inspiration* all his life.

visione *(f)* / **immaginario**
tomba
Inferno / **Purgatorio** / **Paradiso**
salvezza

felicità / **consiste nel vivere**
armonia
dedicare
gioventù *(f)*
ispirazione *(f)*

(continua alla lezione seguente)

C Leggere con attenzione e imparare a memoria almeno i primi tre versi.

Primi versi della **Divina commedia**

Nel mezzo del cammin di nostra vita
mi ritrovai per una *selva* oscura
chè la *diritta* via era *smarrita*.

    Ah quanto a dir qual era è cosa dura
esta selva *selvaggia* e *aspra* e forte
che nel pensier rinnova la paura!

Tant'è *amara* che poco è più morte;
ma per trattar del ben ch'io vi trovai,
dirò dell'altre cose ch'i' v'ho *scorte*.

    Io non so ben *ridir* com'io v'entrai,
tant'era pieno di sonno a quel punto
che la *verace* via abbandonai.

Ma poi ch'io fui al *pie'* d'un *colle giunto*,
là dove *terminava* quella valle
che m'*avea* di paura il *cor compunto*,

    Guardai in alto, e vidi le sue *spalle*
vestite già de' *raggi* del *pianeta*
che *mena dritto* altrui per ogni *calle*.

Allor fu la paura un poco *queta*
che nel lago del cor m'era durata
la notte ch'i' passai con tanta *pieta*.

wood
straight / **smarrire**: *to lose*

questa / *savage* / *bitter, harsh*

bitter, sour

scorgere: *to perceive, to see dimly*
ridire: **dire di nuovo, raccontare**

vera, giusta
piede / *hill* / **giungere**: *to arrive, p.r.* **giunsi**
terminare: **finire**
aveva / **cuore** *(m)*: *heart* / *stung, afflicted*
shoulders
raggio: *ray* / *(m) planet*
menare: **condurre**: *to lead* / **diritto** / *way*
quieta: *quiet*

anguish

(**Inferno** I, 1-21)

D Nelle prime due *terzine* della **Divina commedia**
il poeta dice che a metà della sua vita si trovò
in una selva, in un bosco orribile, perchè aveva
perduto la via giusta. Egli non può descrivere
quanto fosse selvaggia e terribile quella selva,
ma ci dice che al solo pensarci si sente preso di
nuovo dalla paura.

terzina: strofa di tre versi

Che cosa dice il poeta nelle altre terzine? prepararsi a
rispondere.

VOCABOLARIO

armonia *harmony*
bassifondi *slums*
cavallo *horse*
comando *command*
compagnia *company*
dente (m) *tooth*
diligenza *diligence*
felicità *happiness*
gioventù (f) *youth*
giudizio *wisdom, judgment*
inferno *hell*
ispirazione (f) *inspiration*
occhiali *eyeglasses*
paradiso *paradise*
piano *floor (first, second, etc.)*
purgatorio *purgatory*
sacrificio *sacrifice*
salvezza *salvation*
serata *evening party, all evening long*
terra *earth*
tomba *tomb*
visione (f) *vision*

disposto *disposed, inclined*
entusiasta (m f) *enthusiastic*
grato *grateful, appreciative*
immaginario *imaginary*
impaziente *anxious, impatient*
profondo *deep, profound*
pronto *ready*
propenso *inclined*

consistere (pp: consistito) *to consist*
dedicare *to dedicate*
lamentarsi *to complain*
vivere (irr) *to live*

di notte *during the night*

Lezione XXXI

MODI INDEFINITI DEL VERBO. I modi indefiniti del verbo sono tre: l'infinito, il gerundio e il participio.

Infinito:

Presente	Passato		
essere	essere stato	**oppure**	esser stato
avere	avere avuto		aver avuto
vedere	avere veduto		aver veduto
fare	avere fatto		aver fatto
venire	essere venuto		esser venuto

Usi.

A   Come sarà stato notato, l'infinito presente è usato con la forza dell'imperativo nel dare comandi ed esortazioni in generale (non a una persona particolare):

Esempi:

1. **Mettere** le seguenti frasi al plurale.
2. **Dare** l'equivalente italiano.
3. **Tenere** la destra.   Keep to the right.
4. **Rallentare.**   Slow down.
5. **Agitare** bene la *bottiglia*.   shake   *bottle*
6. **Mescolare** le *uova* e lo zucchero.   mix   **uovo** *(m)* **uova** *(f): egg, eggs*

B   L'infinito presente e passato sono le sole parti del verbo che possono essere usate come:

a.   Il soggetto di un altro verbo (spesso l'infinito è preceduto dall'articolo):

1. Lo **studiare** è *piacevole*.   *pleasant*
2. **Sciare** sembra *divertente*.   *amusing*
3. A Luisa piace **viaggiare.**
4. L'**aver nuotato** nell'acqua *gelata* gli fece male.   *freezing*

b.   L'oggetto diretto di un altro verbo (molto spesso preceduto dalla preposizione **di**):

1. Cercate di **capirmi.**
2. Desideriamo **restare** soli.
3. Avrebbe preferito non **essersi innamorato** di lei.
4. Gli dispiace di **averti dato** il permesso di uscire.

c. L'oggetto di una preposizione (alcune preposizioni richiedono l'articolo):

1. Arrossisco **nel dirlo**.   in saying it
2. Cominciamo **con il leggere**.   by reading
3. Mi ha trattenuto **dal saltare** in acqua.   from jumping
4. Lavorerò fino **al sorgere** del sole.
5. **Oltre a scrivere** ha telefonato.
6. **Prima di partire** ci ha *raccomandato* suo figlio.   *to recommend*
7. Uscirete **dopo aver mangiato**.
8. Divertitevi **senza fare** troppo rumore.

Osservazioni:

1. *Practice (particularly reading) is the best guide in learning when to use the article with the* **infinito** *used as a noun.*
2. *As object of a preposition, the* **infinito** *takes the article when it follows the prepositions:*

$$\textbf{con} \qquad \textbf{in} \qquad \textbf{da} \textit{ (from)} \qquad \textbf{fino a}$$

3. *The* **infinito passato** *always follows* **dopo** *or* **dopo di**.
4. *With the exception of* **loro**, *the* **pronomi atoni** *follow and are attached to the auxiliary of the* **infinito passato**:

dopo aver**glielo** detto;   credo di esser**mi** sbagliato.

Inserire, secondo il caso, una delle seguenti preposizioni: **a, con, da, di, per, in, prima di, senza, dopo**:

1. .... aver scritto la lettera andò a impostarla.

2. Il professore ha detto .... cominciare .... il tradurre.

3. Mia moglie .... il sentire la notizia pianse.

4. Telefonagli .... avvertirlo.

5. Gli adulti trovano difficile imparare .... coniugare i verbi.

6. Non riuscirò mai .... capire queste cose.

7. Vi prego .... mandarmi subito la risposta.

8. Trattenetevi .... il parlarne.

9. Bisognerà cambiarsi .... uscire.

10. Si è bruciato la mano .... il versare il caffè.

VERBI IRREGOLARI CHE FINISCONO IN -GLIERE. Questi verbi sono irregolari al presente indicativo (e perciò al congiuntivo presente e all'imperativo), al passato remoto e al participio passato.

Verbo SCEGLIERE (to choose):

Presente indicativo	Passato remoto	Participio passato
scelgo	scelsi	scelto
scegli	scegliesti	
sceglie	scelse	
scegliamo	scegliemmo	
scegliete	sceglieste	
scelgono	scelsero	

Altri verbi comuni in **-gliere:**

accogliere	to receive, to welcome, to accept or grant (a request)
cogliere	to pick, to pluck, to catch (seize)
raccogliere	to pick up, to gather together, to assemble
sciogliere	to dissolve, to undo, to untie
togliere	to take away, to remove

Inserire la forma dovuta del verbo fra parentesi:

1. Paolo mi dice: «Per piacere, (sciogliere) .... questo *nodo*».   *knot*

2. Il professore dice agli studenti: «(Scegliere) .... una poesia da spiegare».

3. La signora dice alla cameriera: «(Togliere) .... la *pentola* dal *fuoco*».   *pan/fire*

4. Esorto i miei compagni: «(Raccogliere) .... i nostri libri e andiamo a lezione».

5. Più tardi io (cogliere) .... dei fiori.

6. Edipo (sciogliere) .... l'enigma della Sfinge.

7. Noi (togliersi) .... la giacca se avessimo avuto caldo.

8. Tua madre (accogliermi) .... sempre con affetto quando venivo *in visita*.   *for a visit*

9. Il presidente fra poco (scegliere) .... un nuovo *segretario*.   *secretary*

10. Disse che in seguito (accogliere) .... le nostre richieste.

VERBO IRREGOLARE BERE (to drink) che si coniuga in parte sulla radice dell'infinito bevere dal latino bibere. **BERE:**

Presente indicativo	Futuro	Passato remoto	Participio passato
bevo	berrò	bevvi	bevuto
bevi	berrai	bevesti	
beve	berrà	bevve	
beviamo	berremo	bevemmo	
bevete	berrete	beveste	
bevono	berranno	bevvero	

Completare le frasi che seguono con la forma appropriata di **bere:**

1. Se mi piacesse lo ....

2. (Noi, imperativo) .... alla *salute* dei nonni.   *(f) health*

3. (Tu) Non .... quell'acqua, non è *potabile*.   *potable*

4. Sarebbe meglio se voi .... di meno.

5. *Socrate* .... la *cicuta* come gli era stato comandato.   *Socrates / hemlock*

6. Mentre lui .... gli è accaduto di *tossire*.   *to cough*

7. Loro, che cosa prendono da .... ?

8. Più tardi .... un caffé, ora non prendo nulla.

9. Sembrava che lui non .... altro che vino.

10. Ha detto che lei .... la *birra* a pranzo stasera.   *beer*

11. Ieri sera tutti .... alla nostra salute.

12. Non mi pareva che quei giovani .... eccessivamente.

ESERCIZI

A   I   **Mettere le seguenti frasi al negativo usando una parola negativa:**

   1. Capisco tutte le parole.
   2. Ti prometto che ti scriverò sempre.
   3. Il pacco dei libri è già arrivato.
   4. Desidera altro?

5. Ci sono dei francobolli nella scatola.
6. Hanno molta fame.
7. Gli piace mangiare pizza e bere vino.
8. Le bambine hanno freddo e anche io.
9. C'è qualcuno che voglia aiutarmi?
10. Ho ancora molto da fare.

II Inserire o meno la preposizione **di** o **a:**

1. Dopo un po' ha confessato .... non saperlo fare.

2. Quanto tempo ci mettete di solito .... fare il compito?

3. *Non mancate* .... farmelo sapere.   *do not fail*

4. Ci esortò .... non distruggere nulla.

5. Gli ha proibito .... uscire la sera.

6. Vorremmo invitarLi .... accompagnarci a teatro.

7. Eravamo abituati .... aver freddo.

8. Non ha permesso loro .... entrare .... far

   visita al malato.

9. Riconosco .... aver fatto molti sbagli nella mia vita.

10. Mi scuso .... non aver potuto mantenere la promessa.

11. Questo pomeriggio mi metterò .... correggere i vostri saggi.

12. Si aspettava .... poter lasciare l'ufficio presto oggi.

13. Le notizie hanno contribuito .... far crescere la confusione.

14. Si divertiva .... dar noia alle sorelle.

15. Ci preoccupiamo .... non fare in tempo ad avvertire tutti.

16. So .... aver tremato in quel momento.

17. Vi prego .... non ridere di me.

18. Ha suggerito .... consultare diversi cataloghi.

19. Spero .... rivedervi fra poche settimane.

20. Erano convinti .... aver ragione.

21. Vi ringrazio .... avermi mandato gli auguri.

22. Dubito che Sandra abbia cominciato .... imparare .... far la maglia.

23. L'ho veduta .... arrivare ma non l'ho sentita .... entrare.

24. Io devo restare qui .... badare ai bambini.

25. Continuava .... piangere e non riusciva .... spiegarsi.

26. Impediranno alle automobili .... passare per quella via.

27. Posso aiutarLa .... portare le valigie?

28. Non possono sopportare .... stare senza fare nulla.

B   Dare l'equivalente italiano.   Continuazione dalla lezione precedente:

The second famous poet, born in thirteen hundred and four, is Francesco Petrarca, who is considered l'*iniziatore dell'umanesimo*. Petrarca was a *lyric* poet and had a very long and strong influence throughout Europe. He expresses with *depth* and *elegance* the feelings that *move* the hearts of men. He was mainly ispired by his love for Laura, whom he sung in his *songs* and sonnets, collected in a work which today carries the title of **Il Canzoniere.**

the beginner of humanism/**lirico**

profondità/eleganza/commuovere, *conj. like* **muovere**
la canzone le canzoni

Giovanni Boccaccio is the third great fourteenth century writer. Boccaccio wrote works in poetry and *prose,* but is particularly famous for his *volume* of one hundred *tales,* entitled **Il Decamerone.** In the tales there appears the new spirit of humanism and of the Renaissance. The writer shows that he *appreciates* the good things of *earthly* life and he tells his stories with *vivacity,* with *skilfulness* and in an amusing manner. Some of his tales are *scandalous,* however Boccaccio's purpose is not *immoral* but to show life as it is and to make others appreciate life. Boccaccio too loved a woman, Fiammetta, who served him as an inspiration, but his love for Fiammetta was more *sensual* than that which Dante and Petrarca had for Beatrice and Laura.

prosa
il volume/la novella

apprezzare/terreno
vivacità/maestria
scandaloso
immorale

sensuale

Towards the end of the fourteenth century, at Boccaccio's death, which occurred in thirteen hundred and seventy-five, one year after Petrarca's, Franco Sacchetti, a minor poet and writer of short stories, wrote:

Or è mancata ogni poesia
e *vote* son le case di *Parnaso*
poi che morte n'ha tolto ogni valore.

vuote/*Parnassus*

C   Lettura. Sonetto di Francesco Petrarca. Il sonetto è un lamento composto
alcuni anni dopo la morte di Laura.

Quel *rosignuol,* che sì *soave piagne*   **usignuolo:** *nightingale*/*sweet, sweetly*/**piange**
forse suoi figli o sua cara *consorte,*   *spouse*
Di *dolcezza empie* il cielo e le campagne   *sweetness*/**riempie, da riempire *:** *to fill*
Con tante *note* sì *pietose* e *scorte,*   *notes*/*doleful*/**accorte:** *carefully modulated*

E tutta notte *par* che m'*accompagne*   **pare**/**accompagni**
E mi *rammente* la mia *dura sorte:*   **rammenti, da rammentare:** *to remind*/*fate*
Ch'*altri* che me non ho di chi mi *lagne,*   **lagni,** *I can't complain of anyone except myself*
Chè 'n *dee* non credev'io regnasse Morte.   **dea:** *goddess*

Oh, che lieve è *ingannar* chi *s'assecura!*   *to deceive*/**si assicura:** *feels secure*
Que' *duo* lumi, assai più che 'l *sol* chiari, **due**/**sole**
Chi pensò mai veder far terra oscura?

Or *cognosco* io che mia *fera ventura*   **conosco**/**fiera:** *fierce, cruel*/*fate*
Vuol che *vivendo* e *lagrimando* impari   *living*/*weeping,* **da lagrimare (lacrimare)**
Come nulla *quaggiù diletta* e dura.   *down here*/**dilettare:** *to delight, to give pleasure*

D   Rispondere:

1.   Che cosa rappresenta l'usignuolo?
2.   Di che cosa si lamenta?
3.   Perchè il Petrarca non aveva pensato che Laura potesse
     morire?
4.   Chi può esser facilmente ingannato?
5.   Che cosa impara il poeta con la morte di Laura?
6.   Che cosa dice il sonetto sulla sorte dell'uomo?
7.   Quale scena evoca il poeta?

----

* **Riempire,** *presente indicativo: riempio riempi riempie riempiamo riempite riempiono.*

VOCABOLARIO

birra   *beer*
bottiglia   *bottle*
cicuta   *hemlock*
eleganza   *elegance*
fuoco   *fire*
iniziatore (m)   *initiator*
maestria   *mastery*
nodo   *knot*
novella   *tale, short story*
pentola   *pot, saucepan*
profondità   *depth*
prosa   *prose*
salute (f)   *health*
segretario   *secretary*
umanesimo   *humanism*
uovo (m), le uova   *egg*
vivacità   *vivacity, liveliness*
volume (m)   *volume*

divertente   *amusing*
gelato   *frozen*

immorale   *immoral*
lirico   *lyric*
piacevole   *pleasant, attractive*
potabile   *potable, drinkable*
scandaloso   *scandalous*
sensuale   *sensual*
terreno   *earthly*

agitare   *to shake, to agitate*
apprezzare   *to appreciate*
bere (irr)   *to drink*
commuovere (irr)   *to move (feelings)*
gelare   *to freeze*
mescolare   *to mix*
raccomandare   *to recommend*
rallentare   *to slow down*
riempire (irr)   *to fill*
scegliere (irr)   *to choose*
tossire   *to cough*

Lezione XXXII

MODI INDEFINITI DEL VERBO

Gerundio:

	Presente	Passato
	ess-endo	essendo stato
	av-endo	avendo avuto
	lasci-ando	avendo lasciato
	legg-endo	avendo letto
	usc-endo	essendo uscito
(dare)	dando	avendo dato
(fare)	facendo	avendo fatto
(tradurre)	traducendo	avendo tradotto
(trarre)	traendo	avendo tratto
(dire)	dicendo	avendo detto
(porre)	ponendo	avendo posto

Notare che il gerundio dei verbi irregolari, che si coniugano in parte sull'infinito latino, usa la radice (the stem) del verbo latino.

Usi. Il gerundio deve avere lo stesso soggetto del verbo della proposizione principale.

A   Il gerundio sostituisce una proposizione secondaria dei seguenti tipi:

    a.   Temporale, introdotta da mentre, quando **(while)**, dopo **(after)**:

        1.   Li abbiamo incontrati **sciando.**
           we met them when we were skiing
        2.   **Parlando** agitava le mani.
           while he was speaking he waved his hands
        3.   **Avendo guardato** meglio lo riconobbe.
           after he took a better look he recognized him

    b.   Causale, introdotta da poichè, dato che, giacchè **(since, because):**

        1.   **Essendo** stanco vado a letto.
           since I am tired I am going to bed
        2.   Se ne vanno non **avendo** altro da fare.
           they are going because they have nothing else to do
        3.   **Essendo partito** non può venire da te.
           since he has departed he cannot come to your place

c. Condizionale, introdotta da se **(if);** di solito per azioni future (gerundio presente):

> 1. **Arrivando** in tempo prenderemo il treno delle sei.
>   *if we arrive in time we shall take the six o'clock train*
> 2. **Partendo** alle due arriveremo alle cinque.
>   *if we left at two we would arrive at five o'clock*

B Il gerundio presente è l'equivalente del participio presente inglese che descrive il modo di un'azione:

> 1. Sono usciti **ridendo.**
> 2. Ci andremo **correndo.**
> 3. *Evitò* lo *scontro* **rallentando** la macchina.   **evitare:** *to avoid/collision*

C Il gerundio presente è l'equivalente del participio presente inglese preceduto da una preposizione che non è assolutamente necessaria **(in, on, upon, through, by):**

> 1. **Cadendo** si è fatto male.
>   *(by) falling he hurt himself*
> 2. **Ripetendolo** molte volte l'ha imparato.
>   *(by) repeating it many times he learned it*
> 3. Mi dette la chiave **uscendo** di casa.
>   *he gave me the key (upon) leaving the house*
> 4. Abbiamo pianto **sentendolo.**
>   *we wept (on) hearing it*
> 5. È caduto **attraversando** la strada.
>   *he fell (in) crossing the street*
> 6. **Facendo** uno sforzo riuscirai a farlo.
>   *(through) making an effort you will succeed in doing it*

Osservazioni:

1. In general the **gerundio** *is used to avoid wordiness by replacing a subordinate clause that indicates circumstances which precede or accompany an action.*

2. The **pronomi atoni,** *except* **loro,** *follow and are attached to the gerundio presente, or to the auxiliary of the* **gerundio passato:** avendo**lo** veduto, essendo**ci** andato.

3. As stated, the subject of the **gerundio** *is the same as the subject of the main clause. If the subjects are different in English, the* **gerundio** *cannot be used and one must use a different type of clause:*

> *a. I saw him swimming (while he was swimming).*
>   l'ho veduto **mentre nuotava**
> *b. I hear singing (someone is singing).*
>   sento **cantare**
> *c. I heard the children shouting.*
>   ho sentito **gridare** i bambini
>   ho sentito i bambini **che gridavano**

4. *As evident from the examples already given,* **una proposizione gerundiva** *may be interpreted in different ways. If one wishes to avoid ambiguity one uses a different type of clause.*

a. Avendolo ripetuto più volte l'ha imparato.
        Dato che l'ha ripetuto più volte l'ha imparato.
        Dopo averlo ripetuto più volte l'ha imparato.
        Con il ripeterlo più volte l'ha imparato.

b. *Sforzandoci* riusciremo a farlo.   **sforzarsi:** *to make the effort*
        Se ci sforziamo riusciremo a farlo.
        Dato che ci sforziamo riusciremo a farlo.
        Con lo sforzarci riusciremo a farlo.

c. Arriveremo in breve tempo andando in aereo.
        Arriveremo in breve tempo dato che andremo in aereo.
        Arriveremo in breve tempo se andremo in aereo.
        Arriveremo in breve tempo con l'andare in aereo.

d. *Chiacchieravano* camminando.   **chiacchierare:** *to chat*
        Chiacchieravano mentre camminavano.
        Chiacchieravano e camminavano.
        Chiacchieravano nel camminare.

Trasformare una delle proposizioni di ciascuna frase in una proposizione gerundiva:

1. Dopo averlo eletto si pentirono.

      ....

2. Se non puoi venire faccelo sapere.

      ....

3. Dato che non sono andato a lezione non so quale sia il compito.

      ....

4. Studiavano e ascoltavano la radio.

      ....

5. Non capirete se vi distraete.

      ....

6. Si è ammalato perché ha lavorato troppo.

      ....

7. Deve farsi prestare del denaro dato che non ne ha più.

      ....

Participio:

Presente	Passato
ess-ente	stato
av-ente	avuto
cant-ante	cantato
promett-ente	promesso
part-ente	partito
pon-ente	posto
fac-ente	fatto
dic-ente	detto
tra-ente	tratto

Usi.

A Il **participio presente** ha perduto la forza verbale ed è usato quasi esclusivamente come aggettivo o sostantivo:

a. Aggettivo:

1. una lettura divertente
2. la bella dormente   sleeping beauty
3. una macchina altoparlante   loudspeaking machine
4. l'acqua corrente   running water
5. un sedicente poeta   **(sè dicente)** self styled
6. delle donne seducenti   **sedurre:** to seduce, **seducente:** fascinating

b. Sostantivo:

1. I partenti salutano gli amici.   those who are leaving
2. La cantante è spagnola.   singer
3. Non c'è la corrente elettrica.   electric current
4. Domandiamo a un passante.   passer-by
5. Bisogna aiutare i nullatenenti   have nots
6. I benestanti stanno bene.   haves, well-to-do

B Il **participio passato** è usato:

a. Per formare i tempi composti, come è già stato studiato.

b. Come aggettivo:

1. Porto una *camicia* pulita.   *shirt*
2. Dovete fare due esercizi scritti.
3. Le luci accese *rallegrano* la notte. **rallegrare:** *to cheer*
4. Mi piacciono le riviste illustrate.

c. Come sostantivo:

    1. Questi sono gli scritti di Mazzini.
    2. I morti non parlano.
    3. Il passato non ritorna.
    4. Ha fatto delle scoperte scientifiche.

d. Per sostituire una proposizione temporale o causale che esprima un'azione già compiuta (a completed action):

    1. Andato a sciare li ha incontrati.
        Essendo andato a sciare li ha incontrati.
        Dato che è andato a sciare li ha incontrati.
        Dopo essere andato a sciare li ha incontrati.

    2. Finito il libro me lo ha dato.
        Giacchè aveva finito il libro me lo ha dato.
        Dopo aver finito il libro me lo ha dato.
        Avendo finito il libro me l'ha dato.

Osservazioni:

1. One uses the **participio passato** *to replace a temporal or causal clause especially for conciseness and to convey the idea of rapid action:*

a. Occupata la città e distruttala, i nemici fuggirono.
b. Letta la lettera e copiatone l'essenziale, la rimetterò sul tavolo.
c. Accompagnati i bambini a scuola, pulita la casa e fatta la spesa, la mamma si riposa.
d. Arrivati ripartirono subito, senza neanche il tempo di *rinfrescarsi*.   *to cool off, to freshen up*
e. Venuti loro finì la festa.

2. When one uses the **participio passato** *by itself it must be noted that if the verb is transitive (i.e., conjugated with the auxiliary* **avere**) *the* **participio passato** *must be followed by the direct object, either a noun or a pronoun, and agree with it in gender and number. If the verb is intransitive (auxiliary* **essere**) *the agreement must be made with the subject:*

                avendola veduta   vedutala
                essendo partiti (gli zii)   partiti

3. The **pronomi atoni** *follow and are attached to the* **participio passato** *which must agree in gender and number with the direct object:*

scritti i saggi	**scrittili**
datole la mano	**datagliela**
comprati due libri	**compratine** due

ESERCIZI

A   I   Sostituire l'infinito presente o passato a una delle due proposizioni di ciascuna frase:

1. Si ruppe la gamba sciando.
2. Tagliando la carne mi sono ferito (**ferire:** to wound).
3. L'aiuterete di più lasciandola in pace.
4. Dopo che avremo spento il fuoco avremo freddo.
5. Fareste prima se andaste a piedi.
6. Essendosi innamorato tutto gli sembrò facile e bello.

II   Alla proposizione gerundiva sostituire una o più proposizioni che abbiano il verbo a un tempo coniugato:

1. Lavorando così poco non finiremo mai.
2. Troveremo buoni posti al teatro, arrivando presto.
3. Essendosi rotta la sedia fu fatta accomodare dal falegname (carpenter).
4. Abbiamo sbagliato non avendo letto le istruzioni.
5. Canta sempre pulendo la casa.

III   Sostituire il gerundio presente o passato a una delle proposizioni di ciascuna frase:

1. Dopo aver pranzato tornerò in ufficio.
2. Se riducessero le tasse non avrebbero abbastanza entrate (pl., income).
3. Non potè proibirlo dato che aveva già dato il permesso di farlo.
4. Dormiva e si lamentava.
5. Se la incontrerò le parlerò.
6. Dato che voleva guadagnare troppo finì per non guadagnare nulla.

IV   Dare in altro modo l'equivalente di una delle due proposizioni di ogni frase:

1. Firmato il contratto si pentì.
2. Fermatasi al semaforo (traffic light) l'automobile non ha più funzionato.
3. Distrutto lo stabilimento dall'esplosione, gli operai si sono trovati senza lavoro.
4. Scoperta l'America tutti i paesi europei ne hanno voluto un pezzo (piece).
5. Evitato lo scontro i due conducenti (driver) sono scesi a terra e si sono messi a gridare l'uno contro l'altro.
6. Appena ricevuto l'assegno ti pagherò.

B   Dare l'equivalente italiano:

1. While I was in the library I saw them talking together.
2. Before starting the class Miss Santini wishes to say something.
3. Being theatre enthusiasts we accept with pleasure to buy the tickets.
4. They had been waiting two weeks for that letter.
5. Having noticed that his idea didn't please anyone, Mr. Tordini decided not to speak about it any more.
6. In the end he was much more fortunate than he expected.
7. My youngest brother is taller than I.
8. By starting at nine in the evening we shall arrive at midnight.

C   Lettura. Segue, parte in questa lezione e parte nella successiva, un racconto di Italo Calvino. Questo scrittore contemporaneo nacque a Santiago de Las Vegas (Cuba) nel 1923, combattè nella Resistenza, ha collaborato a varie riviste letterarie. È un *narratore fantasioso* e al tempo stesso realista. L'*ambiente* del racconto è Milano. *fiction writer / imaginative place*
È morto a Siena nel 1985.

Il *bosco* sull'autostrada   *wood (trees)*

Il freddo ha mille forme e mille modi di muoversi nel mondo: sul mare corre come una *mandria* di cavalli, sulle campagne si *getta* come uno *sciame* di *locuste*, nelle città come *lama di coltello* taglia le vie e *infila le fessure* delle case non *riscaldate*. A casa di Marcovaldo quella sera erano finiti gli ultimi *stecchi*, e la famiglia, *tutta incappottata*, guardava nella *stufa impallidire* le *braci*, e dalle loro *bocche* le *nuvolette* salire a ogni *respiro*. Non dicevano più niente; le nuvolette parlavano per loro: la moglie le *cacciava* lunghe lunghe come *sospiri*, i figlioli le

herd
throws / swarm / locusts / blade
knife / penetrates / cracks / heated
twigs
covered with coats / stove / to grow pale / **brace:** *embers / mouths*
small clouds / breath
cacciare: *to eject, to emit / sighs*

soffiavano assorti come *bolle* di *sapone*, e Marcovaldo le *sbuffava* verso l'alto a *scatti* come *lampi* di *genio* che subito *svaniscono*.

> *blowed/absorbed/bubbles/soap*
> **sbuffare:** *to puff/jerks, outbursts*
> *flashes/genius/* **svanire:** *to vanish*

Alla fine Marcovaldo si decise: «Vado per *legna*; chissà che non ne trovi». Si *cacciò* quattro o cinque giornali *tra* la giacca e la camicia, si nascose sotto il cappotto una lunga *sega dentata*, e così uscì nella notte, seguito dai lunghi *sguardi speranzosi* dei famigliari, mandando *fruscii cartacei* ad ogni passo e con la sega che ogni tanto gli *spuntava* dal *bavero*.

> **la legna:** *fire wood*
> **cacciarsi:** *to thrust/* **fra**
>
> *saw/toothed*
> *glances, looks/full of hope*
> *rustles/papery*
> **spuntare:** *to peep/collar (coat)*

Andare per legna in città: una parola! Marcovaldo si *diresse* subito verso un *pezzetto* di giardino pubblico che c'era tra due vie. Tutto era deserto. Marcovaldo studiava le *nude piante* a una a una pensando alla famiglia che lo aspettava battendo i denti...

> **dirigere:** *to direct, p.r.* **diressi,**
> *p.p.* **diretto/***small piece*
> *naked*
> *plants*

Il piccolo Michelino, battendo i denti, leggeva un libro di *fiabe*, preso in *prestito* alla *bibliotechina* della scuola. Il libro parlava d'un bambino figlio di un tagliaialegna, che usciva con l'*accetta*, per far legna nel bosco. «Ecco dove bisogna andare» disse Michelino, «nel bosco! Lì sì che c'è la legna!» Nato e cresciuto in città, non aveva mai *visto* un bosco neanche *di lontano*.

> *fairy tales/loan/small library*
>
> *hatchet*
>
> **veduto**
> *from afar*

Detto fatto, combinò coi due fratelli: uno prese un'accetta, uno un *gancio*, uno una *corda*, salutarono la mamma e andarono in cerca di un bosco.

> *no sooner said than done/agreed*
> *hook/rope*

Camminavano per la città *illuminata* dai *lampioni*, e non vedevano che case: di boschi, neanche l'*ombra*.

> **illuminare:** *to light up/street làmps*
> *shadow*

Incontravano qualche raro passante, ma non *osavano* chiedergli dov'era un bosco. Così giunsero dove finivano le case della città e la strada diventava un'autostrada.

> **osare:** *to dare*

Ai *lati* dell'autostrada, i bambini videro il bosco: una *folta vegetazione* di strani alberi copriva la *vista* della pianura. Avevano i *tronchi fini fini*, diritti o *obliqui*; e *chiome piatte* e estese, *dalle* più strane forme e dai più strani colori, quando un'auto passando le illuminava coi *fanali*. *Rami* a forma di *dentifricio*, di *faccia*, di *formaggio*, di mano, di *rasoi*, di bottiglia, di *mucca*, di *pneumatico, costellate* da un *fogliame* di lettere dell'*alfabeto*.

> *sides/thick*
> *vegetation/view*
> *trunks/very slender/on the slant*
> *head of hair, foliage/flat/in the*
> *lights/branches*
> *toothpaste/face/cheese/razor*
> *cow/tire/studded*
> *foliage/alphabet*

«*Evviva!*» disse Michelino, «questo è il bosco!»

E i fratelli guardavano *incantati* la luna spuntare tra quelle strane ombre: «Com'è bello...».

> *hooray*
> *enchanted, fascinated*

Michelino li richiamò subito allo scopo per cui erano venuti lì: la legna. Così *abbatterono* un *alberello* a forma di fiori di *primula* gialla, lo fecero in pezzi e lo portarono a casa.

> **abbattere:** *to fell/small tree*
> *primrose*

(Continua alla prossima lezione)

D   Alcuni *suffissi*. È una caratteristica della lingua   *suffixes*
     italiana di modificare le parole aggiungendo un
     suffisso a una parola dopo aver tolto la vocale
     finale.

1.	ragazzo	—	ragazz**one**			big, overgrown boy
	ragazza	—	ragazz**ona**			big, overgrown girl
2.	ragazzo	—	ragazz**accio**			bad boy
	donna	—	donn**accia**			bad woman
3.	poeta	—	poet**astro**			unworthy of the title, poetaster
4.	poesia	—	poesi**ucola**			insignificant poem
5.	medico	—	medic**onzolo**			quack
6.	Michele	—	Michel**ino**			(affectionate diminutive)
	biblioteca	—	bibliotech**ina**			
7.	albero	—	alber**ello**	—	alber**uccio**	small, not very flourishing
	bambina	—	bambin**ella**	—	bambin**uccia**	
8.	nuvola	—	nuvol**etta**			small, unimpressive
	casa	—	cas**etta**			

Suffixes are highly idiomatic and they shouldn't be used until one is certain of their
meaning.

E   I   Rispondere:

      1.   Perchè la famiglia di Marcovaldo aveva tanto freddo?
      2.   Dove andò Marcovaldo a cercare la legna?
      3.   Come si vestì prima di uscire?
      4.   Che *strumento* portò con sè?   *instrument, implement*
      5.   Durante la sua *assenza* che fecero i suoi bambini?   *absence*
      6.   Chi è Michelino?
      7.   Quali strumenti presero i bambini prima di uscire?
      8.   Sapevano dove trovare un bosco?
      9.   Che *specie* di bosco trovarono?   **la specie:** *kind, species*
     10.   Perchè i bambini erano incantati?

     II   Descrivere:

      1.   Una gita in inverno.
      2.   Una situazione simile a quella di Marcovaldo.

VOCABOLARIO

ambiente (m)   *environment, setting*
assenza   *absence*
bosco   *wood, forest*
camicia   *shirt*
conducente (m & f)   *driver, conductor*
entrata   *entrance, income*
falegname (m)   *carpenter*
narratore (m)   *narrator*
pezzo   *piece*
scontro   *clash, collision*
semaforo   *traffic light*
specie (f)   *species, kind*

strumento   *instrument*
suffisso   *suffix*

fantasioso   *imaginative*
folto   *thick*
nudo   *naked*

chiacchierare   *to chatter, to gossip*
evitare   *to avoid*
ferire   *to wound*
rallegrare   *to cheer*
rinfrescarsi   *to freshen up, to cool off*
sforzarsi   *to make the effort*

Lezione XXXIII

FORMA PASSIVA DEI VERBI. Solo i verbi transitivi (che sono coniugati con avere e che hanno un oggetto diretto) possono avere la forma passiva. L'ausiliare del passivo è sempre il verbo **essere.**

Ci sono due maniere principali di formare il passivo in italiano, una uguale all'inglese, l'altra che è usata quando l'agente (cioè chi fa l'azione) non è precisato (is not defined, is impersonal).

A   **Forma passiva parallela all'inglese:**

forma passiva:	the book	**is read**	by me	il libro	**è letto**	da me
forma attiva:	I	read the book		io	leggo il libro	
forma passiva:	the book	**has been read**	by me	il libro	**è stato letto**	da me
forma attiva:	I	**have read** the book		io	ho letto il libro	

Modelli. Prima persona singolare dei tempi del verbo **LODARE al passivo:**

Indicativo:

presente	sono lodato (lodata)	*I am praised, I am being praised*
imperfetto	ero lodato (lodata)	
futuro	sarò lodato (lodata)	
passato remoto	fui lodato (lodata)	
passato prossimo	sono stato lodato (stata lodata)	*I have been praised*
piuccheperfetto	ero stato lodato (stata lodata)	
futuro anteriore	sarò stato lodato (stata lodata)	

Congiuntivo:

presente	sia lodato (lodata)
imperfetto	fossi lodato (lodata)
passato	sia stato lodato (stata lodata)
piuccheperfetto	fossi stato lodato (stata lodata)

Condizionale:

presente   sarei lodato (lodata)
passato   sarei stato lodato (stata lodata)

Imperativo: sii lodato (lodata)

Infinito:

presente   essere lodato (lodata)
passato   essere stato lodato (stata lodata)

Gerundio:

presente   essendo lodato (lodata)
passato   essendo stato lodato (stata lodata)

Participio:

passato   stato lodato (stata lodata)   (rarely used)

Osservazione:

The passive is formed by prefixing the required tense of **essere** *to the past participle of the verb one wishes to use in the passive form.*

Mettere le seguenti frasi alla forma passiva:

1. Marisa legge un romanzo.

    ....

2. I giovani eleggeranno quel deputato.

    ....

3. Il Signor Cantelli ha scritto quell'articolo.

    ....

4. Il presidente abolì quelle leggi.

    ....

5. Noi suonavamo il violino, Giulia il pianoforte.

    ....

6. I nostri genitori ci avevano dato il permesso.

    ....

7. Secondo i giornali quell'uomo avrebbe confessato il *delitto*.   crime

    ....

8. Pare che gli operai abbiano registrato una protesta.

    ....

9. Tu hai fatto cadere i piatti.

    ....

10. Avrò ripetuto la stessa cosa cento volte.

    ....

B   **Forma passiva quando l'agente non è precisato:**

Passivo con il «si»:   **Passivo già studiato:**

1. **Si leggono** pochi libri.   Pochi libri sono letti.
2. **Si sentivano** dire molte sciocchezze.   Molte sciocchezze erano sentite dire.
3. **Si darà** una rappresentazione di Otello.   Una rappresentazione di Otello sarà data.
4. **Si lodò** la nuova legge.   La nuova legge fu lodata.
5. Se ci fosse buona volontà **si aiuterebbe-** Se ci fosse buona volontà i poveri sarebbero
    ro i poveri.   aiutati.
6. **Si sono venduti** molti quadri.   Molti quadri sono stati venduti.
7. Se ci fosse stato tempo **si sarebbero lette** Se ci fosse stato tempo altre poesie sarebbe-
    altre poesie.   ro state lette.

Osservazioni:

*1. The passive form with «si» can be used only in the third person. The «si» is the
     reflexive pronoun* **si,** *both singular and plural.*
*2. To form the passive with «si» of verbs in a simple tense, one prefixes «si» to
     the verb and uses the singular or the plural form according to the direct
     object of the active form:*

            lodano **la nuova legge**   — *si* **loda** *la nuova legge*
            vende **molti libri**   — *si* **vendono** *molti libri*

3. *In forming the passive with «si» of verbs in a compound tense, one must remember to use the auxiliary* **essere** *and to make the* agreement of the past participle:

        hanno lodato **la nuova legge**   —   si è lodat**a** la nuova legge
        ha venduto **molti libri**   —   si **sono** vendut**i** molti libri

4. *The «si» form is used whenever possible as it makes the sentence less cumbersome. In general it should be used henceforth whenever the agent is indefinite or impersonal. One must note, however, that at times the «si» form may cause ambiguity, for example:*

un passante è stato fermato — si è fermato un passante

The first clause means «a passer-by was stopped», but the second clause may be taken to mean instead «a passer-by stopped».

Dare la forma passiva con il «si»:

1. Gli auguri, in italiano, sono espressi così.

   ....

2. I risultati delle elezioni sono già stati dati.

   ....

3. Le poesie di Ungaretti sono molto apprezzate.

   ....

4. Quella musica sarà ascoltata con piacere.

   ....

5. La stessa notizia sarà stata ripetuta dieci volte.

   ....

6. Le vocali devono essere pronunciate chiaramente.

   ....

7. Le lettere erano sempre ricevute con entusiasmo.

   ....

8. Secondo i giornali un accordo sarebbe stato firmato fra quei due paesi.

   ....

ALCUNE ESPRESSIONI UTILI.

I   **Star facendo** (to be in the midst of doing):

    1. Stava nevicando quando sono tornato a casa.
    2. Che fai? Sto *aggiustando* questa *lampada*.   **aggiustare:** *to fix / lamp*
    3. Domani a quest'ora staremo pranzando in aereo.
    4. Quando l'ho lasciata si stava lavando i capelli.

II   **Stare bene (male) a qualcuno** (to be becoming, to fit, to suit someone):

    1. Quel vestito azzurro ti sta molto bene.
    2. Questo cappello ti sta male, prova quello.
    3. La giacca non Le sta bene, è stretta nelle spalle.
    4. Le *minigonne* stanno molto bene a chi è giovane e ha del-   *miniskirts*
        le belle gambe.
    5. Quella ragazza sta meglio in pantaloni che in gonna.

III   **Smettere** (to stop doing, to give up, to discontinue):

    1. Smetti di darmi noia.
    2. Ha smesso di piovere.
    3. Mi sono messo al lavoro alle otto e ho smesso a mezzo-
        giorno.
    4. Non smettere di sperare che le cose migliorino.
    5. Darò i nostri vestiti *smessi* ma in buono *stato* a un *ente* di be-   *no longer used / condition*
        neficenza.   *institution, organization / welfare,*
                charity, good will

ESERCIZI

A   I   Mettere le seguenti frasi alla forma passiva (quando la frase è già alla forma passiva, e quando l'agente è indefinito, usare il «si»):

    1. Ogni settimana invita i suoi compagni.
    2. Non scuserò nessuno sbaglio di *distrazione*.   *carelessness*
    3. La mamma non ha ancora tagliato il dolce.
    4. Gli assegni devono essere firmati.

5. Gli operai riscuotono la *paga*.   *pay, wage*
6. Ti pagherei io se avessi abbastanza denaro.
7. Il Capodanno è festeggiato il primo gennaio.
8. Qui parlano diverse lingue straniere.
9. Là vendono libri usati.
10. In quel corso molti documenti erano stati letti.
11. Guido aveva già pagato quattordici dollari.
12. I cittadini elessero cinquanta deputati socialisti.
13. La *pena* di morte sarà abolita in tutti i paesi *civili*.   *penalty, pain/civilized*

II   Completare le seguenti frasi usando le espressioni: smettere, star (facendo), star bene (male):

1. Questi pantaloni sono larghi, ti ....

2. Che cosa fate? .... il compito.

3. Ho moltissimo da fare perciò non posso ....

4. Rappresento un ente di beneficenza e raccolgo vestiti ....

5. Nevica ancora? No ....

6. Che cosa .... quando siamo entrati?

7. Sarebbe bene .... di parlare male degli altri.

8. Che bel cappello! Peccato che mi ....

9. Sai se hanno aggiustato l'automobile? La ....

10. Preferisco un vestito, le maglie e le gonne mi ....

B   Dare l'equivalente italiano:

1. At Christmas many gifts are given.
2. Ash Wednesday is preceded by Carnival and marks the beginning of Lent.
3. *Chocolate* eggs are given as gifts at Easter in Italy.   **cioccolato**
4. No foolish things were ever spoken by him.
5. On New Year's eve a bad piece of news was received by his parents.
6. Much money was *saved* by many people this year.   **risparmiare**
7. Nothing was said about this by anyone.
8. This watch was given to me by my father for my *birthday*.   **compleanno, festa**

9. In that restaurant delicious **cannelloni** are served.
10. All Italian vowels must be pronounced in order to be understood.
11. Every day when he stopped work he visited his grandparents.
12. The students are in the midst of taking their examinations.

C   Lettura. Continuazione de **Il bosco sull'autostrada.**

Marcovaldo tornava col suo *magro* carico di rami *umidi* e trovò la stufa accesa. «Dove l'avete preso?» *esclamò* indicando i resti del *cartello pubblicitario* che, essendo di *legno compensato,* era bruciato molto in fretta.	*thin / damp* *exclaimed* *billboard, poster / plywood*

«Nel bosco!» fecero i bambini.
«E che bosco?»
«Quello dell'autostrada. Ce n'è pieno!»

Visto che era così semplice, e che *si era* di nuovo senza legna, *tanto valeva* seguire l'esempio dei bambini. Marcovaldo tornò a uscire con la sua sega, e andò sull'autostrada.	*one was* *one might as well*
L'*agente* Astolfo della polizia stradale, era un po' *corto di vista,* e la notte, correndo in *moto* per il suo *servizio,* avrebbe avuto bisogno degli *occhiali;* ma non lo diceva, per paura d'averne un *danno* nella sua *carriera.*	*agent, officer* *short, nearsighted / **motocicletta*** *service / eyeglasses* *damage, harm / career*
Quella sera, viene *denunciato* il fatto che sull'autostrada un *branco* di *monelli* stava buttando giù i cartelloni pubblicitari. L'agente Astolfo parte d'*ispezione.*	**denunciare:** *to denounce* *bunch, gang / street urchins* *inspection*
Ai lati della strada la selva di strane figure *ammonitrici* e *gesticolanti* accompagna Astolfo, che le *scruta* a una a una, *strabuzzando* gli occhi miopi. Ecco che, al lume del fanale della moto, sorprende un monellaccio *arrampicato* su un cartello. Astolfo *frena:* «Ehi! che fai lì, tu? Scendi subito!» Quello non si muove e gli *fa la lingua.* Astolfo si avvicina e vede che è la *réclame* d'un formaggio, con un bamboccione che si *lecca* le *labbra.* «Già, già» fa Astolfo, e riparte a *gran carriera.*	*admonishing* *gesticulating / scrutinizes* *straining* *perched* **frenare:** *to brake* *sticks out the tongue* *advertisement / **leccare:** to lick* *lips / at top speed*
Dopo un po', nell'ombra di un gran cartellone, illumina una triste *faccia spaventata.* «*Alto là!* Non cercare di *scappare!*» Ma nessuno scappa: è un *viso umano* dolorante dipinto in mezzo a un piede *tutto calli:* la réclame di un callifugo. «Oh, scusi», dice Astolfo, e corre via.	*face / scared / stop / **fuggire*** *face / human* *full of corns*

Il cartellone di una *compressa* contro l'*emicrania* era una gigantesca testa d'uomo, con le mani sugli occhi dal dolore. Astolfo passa, e il fanale illumina Marcovaldo arrampicato in cima, che con la sua sega cerca di tagliarsene una *fetta*. *Abbagliato* dalla luce, Marcovaldo si fa piccolo piccolo e resta lì *immobile, aggrappato* a un *orecchio* del testone, con la sega che è già arrivata a mezza *fronte*.

compress/migraine

slice/dazzled

motionless/gripping/ear
forehead

Astolfo studia bene, dice: «Ah, sì: compresse Stappa! Un cartellone efficace! Ben trovato! Quell'omino *lassù* con quella sega significa l'emicrania che taglia in due la testa! L'ho subito capito!» E se ne riparte *soddisfatto*.

up there

satisfied

Tutto è silenzio e gelo. Marcovaldo dà un sospiro di sollievo, si *riassesta* sullo scomodo *trespolo* e riprende il suo lavoro. Nel cielo illuminato dalla luna si propaga lo *smorzato gracchiare* della sega contro il legno.

riassestare: *to readjust/trestle,*
support/muffled
to croak, croaking

(da **I racconti**)

D   Alcuni sostantivi maschili che hanno due plurali:

1.	il frutto	le frutta o la frutta	i frutti (del proprio lavoro)
2.	il grido	le grida (delle persone)	i gridi (degli animali)
3.	il membro	le membra (del corpo) *body*	i membri (di una società)
4.	il braccio	le braccia	i bracci (di una poltrona)
5.	il dito	le dita	i diti (due diti di vino) *small quantity*
6.	il labbro	le labbra	i labbri (di una ferita) *wound*

E   I   Rispondere:

1. Chi è Astolfo?
2. Perché fa l'ispezione dell'autostrada?
3. Perché si ferma *ogni tanto*?   *every so often, now and then*
4. Quale cartellone gli pare molto efficace? Perchè?
5. C'è una morale che si può estrarre dal racconto?

II   Commentare brevemente il racconto di Calvino.

VOCABOLARIO

agente (m)   *agent*
beneficenza   *beneficence, welfare, charity*
branco   *bunch, gang*
carriera   *career*
cartello   *poster, notice*
cartellone (m)   *poster*
cioccolato   *chocolate*
compleanno   *birthday*
danno   *damage*
delitto   *crime*
distrazione (f)   *distraction, carelessness*
ente (m)   *organization, institution*
gonna   *skirt*
lampada   *lamp*
legno   *wood*
monello   *street urchin*
paga   *pay, wage*
pantaloni   *slacks, trousers*

passante (m & f)   *passer-by*
pena   *pain, penalty*
stato   *condition, state*
vista   *sight, view*

civile   *civil, civilized*
magro   *thin*
smesso   *no longer used*
umido   *damp*

aggiustare   *to fix*
denunciare   *to denounce*
esclamare   *to exclaim*
lodare   *to praise*
risparmiare   *to save (money, time)*

ogni tanto   *every now and then*

Lezione XXXIV

FORMA IMPERSONALE DEI VERBI. Oltre ai verbi impersonali come **piovere, nevicare,** e a certi verbi che spesso sono usati impersonalmente come **sembrare, accadere, importare,** qualsiasi verbo può diventare impersonale se si usa la terza persona singolare preceduta dal pronome riflessivo «si». Se il verbo è riflessivo si fa precedere la particella **ci.**

Esempi:

1. **Si** deve parlare chiaramente.	*One must speak clearly.*
2. **Si** entra a sinistra.	
3. D'estate **ci si** *sveglia* presto.	**svegliarsi:** *to awaken*
4. Non **ci si** *rendeva conto* delle difficoltà.	**rendersi conto:** *to be aware,* p.r. **resi,** p.p. **reso**

Verbi intransitivi o usati intransitivamente (che non hanno l'oggetto diretto). Notare l'accordo dei **participi, aggettivi** e **sostantivi** che accompagnano la forma impersonale dei verbi che prendono l'ausiliare **essere** alla forma personale.

Esempi.

1. Come si va alla stazione?
2. Un tempo si viaggiava in diligenza.
3. Se si sarà studiato si passerà agli esami.
4. Si è mangiato, si è dormito e ci si è divertiti.
5. Quando si è camminato molto si è stanchi.
6. Quando non si è più bambini si smettono le cose da bambini.
7. Se si è stati male a lungo ci vuole molto tempo per *ristabilirsi.*   *to recover, to return to par*
8. Si è sembrati tutti molto intelligenti.
9. Se si diventa professori si insegna e si fanno ricerche.

Osservazione:

Intransitive verbs, which in the personal form are conjugated with the auxiliary **essere,** *in the impersonal form have the verb in the singular but the accompanying past participle, adjective or noun in the plural.*

Notare che la forma passiva con il «si» (v. p. 280) spesso è usata con significato impersonale:

1. Si leggono pochi libri.	Few books are read.
	One (people) reads few books.
2. Si sono venduti molti quadri.	Many pictures have been sold.
	People (one) sold many pictures.
3. Si faranno molte cose interessanti.	Many interesting things will be done.
	One (people) will do many interesting things.
4. Si discussero i nuovi regolamenti.	The new regulations were discussed.
	People (one) discussed the new regulations.

Pronomi atoni con la forma impersonale con il «si».

Esempi:

1. Come **si** studia **la lezione**?	**La si** studia con attenzione.
2. **Si** sono prenotati **i posti a teatro**?	**Li si** sono prenotati.
3. Come **si** parla **al professore**?	**Gli si** parla con rispetto.
4. Quando **si** parlerà **a Lia**?	**Le si** parlerà quando **la si** vedrà.
5. **Si** ha bisogno **di denaro**.	**Se ne** ha bisogno.
6. Come **si** può andare **a Boston**?	**Ci si** può andare in treno.
7. Quante volte all'anno **si** dovrebbe scrivere **ai propri genitori**?	**Si** dovrebbe scrivere **loro** due volte al mese.

Osservazioni:

1.   «Si» is preceded by other **pronomi atoni** *except* **ne,** *and of course* **loro;** **ne** *follows «si». Almost never does one use two* **pronomi atoni** *in addition to «si».*

2.   When **dovere, potere** *and* **volere** *are in the impersonal form it is customary to place the* **pronome atono** *near «si» before the verb (rather than after the complementary infinitive).*

Dare la forma impersonale con il «si»:

1.   A Napoli pronunciano così ....

2.   A Roma la gente chiacchiera molto. ....

3.   Le persone in generale ridono con facilità. ....

4.   Parlano sempre di politica. ....

5.   Uno non poteva mai dire *due parole*. ....   *a few words*

6.   Uno non dovrebbe fare certe cose. ....

Sostituire il pronome atono all'oggetto diretto o indiretto:

1. Le lezioni si seguono con attenzione. ....

2. Dove si riscuotono gli assegni? ....

3. Quando si scrive al babbo? ....

4. Oggi si andrà a votare. ....

5. Di notte si evitano queste strade. ....

6. Si parlava delle ultime notizie. ....

7. Si dovrà scrivere al senatore di votare no. ....

Verbo SALIRE (to climb). È irregolare al presente indicativo e perciò al presente congiuntivo e all'imperativo.

Presente indicativo	Presente congiuntivo	Imperativo
salgo	salga	
sali	salga	sali
sale	salga	salga
saliamo	saliamo	saliamo
salite	saliate	salite
salgono	salgano	salgano

Esempi:

1. Il bambino è salito sul tavolo.
2. Siamo saliti in cima al campanile.
3. I prezzi sono saliti del tre per cento.
4. La temperatura è salita di un *grado*.   *degree*
5. Abbiamo salito le scale fino al sesto piano.
6. Quando avremo salito il *colle* vedremo un bel panorama.   *hill*

Osservazione:

Il verbo salire prende l'ausiliare **essere** *se manca l'oggetto diretto, prende invece l'ausiliare* **avere** *se l'oggetto diretto è presente. Funzionano allo stesso modo altri verbi di moto, come:* **correre, scendere, sorvolare (to fly above). Sorvolare** *used figuratively means* **to pass over, to touch lightly.**

NUMERALI ORDINALI (vedere p. 159).

Modelli:

1. Leggeremo solo il **primo** capitolo.
2. L'esercizio si trova alla **seconda** pagina.
3. La **terza** pagina dei giornali italiani è tradizionalmente la pagina dedicata ad argomenti culturali.
4. Non capisco la **quarta** parola alla **quinta** riga.
5. Paolo **sesto** diventò papa nel 1963.
6. Il **settimo** giorno della settimana è la domenica.
7. Agosto è l'**ottavo** mese dell'anno.
8. Pio **nono** fu papa durante parte del Risorgimento.
9. Dieci è la **decima** parte di cento.
10. Siamo arrivati all'**undicesima** scena del secondo atto della commedia che stiamo leggendo.
11. Secondo me il **dodicesimo** capitolo è il più interessante.
12. Ho perduto il **quarantatreesimo** numero di quella rivista.
13. Un «cent» è un **centesimo** di un dollaro.
14. Lo ripeterò per la **millesima** volta.

Osservazioni:

1. *Ordinal numbers are adjectives and agree in gender and number with the noun they modify. Normally they precede the noun, except with the names of kings, popes, etc.*
2. *Starting with **undici** any cardinal number becomes ordinal by dropping the final vowel and adding -esimo. It should be added that there are other, less common, ways of making ordinal numbers.*

ALCUNE ESPRESSIONI UTILI.

A **illudere** (to deceive with a vain hope), **illudersi** (to deceive oneself), **farsi delle illusioni** (to delude oneself). *p.r.* **illusi,** *p.p.* **illuso**

1. Mussolini illuse gli italiani con le sue promesse.
2. Mussolini si illuse di poter vincere una guerra per la quale non si era preparato.
3. Gli italiani non si facevano illusioni, sapevano che la guerra sarebbe stata un disastro.
4. Non mi faccio nessuna illusione sulla mia *abilità,* so di averne poca. *ability*
5. Quante illusioni ci si fa quando si è giovani!

B **deludere** (to delude, to disappoint), **rimaner deluso** (to be disappointed), **essere una delusione** (to be a disappointment).

p.r. **delusi**, *p.p.* **deluso**

1. Manterrò la promessa, non voglio deludere i bambini.
2. Rimarremo delusi se ci illudiamo che sia facile controllare l'*inquinamento*.
3. Si rimane delusi quando si è lavorato tanto e si è *concluso* tanto poco.
4. Quel concerto, per me, è stato una grande delusione.
5. Che delusione che tu non possa venire a farci visita!

pollution
concludere: *to conclude, to accomplish, p.r.* **conclusi,** *p.p.* **concluso**

ESERCIZI

A I Copiare le seguenti frasi mettendo il verbo fra parentesi al futuro per la costruzione impersonale con il «si»:

1. (Alzarsi) alle nove.
2. Prima di uscire (cambiarsi).
3. Quando (essere ricco) (viaggiare) molto.
4. (Dire) molte cose sciocche.
5. (Entrare) a sinistra.
6. (Rispondergli) subito.
7. Quando (esser stanco) (smettere).
8. (Potersi) vestire dopo che (arrivare).
9. (Darne) a tutti.
10. (Riceverli) con piacere.

II Copiare sostituendo il pronome atono all'oggetto diretto o indiretto:

1. Si parla dell'ultimo articolo di Gentilini.
2. Si può *fare a meno* dei dolci.
3. Si può andare in India in aereo in diciotto ore.
4. A Natale si sono dati molti regali.
5. In Italia si compra il pane tutti i giorni.
6. Non si dovrebbe dir male degli altri.
7. A lezione si potrebbe andare a piedi.
8. In questa situazione si vorrebbe parlare al direttore.

fare a meno (di): *do without*

III Copiare le seguenti frasi completandole con il sostantivo o l'aggettivo appropriato (usare tutti i sostantivi e tutti gli aggettivi):

deluso   giovane   grande   ingrato (ungrateful)   malato
medico   negligente   scrittore   stanco   studente

1. Quando non si fa il proprio compito si è ....

2. Se non si sta bene si è ....

3. Quando si resta .... di spirito con gli anni non s'invecchia.

4. Si è .... perciò si curano i malati.

5. Quando si diventa .... non si fanno certe cose.

6. Quando si è .... la vita è bella.

7. Se si è .... si dovrebbe restare a letto.

8. Se si fosse .... si dovrebbe riposare.

9. Se si scrivono racconti e romanzi si è ....

10. Quando si frequenta l'università si è ....

11. Se non si ringrazia chi ci aiuta si è ....

12. Se le nostre speranze non si realizzano si è ....

IV Completare le seguenti frasi usando le espressioni: **illudere**, ecc., **deludere**, ecc.:

1. Se ti fai tante illusioni ....

2. Quelle conferenze sono state ....

3. Perché ci vuoi .... con delle promesse che non manterrai?

4. Gli uomini di stato italiani non .... che una volta unificata l'Italia si fossero risolti tutti i problemi.

5. Si aspettavano grandi cose da lui, perciò ....

6. Secondo Enzo la rappresentazione non è stata affatto cattiva, per lui non .... come per me.

7. Noi .... di poter imparare a parlare perfettamente italiano in un anno.

8. Dopo tante .... lasciateci avere ....

B   Lettura. Il passo che segue (che verrà completato alla lezione seguente) è parte della novella intitolata **Novella di tre anella** (oggi si direbbe dei tre anelli, of the three rings) di Giovanni Boccaccio. È una novella che circolava nel Medio Evo. Il Boccaccio la riprese, la riscrisse e la inserì nel suo **Decamerone.**

Secondo la novella, il Saladino (ruler in Egypt in the 12th century) aveva gran bisogno di denaro e, non sapendo dove trovarlo, decise di obbligare un ricchissimo ebreo a darglielo usando un modo che avesse l'apparenza di giustizia. Fatto venire l'ebreo gli propose la seguente domanda: «Quale delle tre religioni è la vera: l'ebrea, la maomettana (Mohammedan), o la cristiana?». L'ebreo rispose raccontando la parabola che segue, come la scrisse il Boccaccio:

Se io non *erro,* mi ricordo aver molte volte udito dire che un grande uomo e ricco *fu già,* il quale, *intra* le altre *gioie* più care che nel suo *tesoro* avesse, era uno anello bellissimo e *prezioso;* al quale per lo suo *valore* e per la sua bellezza volendo fare *onore,* et *in perpetuo* lasciarlo ne' suoi discendenti, ordinò che *colui* de' suoi *figliuoli appo* il quale, sì come lasciatogli da lui, fosse questo anello trovato, che colui s'intendesse essere il suo *erede,* e dovesse da tutti gli altri essere, come maggiore, onorato e *reverito.*	**sbaglio** *lived/***fra***/jewels* *treasury, treasure* *precious/value, worth* *honor/for ever* **quello**/**figli**/**presso:** *with* ‒‒‒‒‒‒‒ *heir* **riverito:** *revered*
Colui al quale da *costui* fu lasciato, tenne *simigliante* ordine ne' suoi discendenti, e così fece come fatto avea il suo precedessore: et *in brieve* andò questo anello di mano in mano a molti successori: et ultimamente pervenne alle mani ad uno, il quale *avea* tre figliuoli belli e virtuosi, e molto al padre loro obedienti; per la qual cosa tutti e tre *parimenti gli* amava. Et i giovani, li quali la *consuetudine* dello anello sapevano, sì come *vaghi* ciascuno d'essere il più onorato tra i suoi, ciascuno per sè, come meglio sapeva, pregava il padre, il quale era già vecchio, che, quando a morte venisse, a lui quello anello lasciasse.	**questo**/**somigliante: simile** **breve** **aveva** *equally/***li** *custom* *desirous, also vague, charming*

(Continua alla lezione seguente)

C   Spiegare a parole proprie e con grande semplicità in italiano i due paragrafi della novella del Boccaccio.

D.   Alcuni vocaboli che hanno il maschile singolare in **-a** e il plurale in **-i:**

Primo gruppo: lo, la analfabeta; gli analfabeti, le analfabete.

artista	entusiasta
assolutista	fascista
astronauta	musicista
comunista	socialista
cosmonauta	turista
dentista	violinista

MA: il poeta, la poetessa

Secondo gruppo: il dramma, i drammi.

clima	schema
panorama	sistema
poema	telegramma
problema	tema
programma	teorema

VOCABOLARIO

abilità   *ability*
colle (m)   *hill*
furto   *theft*
grado   *degree*
inquinamento   *pollution*
regolamento   *regulation*

accorgersi   *to perceive, to notice*
concludere   *to conclude*
discutere   *to discuss*
fare a meno (di)   *to do without*
rendersi conto   *to be aware*
ristabilirsi   *to recover, to return to par*
salire   *to climb, to go up*
svegliarsi   *to awaken*

Lezione XXXV

STRUTTURE UTILI A RICONOSCERSI.

A   **Il congiuntivo in proposizioni indipendenti.**

a.   The **presente congiuntivo** in independent clauses expresses an omen or invokes the realization of something intensely desired. It is often preceded by the conjunction **che.**

Esempi:

1.	Viva la libertà!	Long live liberty!
2.	Così sia.	So be it. Amen.
3.	Che tu sia benedetto.	Bless you.
4.	Che siate maledetti.	May you be accursed. A curse on you.

Osservazioni:

1. *One hears at times* **sii benedetto (maledetto)** *with the verb in the imperative; either way is correct.*
2. *Shorthand for* **viva** *is a* **W** *which is often seen on posters or scribbled on walls. The opposite of* **viva** *is* **abbasso** *(down with, not a subjunctive) and the opposite of* **w** *is an inverted* **W.**

b.   The **imperfetto** and the **piuccheperfetto congiuntivo** are used to express a regret, an omen or a desire considered unrealizable in the future or known not to have been realized in the past. They are, at times, preceded by **magari, se,** or **così.**

Esempi:

1.	Volesse il cielo!	If heaven willed it!
2.	Fosse vero.	If only it were true!
3.	Magari tornasse stasera!	Would to God that he returned this evening.
4.	Così avvenisse.	Would to God it would happen.
5.	Se avessi studiato!	Had I only studied!

Osservazione:

Magari *is a difficult word to translate. At times it means «certainly», at times «perhaps», at times «would to God».*

B   **Trapassato remoto,** il tempo composto del passato remoto.

Prima persona del trapassato remoto di alcuni verbi:

essere:	fui stato	venire:	fui venuto
avere:	ebbi avuto	mettere:	ebbi messo
comprare:	ebbi comprato	tornare:	fui tornato

The **trapassato remoto** is used seldom. It is used only when the main action is expressed in the **passato remoto** and the action which preceded it is introduced by **appena (che), non appena, dopo che,** or **quando.**

Esempi:

1.   Appena avemmo letto la lettera telefonammo.
2.   Quando il conferenziere ebbe finito di parlare gli fecero molte domande.
3.   Andarono al duomo dopo che ebbero visitato il museo.
4.   Doveste ripartire non appena foste arrivati.

Notare la correlazione dei tempi quando il tempo principale del verbo non è il passato remoto:

a.   1.   Appena aveva finito il lavoro faceva una passeggiata.
     2.   Quando era arrivato ci mandava una cartolina.
     3.   Facevano colazione non appena si erano alzati.
     4.   Dopo che aveva mangiato usciva.

b.   1.   Aveva finito il lavoro e ha fatto una passeggiata.
     2.   Era già arrivato quando ci ha mandato una cartolina.
     3.   Si erano alzati e hanno fatto colazione.
     4.   Dopo che aveva mangiato è uscito.

C   **Il passivo con il verbo VENIRE.**

1. I bravi studenti **vengono lodati** dal professore.	sono lodati
2. I rinfreschi **vennero serviti** alle cinque.	furono serviti
3. Il sindaco **veniva eletto** ogni tre anni.	era eletto
4. I bambini **verranno accompagnati** da un adulto.	saranno accompagnati
5. Dicono che il trattato **verrebbe firmato** fra poco.	sarebbe firmato

Osservazione:

In the simple tenses, **venire** *may substitute for* **essere** *to form the passive. In the compound tenses,* **essere** *must be used.*

D **Alcuni usi della preposizione DA.**

Usi già osservati:

1. Ho una casa **da** vendere.
   Ho una casa che vorrei vendere.
2. Ho alcune lettere **da** scrivere.
   Devo scrivere alcune lettere.
3. Ecco le camicie **da** lavare.
   Ecco le camicie che devono essere lavate.
4. Ho comprato la medicina **dal** farmacista.
   Ho comprato la medicina in farmacia.
5. Andremo al cinema **da** soli.
   Andremo al cinema senza essere accompagnati.
6. Mi aspetti **da** molto tempo?
   Mi hai aspettato per molto tempo?

Altri usi:

1. Il cappotto gli servì **da** cuscino.   *pillow*
   Il cappotto gli servì come un cuscino.
2. Parlò **da eroe.**
   Parlò come un eroe.
3. Si sentivano così stanche **da** non poter stare in piedi.
   Si sentivano così stanche che non potevano stare in piedi.
4. Siamo così felici **da** non capire più niente.
   Siamo così felici che non capiamo più niente.
5. Qui vicino non ci sono campi **da** tennis.
   Qui vicino non ci sono campi per giocare a tennis.
6. Laura si è comprata un vestito **da** sera.
   Laura si è comprata un vestito per sera.

Verbo SEDERE, che è irregolare al presente indicativo e tempi derivati.

Presente indicativo
siedo
siedi
siede
sediamo
sedete
siedono

Inserire la forma dovuta del verbo **sedersi;** per il discorso diretto usare l'imperativo:

1. Posso .... su questa poltrona.

2. «È scomodo *lì,* signora, ... qui».   **lì: là**

3. Fra qualche minuto .... anch'io.

4. Mentre Marisa .... Paolo ha portato via la sedia.

5. «Bambini, non .... sull'*erba bagnata».*   *grass/wet*

6. Mi pareva che lui .... con pena.

7. «Marcello, ... vicino a me».

8. «Mariagrazia, non .... vicino alla finestra,
    c'è troppa *corrente* e ti farà male».   *current of air, draft*

VOCABOLI (words) CHE POSSONO ESSERE FRAINTESI * (misunderstood) perchè apparentemente simili all'inglese.

1.	**attuale**	— present, current	**actual**	— reale, vero
2.	**attualmente**	— at present	**actually**	— realmente
3.	**commedia**	— play	**comedy**	— commedia leggera
4.	**comprensivo**	— sympathetic, understanding	**comprehensive**	— vasto, esauriente
5.	**controllo**	— check	**control**	— autorità, influenza
			self control	— dominio di sè
6.	**discreto**	— moderate, discreet	**discreet**	— discreto
7.	**discrezione**	— moderation, discretion	**discretion**	— discrezione, discernimento
8.	**disgrazia**	— accident, misfortune, mishap	**disgrace**	— vergogna
9.	**morbido**	— soft	**morbid**	— morboso
10.	**sensibile**	— sensitive	**sensible**	— sensato, di buon senso

ESERCIZI

A   I   Usare in frasi complete i vocaboli che possono essere fraintesi.

II   Copiare le seguenti frasi mettendo il verbo fra parentesi alla forma passiva o alla forma impersonale con il «si». Il tempo del verbo, quando non sia evidente, è a scelta.

1.   In questo corso (leggere) molte opere classiche.
2.   Il telefono (inventare) da Antonio Meucci che lo *bre-*   **brevettare:** *to patent*
     vettò nel 1871.
3.   La priorità dell'invenzione gli (riconoscere) dalla Corte
     Suprema degli Stati Uniti nel 1886.

---

* **Fraintendere:** *p.r. fraintesi, p.p. frainteso;* **intendere:** *to understand, to hear, to intend;* **intendersi di qualcosa:** *to be an expert in something.*

4. Il *microscopio* (usare) per la prima volta da Marcello Malpighi per studiare i *tessuti* animali. — *microscope* / *tissues, textiles*
5. Con un *tempestivo* intervento economico (evitare) delle gravi complicazioni politiche. — *timely*
6. (Rendersi conto) delle vostre difficoltà.
7. Da Milano e da Torino (vedere) le Alpi.
8. Se non si è fatto il proprio dovere (doversi) vergognare.
9. In campagna (potere) fare delle lunghe passeggiate.
10. Nel 1965 (*compiere*) le prime «passeggiate» spaziali. — *to accomplish, to complete*
11. Se (essere) famosi (avere) il rispetto di tutti.
12. Queste macchine (*fabbricare*) dagli operai dello stabilimento FIAT. — *to make, to manufacture*

B Dare l'equivalente italiano:

I 1. How did you (Lei) like the play last evening? More than I expected.
2. You (tu) are always disappointed, whatever I do.
3. Having repented, my cousin decided to *apologize*. — **domandare scusa**
4. Have you (voi) been waiting a long time for us? Just a few minutes, we were late too.
5. It seems to her that in this city there are more churches than anything else.
6. My grandfather cannot decide between remaining at home and coming with us.
7. Tell (Lei) whomever you see that there is a meeting this afternoon at half past four.
8. Your (tu) youngest sister is taller than you.
9. His uncle and aunt postponed their trip so that he could go with them.
10. If I well remember you (Loro) were as surprised as I that the doctor did not come as we expected.
11. There is no need of standing, please sit down (Loro).
12. We saw a very old woman running in the park.

II Un biglietto di auguri.

— Mary can you help me to write a note of best wishes to Francesca?
— Why do you want to write to her? Is it her *birthday?* — **compleanno, festa**
— No, she has become engaged to Dino; you know, that boy to whom she was introduced at Vera's, when we were celebrating the new year.
— Yes... Then you must write «*Congratulations* and best wishes». — **rallegramenti**
— But I must write something nice! I don't want to send a telegram!
— Well, I don't know what to say...

   — Perhaps I can write: «The beautiful news gave me
      great pleasure. Dino is a most pleasant boy and
      everyone likes him. To be loved by him must make
      you very happy. You are a perfect *couple* and I   **coppia**
      send you both my congratulations and best wishes».
      Do you think that there are any language mistakes?
      Be kind, help me.
   — Excellent! You did very well, much better than I
      could do.

C   Lettura: Continuazione della **Novella di tre anella** del Boccaccio.

Il *valente* uomo, che parimenti tutti *gli* amava, nè sapeva esso   *good, worthy*/**li**
medesimo eleggere a qual *più tosto* lasciar lo volesse; pensò,   **piuttosto**
avendolo a ciascun promesso, di volergli tutti e tre *soddisfare:*   *to satisfy*
e segretamente ad uno buono maestro ne fece fare due altri, *li*   **i**
quali sì furono simiglianti al *primiero,* che esso medesimo che   **primo**
fatti *gli* avea fare, appena conosceva *qual si* fosse vero. E, ve-   **li/quale**
nendo a morte, segretamente *diede* il suo a ciascun de' figliuo-   **dette**
li; li quali, dopo la morte del padre, volendo ciascuno la ere-
dità e l'onore occupare, e l'uno *negandolo* all'altro *in testimo-*   **negare:** *to deny/in witness*
nianza di dover ciò ragionevolmente fare, ciascuno produsse
fuori il suo anello. E trovatisi gli anelli sì simili l'uno all'altro,
che qual fosse il vero non si sapeva conoscere, si rimase la *qui-*   **questione**
stione, qual fosse il vero erede del padre *in pendente*; et ancor   **in sospeso:** *unresolved*
pende.

E così vi dico, signor mio, delle tre *Leggi, alli* tre popoli date   **religioni/ai**
da Dio Padre, delle quali la quistion proponeste: ciascuno la
sua *eredità*, la sua vera Legge, et i suoi comandamenti si cre-   *inheritance, heredity*
de avere a fare, ma chi se l'abbia, come degli anelli, ancora ne
pende la quistione.

(Dal Decamerone, Giornata I, novella III)

D   I   Riassumere brevemente in italiano la novella.

   II   Rispondere in italiano alle seguenti domande:

     1. Perchè il Saladino credeva che la sua domanda gli avreb-
        be dato modo di fare un'accusa all'ebreo?
     2. Qual è la morale della novella?
     3. Quali sono alcune differenze fra la lingua del Boccaccio e
        quella che si usa oggi?

VOCABOLARIO

coppia *couple*
corrente (f) *current, draft*
cuscino *pillow*
erba *grass*
microscopio *microscope*
rallegramenti *congratulations*
tessuto *tissue, textile*

bagnato *wet*
tempestivo *timely*

brevettare *to patent*
compiere *to accomplish, to complete*
fabbricare *to make, to manufacture*
negare *to deny, to withhold*

Lezione XXXVI

ESERCIZI DI RICAPITOLAZIONE

A I Nel copiare inserire un **pronome** o un **interrogativo**:

1. Non si sapeva .... dei due fosse il medico migliore.

2. Con .... avete fatto il viaggio?

3. Vorremmo sapere .... tu arrivi con tanto ritardo.

4. Ti è realmente piaciuta la commedia .... stiamo parlando?

5. Come si chiama la signora .... figlia va con Marcovaldo?

6. Mi domando .... precisamente vi sposerete.

7. Il sindaco era partito dal villaggio e nessuno sapeva .... fosse andato.

8. .... denaro sei riuscito a risparmiare quest'anno?

9. Avevamo troppo da fare e cercavamo .... potesse aiutarci.

10. Di quale romanzo parli? Di .... abbiamo letto per il corso di tedesco.

II Completare le seguenti frasi con la forma dovuta di **andarsene**:

.1. So che il direttore non c'è, ma non so perché ....

2. Sarebbe stato meglio se noi ....

3. Non avevo molto da fare, perciò ....

4. Ci dispiace che gli invitati ....

5. Tu fosti l'unica persona ....

6. Dissero che .... fra poco.

7. Me ne sono ricordato dopo ....

8. Ha fatto cadere la lampada mentre gli ospiti ....

III Sostituire un altro modo di dire al **gerundio** in ciascuna delle seguenti frasi:

1. Raccontandolo Lucia si è messa a piangere.
2. Essendo malato non potrò partire.
3. Prendendo l'aereo ci metteranno solo sei ore.
4. Avendo pagato tutti i conti, ora non ho neanche un soldo.
5. Faremo più presto andando a piedi.
6. Camminavano chiacchierando *del più e del meno*.   *about this and that*

IV   Completare le frasi comparative che seguono dando l'equivalente italiano delle parole fra parentesi:

1. I letti di solito sono (longer than) .... larghi.

2. Scegliamo (the lesser of the) .... due mali.

3. Non sarebbe (better) .... non dire nulla?

4. C'è (less snow here than) .... là.

5. Guido è (nicer than) .... sembra *a prima vista*.   *at first sight*

6. Marcello è (the youngest in the) .... famiglia.

V   Riscrivere le frasi che seguono usando **la forma impersonale con il «si»:**

1. Quando uno è studente uno dovrebbe studiare.
2. La gente non si alza presto quando non deve lavorare.
3. Uscivano dall'ufficio alle sei.
4. Hanno *annunciato* ancora l'arrivo del volo 415?   **annunciare:** *to announce*

VI   Volgere al **discorso indiretto:**

1. «Ci andrò lunedì», promise Marcello.
2. «Non può essere», spiegò il professore.
3. Mia sorella mi ha detto: «Scrivila tu».
4. Prima di uscire mi ha domandato: «Dimmi se questo vestito mi sta abbastanza bene».
5. Il babbo mi ha domandato: «Non vuoi andare in Europa questa estate?».

VII   Completare con un **discorso diretto:**

1. Uno studente vuole un appuntamento con il suo professore. Alla fine della lezione si avvicina al professore e gli dice: ....
2. Un ragazzo vorrebbe accompagnare una ragazza a casa. Le dice: ....
3. Una signora domanda quando potrà venire a ritirare delle scarpe. Il calzolaio risponde: ....
4. Un uomo ha sentito alla radio che le tasse saranno ridotte. Non lo vuole credere perchè gli pare che molto denaro sia necessario per tante opere. Ne parla a un suo amico: ....
5. La zia manda il nipote a impostare delle lettere. Gli dice: ....
6. I Signori Bertoni faranno un viaggio in California; lui l'ha promesso a lei, spiegando quello che faranno, e ora lei lo racconta a una sua amica: ....

VIII Formulare delle **domande** a cui le frasi che seguono possono essere le risposte:

1.   Aveva solo quattro anni.
2.   Non importa.
3.   È una bella giornata.
4.   Non gli è piaciuto affatto.
5.   Basta così.
6.   Vorrei vedere il direttore.
7.   L'ha saputo da Elio.
8.   Cinquantasei.
9.   Ho fatto quel viaggio sette volte.
10. Due mesi.

B   Come si dice in italiano?

1.   It took us a short time.
2.   We miss our family very much.
3.   Which bus can one take to go to Marconi Square?
4.   He took a medicine that made him feel worse.
5.   Mother is in the kitchen, she is preparing dinner.
6.   Put (tu) on your blue dress, it is very becoming.
7.   I don't have any evening dress.
8.   She depicted the scene in an amusing manner.
9.   What a disgrace! How could you (voi) do such (tale) a thing.
10. Stop (tu) making so much noise.
11. Hurry up (voi), it is late!
12. She has a toothache, poor soul.
13. It is better to arrive early otherwise the best seats will be taken.
14. She left all her goods to the poor.
15. One should eat and drink with moderation.
16. Petrarch is a sensitive and elegant poet.
17. The children will be disappointed if we don't take them to the seashore.
18. Our teacher will not be understanding if we don't have any better excuse than lack of time.
19. May I introduce my friend Miss Parker to you?
20. Thank you, you are very kind. However I am sorry that I cannot accept your kind invitation.

VOCABOLARIO

annunciare   *to announce*

a prima vista   *at first sight*
del più e del meno   *about this and that*

Appendix (Appendice)

IL VERBO

VERBI CHE REGGONO UN INFINITO *SENZA* PREPOSIZIONE, CON LA PREPOSIZIONE *A*, CON LA PREPOSIZIONE *DI*

SENZA PREPOSIZIONE:

ascoltare
dovere
fare
guardare
lasciare
potere
sapere (to know how)
sentire
udire
vedere
volere

Senza preposizione o
con **di,** a piacere:

desiderare
dispiacere
piacere
preferire

le espressioni impersonali

PREPOSIZIONE A:

abituare	mandare
affrettarsi	menare
aiutare	metterci
andare	mettere
arrivare	mettersi
cominciare	obbligare
condurre	passare
continuare	persuadere
correre	portare
costringere	preparare
divertirsi	restare
durare	rimanere
entrare	riuscire
esercitarsi	salire
esortare	scendere
fermarsi	servire
giungere	stare
guidare	tornare
imparare	uscire
insegnare	venire
invitare	volerci

La grande maggioranza dei verbi richiede la preposizione **DI**, per esempio:

ammettere	domandare	ricordare
aspettare	finire	ringraziare
cercare	offrire	rispondere
decidere	parlare	sapere (to know)
dimenticare	pregare	scrivere
dire	promettere	sperare

VERBI AUSILIARI

CONIUGAZIONE DEGLI AUSILIARI

Infinito presente *infinitive present*	AVERE	ESSERE
Infinito passato *past*	aver avuto	esser stato
Gerundio presente *gerund*	avendo	essendo
Gerundio passato	avendo avuto	essendo stato
Participio passato *participle*	avuto	stato

Indicativo presente *indicative present*	ho hai ha abbiamo avete hanno	sono sei è siamo siete sono
Passato prossimo *present perfect*	ho avuto	sono stato
Passato remoto *past absolute*	ebbi avesti ebbe avemmo aveste ebbero	fui fosti fu fummo foste furono
Trapassato remoto *compound of past absolute*	ebbi avuto	fui stato
Imperfetto *imperfect*	avevo avevi aveva avevamo avevate avevano	ero eri era eravamo eravate erano
Piuccheperfetto *pluperfect*	avevo avuto	ero stato
Futuro	avrò avrai avrà avremo avrete avranno	sarò sarai sarà saremo sarete saranno
Futuro anteriore *future perfect*	avrò avuto	sarò stato

Congiuntivo presente *subjunctive present*	abbia abbia abbia abbiamo abbiate abbiano	sia sia sia siamo siate siano
Passato *past subjunctive*	abbia avuto	sia stato
Imperfetto *imperfect*	avessi avessi avesse avessimo aveste avessero	fossi fossi fosse fossimo foste fossero
Piuccheperfetto *pluperfect*	avessi avuto	fossi stato

Condizionale presente *conditional present*	avrei avresti avrebbe avremmo avreste avrebbero	sarei saresti sarebbe saremmo sareste sarebbero
Passato *past*	avrei avuto	sarei stato

Imperativo *imperative*	— — abbi abbia abbiamo abbiate abbiano	— — sii sia siamo siate siano

USO DEGLI AUSILIARI

Osservazioni generali:

I verbi sono transitivi o intransitivi, alcuni possono essere usati tanto transitivamente quanto intransitivamente. I verbi transitivi hanno un oggetto diretto, i verbi intransitivi non hanno oggetto diretto:

> compro il pane (transitivo)
> viaggio (intransitivo)

I verbi transitivi hanno la forma attiva e la forma passiva:

> leggo il libro
> il libro è letto da me

1. Si usa l'ausiliare **avere** per formare i tempi composti di:
   a. tutti i verbi transitivi alla forma attiva;
   b. molti verbi intransitivi:

assentire		mancare	*(fail)*
brillare	*(shine)*	parlare	
chiacchierare		partecipare	*(take part, participate)*
collaborare		passeggiare	
conversare		piangere	
dormire		respirare	*(breathe)*
esitare		ridere	
giocare		singhiozzare	*(sob)*
litigare	*(quarrel)*	tossire	*(cough)*
lottare		viaggiare	

Osservare che alcuni verbi intransitivi che esprimono moto o mancanza di moto prendono l'ausiliare **avere** quando l'azione viene espressa **senza** rapporto a una meta (goal), altrimenti prendono l'ausiliare **essere**.

correre	ho corso tutto il giorno	sono corso a casa
saltare	hanno saltato per tre ore	è saltato dal treno in corsa
volare	abbiamo volato in aereo	siete volati a vederla

2. Si usa l'ausiliare **essere** per formare:
   a. Tutti i tempi dei verbi transitivi alla forma passiva.
   Osservare che nei tempi semplici si può usare **venire** invece di essere:

> lo studente venne lodato   —   lo studente fu lodato
> veniva detto da tutti   —   era detto da tutti

b. I tempi composti dei verbi riflessivi.
c. I tempi composti dei verbi impersonali.
d. I tempi composti di alcuni verbi intransitivi, fra cui:

andare	morire	sbarcare	*(land, disembark)*
arrivare	nascere	scivolare	*(slide, slip)*
arrossire	parere	scoppiare	
cadere	partire	sembrare	
divenire	provenire	stare	
diventare	restare	tornare	
entrare	rimanere	uscire	
fuggire	riuscire	venire	
mancare *(to be lacking)*			

Osservare che alcuni verbi intransitivi che esprimono moto o mancanza di moto prendono l'ausiliare **essere** quando l'azione viene espressa in **rapporto** a una meta (vedi 1. b.).

3. I verbi servili **dovere, potere, volere,** quando essi reggono un infinito, prendono l'ausiliare richiesto dall'infinito complementare.

Quando essi reggono un infinito riflessivo prendono **avere** se il pronome riflessivo **segue** l'infinito, altrimenti prendono **essere**:

    ho dovuto alzar**mi**   —   **mi sono** dovuto alzare
    non **hanno** potuto divertir**si**   —   non **si sono** potuti divertire
    hai voluto vestir**ti**   —   **ti sei** voluto vestire

Quando **dovere, potere** e **volere** non reggono un infinito essi prendono l'ausiliare **avere**.

VERBI REGOLARI

Infinito presente	**compr - are**	**ripet - ere**	**fin - ire**	**sent - ire**
Gerundio presente	compr - ando	ripet - endo	fin - endo	sent - endo
Participio passato	compr - ato	ripet - uto	fin - ito	sent - ito

Indicativo presente	compr-o	ripet-o	fin-isco	sent-o
	compr-i	ripet-i	fin-isci	sent-i
	compr-a	ripet-e	fin-isce	sent-e
	compr-iamo	ripet-iamo	fin-iamo	sent-iamo
	compr-ate	ripet-ete	fin-ite	sent-ite
	compr-ano	ripet-ono	fin-iscono	sent-ono
Passato prossimo	ho comprato	ho ripetuto	ho finito	ho sentito

Passato remoto	compr-ai	ripet-ei	fin-ii	sent-ii
	compr-asti	ripet-esti	fin-isti	sent-isti
	compr-ò	ripet-è	fin-ì	sent-ì
	compr-ammo	ripet-emmo	fin-immo	sent-immo
	compr-aste	ripet-este	fin-iste	sent iste
	compr-arono	ripet-erono	fin-irono	sent-irono
Trapassato remoto	ebbi comprato	ebbi ripetuto	ebbi finito	ebbi sentito
Imperfetto	compr-avo	ripet-evo	fin-ivo	sent-ivo
	compr-avi	ripet-evi	fin-ivi	sent-ivi
	compr-ava	ripet-eva	fin-iva	sent-iva
	compr-avamo	ripet-evamo	fin-ivamo	sent-ivamo
	compr-avate	ripet-evate	fin-ivate	sent-ivate
	compr-avano	ripet-evano	fin-ivano	sent-ivano
Piuccheperfetto	avevo comprato	avevo ripetuto	avevo finito	avevo sentito
Futuro	compr-erò	ripet-erò	fin-irò	sent-irò
	compr-erai	ripet-erai	fin-irai	sent-irai
	compr-erà	ripet-erà	fin-irà	sent-irà
	compr-eremo	ripet-eremo	fin-iremo	sent-iremo
	compr-erete	ripet-erete	fin-irete	sent-irete
	compr-eranno	ripet-eranno	fin-iranno	sent-iranno
Futuro anteriore	avrò comprato	avrò ripetuto	avrò finito	avrò sentito

---

Congiuntivo presente	compr-i	ripet-a	fin-isca	sent-a
	compr-i	ripet-a	fin-isca	sent-a
	compr-i	ripet-a	fin-isca	sent-a
	compr-iamo	ripet-iamo	fin-iamo	sent-iamo
	compr-iate	ripet-iate	fin-iate	sent-iate
	compr-ino	ripet-ano	fin-iscano	sent-ano
Passato	abbia comprato	abbia ripetuto	abbia finito	abbia sentito
Imperfetto	compr-assi	ripet-essi	fin-issi	sent-issi
	compr-assi	ripet-essi	fin-issi	sent-issi
	compr-asse	ripet-esse	fin-isse	sent-isse
	compr-assimo	ripet-essimo	fin-issimo	sent-issimo
	compr-aste	ripet-este	fin-iste	sent-iste
	compr-assero	ripet-essero	fin-issero	sent-issero
Piuccheperfetto	avessi comprato	avessi ripetuto	avessi finito	avessi sentito

---

Condizionale presente	compr-erei	ripet-erei	fin-irei	sent-irei
	compr-eresti	ripet-eresti	fin-iresti	sent-iresti
	compr-erebbe	ripet-erebbe	fin-irebbe	sent-irebbe
	compr-eremmo	ripet-eremmo	fin-iremmo	sent-iremmo
	compr-ereste	ripet-ereste	fin-ireste	sent-ireste
	compr-erebbero	ripet-erebbero	fin-irebbero	sent-irebbero
Passato	avrei comprato	avrei ripetuto	avrei finito	avrei sentito
Imperativo	————	————	————	————
	compr-a	ripet-i	fin-isci	sent-i
	compr-i	ripet-a	fin-isca	sent-a
	compr-iamo	ripet-iamo	fin-iamo	sent-iamo
	compr-ate	ripet-ete	fin-ite	sent-ite
	compr-ino	ripet-ano	fin-iscano	sent-ano

Osservare:

1. Per l'**ortografia** dei verbi in **-care, -ciare, -gare, -giare, -sciare** vedi la lezione IV.
2. I seguenti verbi seguono lo schema di **sentire** nella coniugazione del presente indicativo e dei tempi che ne derivano:

aprire	nutrire	sentire
avvertire	offrire	servire
coprire	partire	soffrire
dormire	scoprire	vestire
fuggire	seguire	

3. Per formare il **passivo** dei verbi transitivi si usa il tempo appropriato (semplice o composto) dell'ausiliare **essere** seguito dal participio passato del verbo prescelto.

VERBI IRREGOLARI

A QUASI TUTTI I VERBI IRREGOLARI (DI CUI IL MAGGIOR NUMERO APPARTIE-NE ALLA SECONDA CONIUGAZIONE, IN -ERE) SEGUONO UNO SCHEMA D'IRRE-GOLARITÀ. PER POTERLI CONIUGARE BISOGNA SAPERE LE LORO FORME FONDAMENTALI, COME SEGUE:

Forme fondamentali del verbo:

1. **Infinito presente.**
2. **Gerundio presente,** dà la radice (stem) dell'imperfetto indicativo e congiuntivo, e delle persone regolari del passato remoto.
3. **Participio passato.**
4. **Indicativo presente,** permette di coniugare il congiuntivo presente e l'imperativo.
5. **Futuro,** la prima persona permette di coniugare il futuro e il condizionale presente.
6. **Passato remoto,** la desinenza -i della prima persona singolare diventa -e per la terza persona singolare a cui si aggiunge -ro per formare la terza persona plurale; le altre persone sono regolari.

Per esempio:

Infinito presente	**BERE**				
Gerundio presente	**bevendo**	*imperfetto indic* bevevo		*imperfetto cong* bevessi	
Participio passato	**bevuto**				
Indicativo presente	**bevo**	*congiuntivo pres* beva		*imperativo*	———
	bevi		beva		bevi
	beve		beva		beva
	beviamo		beviamo		beviamo
	bevete		beviate		bevete
	bevono		bevano		bevano
Futuro	**berrò**	*condizionale pres* berrei			
	berrai		berresti		
	berrà		berrebbe		
	berremo		berremmo		
	berrete		berreste		
	berranno		berrebbero		
Passato remoto	**bevvi**				
	bevesti				
	bevve				
	bevemmo				
	beveste				
	bevvero				

B   SETTE VERBI, OLTRE AD **ESSERE** E **AVERE**, NON SEGUONO IN TUTTO LO SCHE-
MA D'IRREGOLARITÀ: **ANDARE, DARE, FARE, STARE** (UNICI VERBI IRREGOLA-
RI DELLA PRIMA CONIUGAZIONE, IN -ARE), **SAPERE, VOLERE, DIRE.**

Forme fondamentali e particolari irregolarità:

Infinito presente	**ANDARE**				
Gerundio presente	**andando**	*imperfetto indic* andavo		*imperfetto cong* andassi	
Participio passato	**andato**				
Indicativo presente	**vado**	*congiuntivo pres* vada		*imperativo*	———
	vai		vada		và
	va		vada		vada
	andiamo		andiamo		andiamo
	andate		andiate		andate
	vanno		vadano		vadano
Futuro	**andrò**	*condizionale pres* andrei			
Passato remoto	**andai**				

Infinito presente	**DARE**				
Gerundio presente	**dando**	*imperfetto ind*	davo	*imperfetto cong*	dessi
					dessi
					desse
					dessimo
					deste
					dessero
Participio passato	**dato**				
Indicativo presente	**do**	*congiuntivo pres*	dia	*imperativo*	———
	dai		dia		da'
	dà		dia		dia
	diamo		diamo		diamo
	date		diate		date
	danno		diano		diano
Futuro	**darò**	*condizionale pres*	darei		
Passato remoto	**detti (diedi)**				
	desti				
	dette (diede)				
	demmo				
	deste				
	dettero (diedero)				

Infinito presente	**FARE**				
Gerundio presente	**facendo**	*imperfetto indic*	facevo	*imperfetto cong.*	facessi
Participio passato	**fatto**				
Indicativo presente	**faccio**	*congiuntivo pres.*	faccia	*imperativo*	———
	fai		faccia		fa'
	fa		faccia		faccia
	facciamo		facciamo		facciamo
	fate		facciate		fate
	fanno		facciano		facciano
Futuro	**farò**	*condizionale pres*	farei		
Passato remoto	**feci**				

Infinito presente	**STARE**				
Gerundio presente	**stando**	*imperfetto indic_*	stavo	*imperfetto cong*	stessi
					stessi
					stesse
					stessimo
					steste
					stessero

Participio passato	stato				
Indicativo presente	sto	*congiuntivo pres*	stia	*imperativo*	———
	stai		stia		sta'
	sta		stia		stia
	stiamo		stiamo		stiamo
	state		stiate		state
	stanno		stiano		stiano
Futuro	starò	*condizionale pres.*	starei		
Passato remoto	stetti				
	stesti				
	stette				
	stemmo				
	steste				
	stettero				

Infinito presente	**SAPERE**				
Gerundio presente	sapendo	*imperfetto indic.*	sapevo	*imperfetto cong.*	sapessi
Participio passato	saputo				
Indicativo presente	so	*congiuntivo pres*	sappia	*imperativo*	———
	sai		sappia		sappi
	sa		sappia		sappia
	sappiamo		sappiamo		———
	sapete		sappiate		sappiate
	sanno		sappiano		sappiano
Futuro	saprò	*condizionale pres*	saprei		
Passato remoto	seppi				

Infinito presente	**VOLERE**				
Gerundio presente	volendo	*imperfetto indic.*	volevo	*imperfetto cong.*	volessi
Participio passato	voluto				
Indicativo presente	voglio	*congiuntivo pres.*	voglia	*imperativo*	———
	vuoi		voglia		vogli
	vuole		voglia		voglia
	vogliamo		vogliamo		———
	volete		vogliate		vogliate
	vogliono		vogliano		vogliano
Futuro	vorrò	*condizionale pres*	vorrei		
Passato remoto	volli				

Infinito presente	DIRE				
Gerundio presente	dicendo	*imperfetto indic* dicevo		*imperfetto cong* dicessi	

Participio passato	detto			

Indicativo presente	dico	*congiuntivo pres* dica	*imperativo*	
	dici	dica		di'
	dice	dica		dica
	diciamo	diciamo		diciamo
	dite	diciate		dite
	dicono	dicano		dicano

Futuro	dirò	*condizionale pres* direi

Passato remoto	dissi

C   VERBI IRREGOLARI CHE SEGUONO LO SCHEMA D'IRREGOLARITÀ. VENGONO DATE SOLO LE FORME **IRREGOLARI.** CONSULTARE LE PAGINE PRECEDENTI PER I VERBI ANDARE, DARE, DIRE, FARE, SAPERE, STARE, VOLERE.

Infinito	Gerundio	Part. pass.	Ind. pres.	Futuro	Pass. rem.
ACCADERE (impers)				accadrà	accadde
ACCENDERE		acceso			accesi
ACCLUDERE		accluso			acclusi
ACCOGLIERE		accolto	accolgo		accolsi
			accogli		
			accoglie		
			accogliamo		
			accogliete		
			accolgono		
ACCORGERE		accorto			accorsi
ACCRESCERE		accresciuto			accrebbi
AGGIUNGERE		aggiunto			aggiunsi
ALLUDERE		alluso			allusi
AMMETTERE		ammesso			ammisi
APPENDERE		appeso			appesi
APPRENDERE		appreso			appresi
APRIRE		aperto			
ASSOLVERE		assolto			assolsi
ASSUMERE		assunto			assunsi
ATTRARRE	attraendo	attratto	attraggo	attrarrò	attrassi
			attrai		
			attrae		
			attraiamo		
			attraete		
			attraggono		

Infinito	Gerundio	Part. pass.	Ind. pres.	Futuro	Pass. rem.
AVVENIRE (vedi: venire)					
AVVOLGERE		avvolto			avvolsi
BERE	bevendo	bevuto		berrò	bevvi
CADERE				cadrò	caddi
CHIEDERE		chiesto			chiesi
CHIUDERE		chiuso			chiusi
COGLIERE (vedi: accogliere)					
COMMETTERE		commesso			commisi
COMMUOVERE		commosso			commossi
COMPIANGERE		compianto			compiansi
COMPORRE (vedi: porre)					
COMPRENDERE		compreso			compresi
COMPRIMERE		compresso			compressi
CONCLUDERE		concluso			conclusi
CONDURRE	conducendo	condotto	conduco	condurrò	condussi
CONFONDERE		confuso			confusi
CONGIUNGERE		congiunto			congiunsi
CONOSCERE		conosciuto			conobbi
CONSISTERE		consistito			
CONTENDERE		conteso			contesi
CONTENERE (vedi: tenere)					
CONTRARRE (vedi: attrarre)					
CONVINCERE		convinto			convinsi
COPRIRE		coperto			
CORREGGERE		corretto			corressi
CORRERE		corso			corsi
CORRISPONDERE		corrisposto			corrisposi
CORROMPERE		corrotto			corruppi
COSTRINGERE		costretto			costrinsi
CRESCERE		cresciuto			crebbi
CUCIRE (sew)			cucio		
			cuci		
			cuce		
			cuciamo		
			cucite		
			cuciono		
DECIDERE		deciso			decisi
DECRESCERE		decresciuto			decrebbi
DEDURRE	deducendo	dedotto	deduco	dedurrò	dedussi
DELUDERE		deluso			delusi
DEPRIMERE		depresso			depressi
DERIDERE		deriso			derisi
DESCRIVERE		descritto			descrissi
DIFENDERE		difeso			difesi
DIFFONDERE		diffuso			diffusi

Infinito	Gerundio	Part. pass.	Ind. pres.	Futuro	Pass. rem.
DIPENDERE		dipeso			dipesi
DIPINGERE		dipinto			dipinsi
DIRIGERE		diretto			diressi
DISCORRERE		discorso			discorsi
DISCUTERE		discusso			discussi
DISPIACERE		dispiaciuto			dispiacqui
DISTINGUERE		distinto			distinsi
DISTRUGGERE		distrutto			distrussi
DOVERE			devo	dovrò	
			devi		
			deve		
			dobbiamo		
			dovete		
			devono		
ELEGGERE		eletto			elessi
ESCLUDERE		escluso			esclusi
ESISTERE		esistito			
ESPRIMERE		espresso			espressi
ESTINGUERE		estinto			estinsi
FINGERE *(feign)*		finto			finsi
FRAINTENDERE		frainteso			fraintesi
GIUNGERE		giunto			giunsi
GODERE				godrò	
ILLUDERE		illuso			illusi
IMPORRE (vedi: porre)					
IMPRIMERE		impresso			impressi
INCLUDERE		incluso			inclusi
INFONDERE		infuso			infusi
INSISTERE		insistito			
INTENDERE		inteso			intesi
INTERROMPERE		interrotto			interruppi
INTERVENIRE (vedi: venire)					
INTRAPRENDERE		intrapreso			intrapresi
INTRODURRE	introducendo	introdotto	introduco	introdurrò	introdussi
LEGGERE		letto			lessi
MANTENERE (vedi: tenere)					
METTERE		messo			misi
MORIRE		morto	muoio		
			muori		
			muore		
			moriamo		
			morite		
			muoiono		
MUOVERE		mosso			mossi
NASCERE		nato			nacqui
NASCONDERE		nascosto			nascosi

Infinito	Gerundio	Part. pass.	Ind. pres.	Futuro	Pass. rem.
OFFENDERE		offeso			offesi
OFFRIRE		offerto			
OTTENERE (vedi: tenere)					
PARERE		parso	paio	parrò	parvi
			pari		
			pare		
			pariamo		
			parete		
			paiono		
PERCORRERE		percorso			percorsi
PERDERE		perso (perduto)			persi (perdei)
PERMETTERE		permesso			permisi
PERSUADERE		persuaso			persuasi
PIACERE		piaciuto	piaccio		piacqui
			piaci		
			piace		
			piacciamo		
			piacete		
			piacciono		
PIANGERE		pianto			piansi
PIOVERE (impers)					piovve
PORRE	ponendo	posto	pongo	porrò	posi
			poni		
			pone		
			poniamo		
			ponete		
			pongono		
POSSEDERE (vedi: sedere)					
POTERE			posso	potrò	
			puoi		
			può		
			possiamo		
			potete		
			possono		
PREMETTERE		premesso			premisi
PRENDERE		preso			presi
PRESUMERE		presunto			presunsi
PRETENDERE		preteso			pretesi
PREVEDERE		preveduto (previsto)			previdi
PRODURRE	producendo	prodotto	produco	produrrò	produssi
PROMETTERE		promesso			promisi
PROMUOVERE		promosso			promossi
PROPORRE (vedi: porre)					
PROTEGGERE		protetto			protessi
PROVENIRE (vedi: venire)					
PROVVEDERE		provveduto			provvidi
RACCOGLIERE (vedi: accogliere)					

Infinito	Gerundio	Part. pass.	Ind. pres.	Futuro	Pass. rem.
RADERE		raso			rasi
RAGGIUNGERE		raggiunto			raggiunsi
REGGERE		retto			ressi
RENDERE		reso			resi
REPRIMERE		represso			repressi
RESISTERE		resistito			
RESPINGERE		respinto			respinsi
RICHIEDERE		richiesto			richiesi
RICONOSCERE		riconosciuto			riconobbi
RICORRERE		ricorso			ricorsi
RIDERE		riso			risi
RIDURRE	riducendo	ridotto	riduco	ridurrò	ridussi
RIEMPIRE *(fill)*	riempiendo		riempio		
			riempi		
			riempie		
			riempiamo		
			riempite		
			riempiono		
RIMPIANGERE		rimpianto			rimpiansi
RINCRESCERE *(regret)*		rincresciuto			rincrebbi
RISCUOTERE		riscosso			riscossi
RISOLVERE		risolto			risolsi
RISPONDERE		risposto			risposi
RITENERE (vedi: tenere)					
RITRARRE (vedi: attrarre)					
RIUSCIRE (vedi: uscire)					
ROMPERE		rotto			ruppi
SALIRE			salgo		
			sali		
			sale		
			saliamo		
			salite		
			salgono		
SCEGLIERE (vedi: accogliere)					
SCENDERE		sceso			scesi
SCIOGLIERE (vedi: accogliere)					
SCOPRIRE		scoperto			
SCRIVERE		scritto			scrissi
SEDERE		seduto	siedo		
			siedi		
			siede		
			sediamo		
			sedete		
			siedono		

Infinito	Gerundio	Part. pass.	Ind. pres.	Futuro	Pass. rem.
SEDURRE	seducendo	sedotto	seduco	sedurrò	sedussi
SMETTERE		smesso			smisi
SOCCORRERE		soccorso			soccorsi
SOFFRIRE		sofferto			
SOMMUOVERE		sommosso			sommossi
SOPPRIMERE		soppresso			soppressi
SORREGGERE		sorretto			sorressi
SORRIDERE		sorriso			sorrisi
SOSTENERE (vedi: tenere)					
SOTTINTENDERE *(imply)*		sottinteso			sottintesi
SOTTOMETTERE		sottomesso			sottomisi
SOTTRARRE (vedi: attrarre)					
SPENDERE		speso			spesi
SPENGERE		spento			spensi
SPINGERE		spinto			spinsi
STENDERE *(spread, lay out)*		steso			stesi
STRINGERE *(bind, clasp)*		stretto			strinsi
SUCCEDERE (impers)		successo			successe
SUPPORRE (vedi: porre)					
TENDERE *(stretch out, strain)*		teso			tesi
TENERE			tengo tieni tiene teniamo tenete tengono	terrò	tenni
TOGLIERE (vedi: accogliere)					
TRADURRE	traducendo	tradotto	traduco	tradurrò	tradussi
TRARRE (vedi: attrarre)					
TRASCORRERE		trascorso			trascorsi
TRATTENERE (vedi: tenere)					
TRAVOLGERE		travolto			travolsi
UDIRE			odo odi ode udiamo udite odono		
USCIRE			esco esci esce usciamo uscite escono		

Infinito	Gerundio	Part. pass.	Ind. pres.	Futuro	Pass. rem.
VEDERE		veduto (visto)		vedrò	vidi
VENIRE		venuto	vengo	verrò	venni
			vieni		
			viene		
			veniamo		
			venite		
			vengono		
VINCERE		vinto			vinsi
VIVERE		vissuto		vivrò	vissi
VOLGERE		volto			volsi

A

a, ad *at, to*
abbandonare *to abandon*
abbasso *down with*
abbastanza *enough*
abbattere *to fell, to pull down*
abbigliamento *wearing apparel*
abitare *to reside, to inhabit*
abituale *habitual*
abituare *to accustom;* abituarsi *to become accustomed*
abolire *to abolish*
abruzzese *a person from Abruzzi*
accadere (irr) *to happen*
accendere (irr) *to light*
accennare *to allude, to beckon*
accento *accent*
accentuare *to emphasize*
acceso *lighted, ignited*
accetta *hatchet*
accettare *to accept*
accogliere (irr) *to make welcome, to receive*
accomodare *to adjust, to repair;* accomodarsi *to make oneself comfortable, to sit down*
accompagnare *to accompany*
accordo *agreement;* essere d'accordo *to be in agreement*
accorgersi (irr) *to notice, to perceive, to become aware*
accorto *keen, shrewd, clever*
accusare *to accuse*
acqua *water*
acquistare *to acquire, to buy*
acutezza *acuteness, keenness*
adattare *to adapt*
adatto *apt, fit, suitable*
addormentarsi *to fall asleep*
addormentato *asleep*
adeguato *adequate*

adesso *now*
adirarsi *to become angry*
adirato *angry*
adolescente *adolescent*
adolescenza *adolescence*
adulto *adult*
aereo *airplane*
aeroplano *airplane*
aeroporto *airport*
affare (m) *business;* sono affari miei *it is my business*
affatto *not at all*
affermare *to affirm, to state*
afferrare *to seize, to take hold of*
affetto *affection*
affettuoso *affectionate*
affidare *to entrust*
affinchè *so that*
affogare *to drown*
affresco, -chi *fresco*
affrettarsi *to hasten*
affrontare *to face*
agente *agent;* di polizia *policeman*
aggiornare *to adjourn, to postpone, to bring up to date*
aggiungere (irr) *to add*
aggiustare *to fix, to arrange, to repair*
agiato *well off, wealthy*
agio *leisure, comfort*
agitare *to shake, to agitate;* agitarsi *to become excited*
agnello *lamb*
ago, -ghi *needle*
agosto *August*
agricolo *agricultural*
agricoltura *agriculture*
aiutare *to help, to aid*
aiuto *help, aid*
albergo, -ghi *hotel*
albero *tree*

alcolico, -ci *alcoholic*
alcuni, -e *some, a few*
alimentare (adj) *alimentary;* (v) *to feed*
alleanza *alliance*
alleato *allied, ally*
alloggio *lodging*
allora *then, at that time*
alludere (irr) *to allude, to refer*
almeno *at least*
alterare *to alter*
alto *tall, high*
altoparlante (adj) *loudspeaking;* (m) *loud-speaker*
altrettanto *as much*
altrimenti *otherwise*
altro *other;* più che altro *more than anything else*
altrove *elsewhere*
alzare *to lift, to raise;* alzarsi *to get up*
amare *to love*
amaro *bitter*
ambasciatore *ambassador*
ambedue *both*
ambiente (m) *background (physical or figurative)*
ambiguità *ambiguity*
americano *American*
amica *friend*
amico, -ci *friend*
ammaestrare *to train, to teach*
ammettere (irr) *to admit*
amministrazione (f) *administration*
ammirare *to admire*
ammonire *to admonish*
amore (m) *love*
analfabeta (m f) *illiterate*
analfabetismo *illiteracy*
analisi (f invar) *analysis*
analizzare *to analyze*
anche *also*
ancora *still, yet;* ancora una volta *once again;* non ancora *not yet*
andare (irr) *to go;* andarsene *to go away;* andar via *to go away;* andare incontro *to go towards, to meet*
andata (n) *going;* biglietto di andata e ritorno *round trip ticket*

aneddoto *anecdote*
anello *ring*
angoscia *anguish*
anno *year*
annoiarsi *to be bored*
annunciare *to announce*
antichità *antiquity;* (plur) *antiquities*
anticipo *advance (time);* essere in anticipo *to be ahead of time*
antico, -chi *ancient*
antipatico, -ci *uncongenial, disagreeable*
antologia *anthology*
anzi *on the contrary, and even*
aperto *open;* all'aperto *outdoors, in the open*
appartamento *apartment*
appartenere (irr) *to belong*
appena *as soon as, barely*
appoggiare *to lean, to support*
apportare *to bring, to give rise to*
apprezzare *to appreciate*
appropriato *appropriate, proper, suitable*
approvare *to approve*
appuntamento *appointment*
appunto *just so;* prendere degli appunti *to take notes*
aprile (m) *April*
aprire*, aperto *to open*
arancione *orange colored*
archeologo, -gi *archeologist*
architetto *architect*
area *area*
argomento *topic, subject for discussion*
aria *air*
arido *arid*
arma (f), le armi *arm, weapon*
armato *armed*
armonia *harmony*
arricchimento *enrichment*
arricchire *to enrich;* arricchirsi *to become rich*
arrivare *to arrive*
arrivo *arrival;* in arrivo *about to arrive*
arrossire *to blush*
arrosto *roast*
arte (f) *art;* belle arti *fine arts*
articolo *article*
artigianato *crafts (industry)*

artista (m f) *artist*
asciugare *to dry*
ascoltare *to listen to*
aspettare *to wait, to wait for;* aspettarsi *to expect*
aspetto *aspect, appearance;* all'aspetto *in appearance*
aspro *harsh, tart*
assai *very*
assedio *siege*
assegno *check (of a bank)*
assenza *absence*
assicurare *to insure, to assure*
assistenza *assistance*
assistere, assistito *to assist*
associazione (f) *association*
assolutista (m f) *absolutist*
assorto *absorbed, intent*
assumere (irr) *to assume*
astronauta (m f) *astronaut*
astronomia *astronomy*
atrio *lobby, atrium*
attento *attentive, careful*
attenzione (f) *attention*
attirare *to attract*
attivo *active*
atto *act*
attore (m) *actor*
attrarre (irr) *to attract*
attraversare *to cross*
attraverso *through*
attrezzato *equipped, rigged, furnished*
attrice *actress*
attuale *real, present*
attualmente *at present*
attuare *to carry out, to realize (make real)*
augurio *wish (presented to others), omen*
aula *classroom, great hall (courtroom)*
aumentare *to increase, to augment*
aumento *increase*
auto (f) *auto*
autobus *bus*
automobile (f) *automobile*
autonomo *autonomous*
autore (m) *author*
autorità *authority*
autrice *authoress*

autunno *autumn*
avanti *forward, ahead*
avanzare *to advance;* basta e ne avanza *it is enough and to spare*
avere (irr) *to have;* aver bisogno di *to need;* aver da fare *to have to do;* aver luogo *to take place;* aver paura (freddo, sonno, etc.) *to be afraid (cold, sleepy, etc.)*
avvenimento *event, occurrence*
avvenire (irr) *to happen;* (m) *future*
avvertire * *to warn, to notify*
azione (f) *action*
azzurro *blue*

B

babbo *daddy*
badare *to take care*
bagaglio *baggage, luggage*
bagno *bath*
balbettare *to stammer, to stutter*
ballare *to dance*
ballo *dance*
bambina *child, baby*
bambino *child, baby*
bambola *doll*
banca *bank*
bancarella *street stand*
banco, -chi *counter*
bar *bar, coffee house*
barba *beard*
barca *boat*
bassifondi *slum*
basso *low, short (in height)*
bassorilievo *bas-relief*
basta *it is enough*
bastare *to be enough*
battezzare *to baptize*
batticuore (m) *heart flutter, palpitation*
battistero *baptistry*
bavero *collar (of a coat)*
Befana *good witch, Epiphany*

bellẹzza   *beauty;* che bellezza!   *how marvelous*

bello   *beautiful*

benchè   *although*

bene (adv)   *well*

bene (m)   *good;* beni   *goods, property, good things*

benẹssere (m)   *well-being, welfare*

benestạnte (m f)   *well-to-do*

benẹvolo   *benevolent*

benzịna   *gasoline;* distributọre di benzina   *gas station*

bere (irr)   *to drink*

bevạnda   *beverage*

biancherịa   *linen (personal and household)*

biạnco, -chi   *white*

bịbita   *soft drink*

bibliotẹca   *library*

bicchiẹre (m)   *glass (drinking)*

biciclẹtta   *bicycle*

biglietterịa   *ticket office*

bigliẹtto   *ticket, note*

bilịngue (m f)   *bilingual*

bimbo   *child, baby*

biologịa   *biology*

birra   *beer*

bisestịle, anno bisestile   *leap year*

bisognạre (impers)   *to be necessary*

bisọgno   *need;* aver bisogno   *to need*

bizantịno   *Byzantine*

blu   *blue*

bolla   *bubble*

bonịfica   *land reclamation*

borghesịa   *bourgeoisie, middle class*

bọria   *arrogance, haughtiness*

borsa   *bag;* borsa di stụdio   *scholarship, fellowship (financial aid)*

bosco   *wood (of trees)*

brạccio (m), le braccia   *arm, arms (body);* i bracci   *arms (fig)*

brace (f)   *ember*

branco, -chi   *herd, gang*

brano   *passage (written or printed)*

bravo   *good (able, skilful, successful)*

breve   *brief, short*

brevettạre   *to patent*

brucịare   *to burn*

brutto   *ugly*

buọno   *good*

burocrazịa   *bureaucracy*

busta   *envelope*

C

cacciạre   *to eject, to emit, to chase, to thrust*

cadẹre (irr)   *to fall*

cadụta   *fall*

caffè (m)   *coffee, coffee shop, café*

cagiọne (f)   *cause, reason*

cạlcio   *kick, soccer*

caldo   *warm, warmth*

callo   *corn, callousness*

calzolạio   *shoemaker, cobbler*

calzolerịa   *shoe shop*

cambiamẹnto   *change*

cambiạre   *to change*

cạmera   *bedroom;* camera dei deputạti   *chamber of deputies*

camerịera   *waitress, maid*

camerịere (m)   *waiter, house boy*

camịcia   *shirt*

camminạre   *to walk*

campạgna   *countryside*

campanẹllo   *door bell, bell*

campanịle (m)   *belltower*

campo   *field*

cancellịno   *eraser (blackboard)*

cantạnte (m f)   *singer*

cantiẹre (m)   *work yard*

canzọne (f)   *song*

capacità   *capacity*

capịre   *to understand*

capitạle (m)   *capital*

capitalịsta (m f)   *capitalist*

capịtolo   *chapter*

capo   *head, chief;* a capo   *at the head;* da capo   *from the beginning*

capodạnno   *New Year's Day*

cappẹllo   *hat*

cappọtto   *coat, overcoat*

carạttere (m)   *character (of a person); (printing) type*

carbọne (m)   *coal*

cardinale *cardinal*
carica *charge;* in carica *in office*
carico, -chi *load, cargo*
carino *pretty, nice*
carne (f) *meat, flesh*
carnevale (m) *carnival*
caro *dear, costly, expensive*
carriera *career;* a gran carriera *at top speed*
carrozza *carriage, car (train)*
carta *paper;* carta d'imbarco (di sbarco) *imbarcation (debarcation) card;* carte da giuoco *playing cards*
cartellone (m) *poster*
cartoleria *stationery shop*
cartolina *postcard, card*
casa *house, home*
caso *case, chance;* nel caso che *in the event that;* per caso *by chance*
cassa *chest (large box), fund, cashier's office*
cassetta *small box;* cassetta di sicurezza *safety box*
cassiera *cashier*
cassiere (m) *cashier*
catalogo, -ghi *catalogue*
catastrofe (f) *catastrophe*
catena *chain* ·
cattedrale (f) *cathedral*
cattivo *bad, naughty*
causa *cause;* a causa di *because of*
cava *quarry*
cavallo *horse*
celebre *famous*
celebrità *celebrity*
celeste *pale blue, celestial*
cena *supper*
cenere (f) *ash;* le Ceneri *Ash Wednesday*
censimento *census*
centinaio, le centinaia *about one hundred, hundreds*
cento *one hundred*
centrale *central*
centro *center*
cerca *quest, search;* in cerca *in search*
cercare *to look for, to try, to endeavor*
cerchio *circle, hoop*
certezza *certainty*

certo *certain;* (adv) *certainly*
cessare *to cease, to discontinue*
che *that;* (pron) *that, who, which;* che? che cosa? *what?*
chi *he (she) who;* chi? *who? whom?*
chiacchierare *to chat*
chiamare *to call;* chiamarsi *to be named*
chiaro *light (in color), clear*
chiave (f) *key*
chiedere (irr) *to ask*
chiesa *church*
chilometro *kilometer (5/8 of a mile)*
chimica *chemistry*
chioma *head of hair, mane; foliage*
chirurgo, -ghi *surgeon*
chiudere (irr) *to close*
chiunque *whoever, whomever*
chiuso *closed; enclosure*
ciascuno *each, every; each one, every one*
cibo *food*
cicuta *hemlock*
cielo *sky, heaven*
cima *summit, top;* in cima (a) *at the top (of)*
cimitero *cemetery*
cinema (m invar) *cinema, movie theater*
cinquanta *fifty*
cinque *five*
ciò *that, this, it*
cioccolato *chocolate*
cioè *that is, namely*
circa *about, nearly*
circolo *circle, club*
circondare *to surround*
circostanza *circumstance*
citrullo *blockhead, fool*
città *city, town*
cittadino *citizen, townsman; of a town*
civile *civilian, civil*
civiltà *civilization, civility*
classe (f) *class*
classico, -ci *classic*
cliente (m f) *client*
clima (m) *climate*
cocciuto *stubborn*
coercitivo *coercive*
cogliere (irr) *to pick, to catch, to pluck*
cognata *sister-in-law*

cognąto   *brother-in-law*
colazione (f)   *breakfast*
colle (m)   *hill*
collęga (m f), -ghi   *colleague*
collegąre   *to connect, to join*
collina   *hill*
colonna   *column*
colore (m)   *color*
coltęllo   *knife*
colto   *cultivated, cultured*
comandąre   *to command*
comąndo   *command, order*
combąttere   *to fight*
combinąre   *to combine, to establish*
come   *as, like;* come se   *as if;* come?   *how?*
comico, -ci   *comic*
cominciąre   *to begin*
commędia   *play, comedy*
commemorąre   *to commemorate*
commentąre   *to comment, to make comments*
commęnto   *comment, remark*
commerciąnte (m f)   *merchant*
commęrcio   *commerce, business*
commęsso   *clerk in a shop*
commissariąto di pubblica sicuręzza   *police office*
commissione (f)   *errand, commission*
commuovere (irr)   *to move, to touch (feelings)*
comodo   *comfortable*
compagnia   *company, companionship*
compągno   *companion, schoolmate, roommate*
comparire   *to appear, to show oneself*
competęnza   *competence, jurisdiction*
compiere   *to accomplish, to complete*
compito   *assignment, task, homework*
complęanno   *birthday*
complęsso   *complex;* in complesso   *on the whole*
componimęnto   *composition*
comporre (irr)   *to compose*
comprąre   *to buy*
compręndere (irr)   *to include, to understand*
compręssa   *compress, tablet*
compunto   *stung, conscience stricken*
comune (m)   *township;* Comune   *city-state;*

(adj)   *common, ordinary*
comunicazione (f)   *communication*
comunismo   *communism*
comunista (m f)   *communist*
comunque   *anyway, anyhow, however, no matter how*
concentrąre   *to concentrate*
concęrto   *concert*
concętto   *concept, idea*
concludere (irr)   *to conclude*
conclusione (f)   *conclusion*
condizione (f)   *condition, situation*
conducęnte (m f)   *conductor, driver*
conferęnza   *lecture*
conferenzięre, -a   *lecturer*
confermąre   *to confirm*
confessąre   *to confess, to acknowledge*
confinąre   *to border, to confine*
confusione (f)   *confusion*
confuso   *confused*
coniugąre   *to conjugate*
conoscęnza   *acquaintance, knowledge*
conoscere (irr)   *to know, to be acquainted with*
conquista   *conquest*
conquistąre   *to conquer*
conscio   *aware*
consegnąre   *to deliver, to hand over*
conseguęnza   *consequence*
conservąre   *to preserve*
conservatorio   *conservatory*
considerąre   *to consider*
consigliąre   *to advise, to counsel*
consiglio   *advice, counsel; council, board;* consiglio dei ministri   *cabinet of ministers*
consistere, consistito   *to consist, to be composed of*
consolidąre   *to consolidate*
consuetudine (f)   *custom, habit*
consultąre   *to consult*
contadino   *farmer, peasant*
contemporąneo   *contemporary, contemporaneous*
contęnto   *content, glad, pleased*
continentąle   *continental*
continęnte (m)   *continent*
continuąre   *to continue*
continuo   *continuous;* di continuo   *without*

interruption
conto *bill, account*
contraddittorio *contradictory*
contrario *contrary, opposite*
contrarre (irr) *to contract*
contrasto *contrast*
contribuire *to contribute*
contro *against, counter*
controllo *control, verification*
conversazione (f) *conversation*
convertire * *to convert*
convincere (irr) *to convince*
coperto *covered, sheltered;* al coperto *under cover*
copia *copy*
coppia *couple, pair*
coprire *, coperto *to cover*
coraggio *courage*
corda *rope*
cordiale *cordial*
correggere (irr) *to correct*
corrente (f) *current;* (adj) *running, flowing;* tenersi al corrente *to keep up to date*
correre (irr) *to run*
corridoio *corridor*
corso *course* ·
corte (f) *court*
cortese *courteous*
cortesia *courtesy*
corto *short, brief*
cosa *thing;* cosa? *what?*
coscientemente *consciously*
coscienza *conscience*
così *thus, so*
cosmonauta (m f) *cosmonaut*
costa *coast*
costare *to cost*
costellare *to stud with stars*
costituzionale *constitutional*
costituzione (f) *constitution*
costo *cost;* a tutti i costi *at all cost*
costruire *to construct, to build*
costruzione (f) *construction*
cotone (m) *cotton*
cotto *cooked*
credere *to believe*
crescere (irr) *to grow, to augment*

crisantemo *chrysanthemum*
crisi (f invar) *crisis*
cristiano *Christian*
crocifisso *crucifix, crucified*
cucina *kitchen*
cugino *cousin*
cui (with prep) *whom, which;* il cui *whose, of which*
cultura *culture*
cuocere (irr) *to cook*
cuoco, -chi *cook*
cuore (m) *heart*
cupo *dark, gloomy, hollow (sound), somber*
cura *cure, care*
curare *to treat (ailments), to take care*
curiosità *curiosity*
cuscino *pillow*
custode (m f) *custodian, guardian*

D

da *from; at the place of, at the business of, at the home of; since; like, as*
danno *damage*
dapprima *at first*
dare (irr) *to give;* può darsi *it may be*
data *date (calendar)*
dato che *given the fact that, since*
davanti (a) *ahead, before, in front (of)*
davvero *indeed, in truth*
dea *goddess*
debole *weak, frail*
debolezza *weakness, frailty*
decennio *period of ten years*
decidere (irr) *to decide*
decimo *tenth*
dedicare *to dedicate, to devote*
definire *to define*
degno *worthy*
delitto *crime*
deludere (irr) *delude, to deceive*
delusione (f) *delusion, disappointment, disillusionment*
deluso *disappointed, disillusioned*
democratico, -ci *democratic*
democrazia *democracy*

denaro *money*

dente (m) *tooth;* dente del giudizio *wisdom tooth*

dentifricio *tooth paste*

dentista (m f) *dentist*

dentro *inside*

denunciare *to denounce*

deposito *deposit, warehouse*

deputato *deputy, congressman*

derivare *to derive*

descrivere (irr) *to describe*

descrizione (f) *description*

deserto *desert*

desiderare *to desire, to wish*

desiderio *desire, wish*

desideroso *desirous*

destra *right (hand);* a destra *at, to the right*

determinare *to determine*

detrarre (irr) *to detract, to deduct*

dettato *dictation*

devastare *to devastate, to ravage*

di *of*

dialetto *dialect*

dialogo, -ghi *dialogue*

dicembre (m) *December*

diciannove *nineteen*

diciassette *seventeen*

didattico *didactic*

dieci *ten*

diecina *about ten*

dietro (a) *behind (in space)*

difendere (irr) *to defend*

difesa *defense*

differente *different*

differenza *difference*

difficile *difficult*

difficoltà *difficulty*

diffondere (irr) *to spread, to expand*

dilettare *to delight*

diligente *diligent*

diligenza *diligence*

dimenticare *to forget*

dimettersi (irr) *to resign (from office)*

dimostrare *to demonstrate*

Dio *God*

dipendere (irr) *to depend*

dipingere (irr) *to paint*

dire (irr) *to say, to tell, to speak*

diretto *direct, directed*

direttore (m) *director*

direttrice (f) *director*

dirigente (m f) *manager*

diritto *right, law;* (adj) *straight*

disastro *disaster*

disastroso *disastrous*

disco, -chi *record (victrola), discus*

discorso *discourse, speech*

discreto *discreet, moderate*

discrezione (f) *moderation, discretion*

discussione (f) *discussion, argument*

disegno *drawing, design, plan*

disgrazia *misfortune, mishap, accident*

disgustoso *disgusting*

disimpegnarsi *to disengage oneself*

disoccupato *unemployed*

disordine (m) *disorder*

dispiacere (irr) *to be sorry, to regret;* (n) *regret, sorrow*

disporre (irr) *to dispose, to arrange*

distare *to be distant, to be at the distance*

distinguere (irr) *to distinguish*

distrarre (irr) *to distract*

distratto *absent-minded*

distrazione (f) *distraction, absentmindedness*

distributore (m) *distributor;* distributore di benzina *gasoline station*

distruggere (irr) *to destroy*

distruzione (f) *destruction*

disturbare *to disturb, to inconvenience*

dito (m), le dita *finger*

ditta *firm (business)*

dittatore (m) *dictator*

dittatura *dictatorship*

divenire (irr) *to become*

diventare *to become*

diverso *different, sundry, several*

divertente *amusing, diverting*

divertirsi * *to enjoy oneself, to have fun*

dividere (irr) *to divide, to separate*

divino *divine*

divisione (f) *division*

dizionario *dictionary*

doccia *shower-bath*

documento *document*

dodicęsimo *twelfth*

dọdici *twelve*

dogạna *custom office, custom duty*

dolce (m) *any kind of sweet, cake;* (adj) *sweet, mild*

dolcęzza *sweetness, kindness*

dọllaro *dollar*

dolọre (m) *grief, sorrow, pain*

domạnda *question*

domandạre *to ask;* domandarsi *to wonder*

domạni *tomorrow*

domattịna *tomorrow morning*

domęnica *Sunday*

dominaziọne (f) *domination*

domịnio *dominion, power*

donna *woman*

dopo *afterwards, later, after*

dopodomạni *day after tomorrow*

dormịre * *to sleep*

dottọre (m) *doctor*

dove *where*

dovęre (irr) *to owe, to be obliged;* (m) *duty*

dovụnque *everywhere, anywhere*

dozzịna *dozen*

dramma (m) *drama*

dụbbio *doubt*

dubitạre *to doubt*

duce (m) *leader*

dụnque *then, consequently*

duọmo *cathedral*

durạnte (prep) *during*

durạre *to last*

duratụro *lasting, durable*

duro *hard, harsh*

E

e, ed *and*

ebręo *Jew, Jewish*

eccellęnte *excellent*

eccętto *except*

ecceziọne (f) *exception*

ecco *here is, there is*

economịa *economy, economics*

econọmico, -ci *economical*

edifịcio *edifice*

educaziọne (f) *education*

effętto *effect*

efficạce *effective, efficacious*

efficạcia *efficacy, effectiveness*

elegạnte *elegant*

elegạnza *elegance*

elęggere (irr) *to elect*

elementạre *elementary*

elemęnto *element, rudiment*

elencạre *to list*

elęnco, -chi *list;* elenco telefọnico *telephone book*

elettịvo *elective*

elettricità *electricity*

elęttrico, -ci *electric*

elettrodomęstici *home appliances*

elevạto *elevated, lofty*

eleziọne (f) *election*

emendamęnto *amendment*

emigrạnte (m f) *emigrant*

enciclopedịa *encyclopaedia*

endecasịllabo *eleven syllable line (verse)*

energịa *energy*

ente (m) *being, institution, society*

entrạre *to enter;* entrare in vigọre *to become effective*

entrạta *entry, income*

entro *within*

entusiạsmo *enthusiasm*

entusiạsta (m f) *enthusiast*

Epifanịa *Epiphany, Twelfth Night*

episọdio *episode*

equilịbrio *equilibrium, balance*

erba *grass*

23ęde (m f) *heir*

eredità *inheritance, heredity*

ereditạre *to inherit*

erọe (m) *hero*

eroịna *heroine*

errạre *to err, to wander*

esạme (m) *examination*

esaurięnte *exhaustive, complete*

esaurịre *to exhaust*

esclamạre *to exclaim*

esclụdere (irr) *to exclude*

esclusịvo *exclusive*

esecutivo   *executive*
esempio   *example*
esercitare   *to exercise, to practice*
esercito   *army*
esercizio   *exercise, practice*
esistere, esistito   *to exist*
esortare   *to exhort*
esperienza   *experience*
esplorazione (f)   *exploration*
esplosione (f)   *explosion*
esporre (irr)   *to expose, to set forth*
esprimere (irr)   *to express*
essere (irr)   *to be*
est (m)   *east*
estate (f)   *summer*
estendere (irr)   *to extend, to enlarge*
esteriore   *exterior*
esterno   *external;* all'esterno   *outside*
estrarre (irr)   *to extract*
estremo   *extreme*
età   *age*
Europa   *Europe*
europeo   *European*
evidente   *evident*
evitare   *to avoid*
evo   *age, era;* Evo Antico   *antiquity;* Evo Moderno   *Modern Age;* Medio Evo   *Middle Ages*
evviva   *hooray, long live*

F

fa   *ago;* un mese fa   *a month ago*
fabbrica   *factory, plant*
fabbricare   *to manufacture, to construct*
facchino   *porter*
faccia   *face*
facile   *easy*
facilità   *facility, ease*
facoltativo   *optional, elective*
fama   *fame*
famiglia   *family*
famoso   *famous*
fanale (m)   *lamp, light*
fanciullo   *young boy*

fantasioso   *imaginative, fanciful*
fare (irr)   *to do, to make;* fare la **conoscenza** di   *to make the acquaintance of;* fare una **domanda**   *to ask a question;* far fare   *to make (someone) do, to cause to do;* farsi male (al piede)   *to hurt (one's foot);* fare a meno di   *to do without;* far piacere   *to give pleasure, to please*
farmacia   *pharmacy*
farmacista (m f)   *pharmacist*
fascismo   *fascism*
fascista (m f)   *fascist*
fatto   *fact, event*
fattorino   *messenger boy, bell boy*
fautore (m) fautrice (f)   *promoter, supporter*
favola   *fable*
favorire   *to favor*
febbraio   *February*
febbre (f)   *fever*
fede (f)   *faith*
felice   *happy*
felicità   *happiness*
ferire   *to wound*
ferita   *wound*
fermare   *to stop (something, someone);* fermarsi   *to stop (oneself)*
fermata   *stop*
ferro   *iron*
ferrovia   *railroad*
ferroviario   *pertaining to the railroad*
fessura   *crack, split, crevice*
festa   *feast, holiday;* far festa   *to take a holiday, to give a hearty welcome*
festeggiare   *to celebrate*
festivo   *festive;* giorno festivo   *legal holiday*
feudale   *feudal*
fiaba   *fairy tale*
fidanzarsi   *to become engaged (to be married)*
fidanzato   *fiancé*
fiducia   *trust, confidence;* aver fiducia in qualcuno   *to have faith in someone*
fiera   *fair; wild beast*
fiero   *bold, proud, fierce*
figlio, -a   *son, daughter*
fila   *line, row*
filo   *thread, wire*
filosofia   *philosophy*

finalmente *at last, finally*
finanziare *to finance*
finanziario *financial*
fine (f) *end, close, finish*
fine (m) *end, aim, object*
fine (adj) *thin, delicate, fine*
finestra *window*
finire *to end, to finish*
fino (adj) *fine, delicate, thin;* fino a *until;* fino da *since*
finora *until now*
fiore (m) *flower*
fiorentino *Florentine*
firmare *to sign (one's name)*
fisica *physics*
fiume (m) *river*
foglia *leaf*
foglio *sheet (paper)*
folto *thick, dense*
fondamentale *fundamental, basic*
fondare *to found*
fondazione (f) *foundation*
fondiario (adj) *land*
fondo *bottom, end;* (adj) *deep;* in fondo (a) *at the bottom (of), at the end (of);* di fondo *basic*
fontana *fountain*
fonte (f) *source, fount*
forma *form*
formaggio *cheese*
formare *to form;* formare il numero *to dial*
forno *oven, bakery*
forse *perhaps*
forte *strong*
fortuna *fortune, luck*
fortunato *fortunate, lucky*
fotografia *photography, photograph, snapshot*
fra *between, among;* fra poco *in a little while*
fraintendere (irr) *to misunderstand*
frammentato *fragmented*
francese *French*
francobollo *postage stamp*
frase (f) *phrase, sentence*
fratellanza *brotherhood*
fratello *brother;* fratellino *little brother*

frattempo *interval;* nel frattempo *in the interval, meanwhile*
freddo *cold, coldness*
frenare *to brake, to curb*
frequentare *to frequent, to attend*
fresco, -chi *cool, fresh*
fretta *haste, hurry;* in fretta *in a hurry;* aver fretta *to be in a hurry*
fronda *bough, leafy branch*
fronte (f) *forehead;* di fronte (a) *in front (of)*
fruscio, -ii *rustle*
frutta (coll) *fruit*
frutto *fruit*
fuggire * *to flee, to escape*
fulmine (m) *thunder-bolt*
fumo *smoke*
funzionare *to function*
fuoco, -chi *fire*
fuori *outside*

G

gabinetto *cabinet; toilet*
gamba *leg*
gancio *hook*
gelare *to freeze*
gelato *ice cream*
gelo *frost*
generale (m) *general;* (adj) *general*
genio *genius, talent;* genio civile *civil engineering*
genitore (m) *parent, father;* genitori *parents*
gennaio *January*
gente (f) *people (coll)*
gentile *kind, polite*
geografia *geography*
geografico, -ci *geographical*
geologia *geology*
geologico, -ci *geological*
gergo, -ghi *jargon*
gesso *chalk*
gesticolare *to gesticulate*
gesto *gesture*
gettare *to throw*

ghiàccio *ice*
già *already*
giàcca *jacket*
giacchè *since*
giàllo *yellow*
giapponęse *Japanese*
giardino *garden*
gigantęsco, -chi *gigantic*
giocàre *to play (games)*
giọia *joy; jewel*
giornàle (m) *newspaper*
giornàta *all day long, day's work*
giọrno *day*
giọvane *young*
giovedì (m) *Thursday*
gioventù (f invar) *youth*
giradischi (m) *record player*
giràre *to go around, to turn*
giro *tour, spin;* andàre in giro *to stroll around*
gita *excursion, jaunt*
giù *down*
giudicàre *to judge*
giùdice (m) *judge*
giudizio *judgment, wisdom*
giùgno *June*
giùngere (irr) *to arrive, to join, to reach*
giustizia *justice*
giùsto *just, right, correct*
glọria *glory*
godęre (irr) *to enjoy*
gola *throat*
gonna *skirt*
governànte (m f) *ruler, keeper; governess*
governàre *to govern, to rule*
govęrno *government*
grado *degree; rank*
gradualmęnte *gradually*
grande *large, big, great*
grandinàre *to hail*
gràndine (f) *hail*
grato *grateful, thankful*
grave *grave*
gràzia *grace*
gràzie *thank you*
greco, -ci *Greek*
gridàre *to shout, to scream*

grigio *gray*
grosso *large, bulky*
gruppo *group*
guadagnàre *to earn, to profit*
guànto *glove*
guardàre *to look at, to watch*
guarire *to cure, to recover*
guęrra *war*
guida *guide*
guidàre *to guide, to drive*
gusto *taste*

I

Iddio *God*
idęa *idea*
ięri *yesterday;* ieri l'altro *day before yesterday*
ignorànza *ignorance*
ignoràre *not to know, to ignore*
illùdere (irr) *to deceive (with a vain hope)*
illuminàre *to illuminate, to enlighten*
illusiọne (f) *illusion;* farsi delle illusioni *to delude oneself*
illustraziọne (f) *illustration*
imbàrco, -chi *embarcation*
immaginàre *to imagine*
immaginàrio *imaginary*
immatùro *immature*
immediatamęnte *immediately*
immọbile *motionless*
immoràle *immoral*
imparàre *to learn*
impaurìre *to frighten*
impazięnte *impatient, anxious*
impedìre *to prevent*
impegnàre *to engage, to pawn;* impegnarsi *to undertake, to take upon oneself*
impęgno *engagement, obligation, zeal*
impercettìbile *imperceptible*
impermeàbile (m) *raincoat*
impęro *empire*
impiànto *installation*

impiegato   *employee, clerk*
imporre (irr)   *to impose*
importante   *important*
importare   *to matter; to import*
importazione (f)   *import*
impossibile   *impossible*
impostare   *to mail; to set up, to establish*
impoverimento   *impoverishment*
impreparato   *unprepared*
in   *in, at*
inadatto   *unfit, unsuitable*
incantare   *to charm*
incantato   *enchanted, charmed*
incantevole   *charming, fascinating*
incarico, -chi   *task, charge, office*
incertezza   *uncertainty*
incidente (m)   *accident*
incluso   *included*
inconscio   *unconscious*
incontrare   *to meet, to encounter*
incontro   *meeting;* andare incontro   *to go to-wards, to meet*
incremento   *increment, increase*
incutere   *to inspire (respect, awe)*
indicare   *to indicate, to point out*
indietro   *behind*
indipendente   *independent*
indipendenza   *independence*
indiretto   *indirect*
indirizzo   *address*
individuo   *individual, person*
industria   *industry*
industriale (m f)   *industrialist;* (adj) *industrial*
infanzia   *infancy, childhood*
infatti   *in fact, in effect, in reality*
infelice   *unhappy*
inferiore   *inferior, lower*
infermiere, -a   *nurse*
inferno   *hell*
infilare   *to thread, to penetrate*
infimo   *extremely low*
infine   *lastly, after all, finally*
influenza   *influence*
ingannare   *to deceive*
inganno   *deceit*
ingiusto   *unjust*
inglese   *English*

ingrandire   *to enlarge*
ingrato   *ungrateful, thankless, disagreeable*
iniziatore (m)   *initiator*
inizio   *beginning*
innamorarsi   *to fall in love*
innegabile   *undeniable*
innocuo   *innocuous*
innominato   *unnamed, nameless*
inoltre   *furthermore*
inopportuno   *inopportune, inadvisable*
inquinamento   *pollution*
insegnante (m f)   *teacher*
insegnare   *to teach*
inseguire*   *to pursue*
insieme   *together;* l'insieme (m)   *the whole (of parts)*
intelligente   *intelligent*
intendere (irr)   *to understand, to intend*
intenso   *intense*
interessante   *interesting*
interessare   *to interest*
interno   *internal;* all'interno   *inside*
interrompere (irr)   *to interrupt*
intitolare   *to entitle*
intorno   *around, about;* intorno a   *around*
introdurre (irr)   *to introduce*
introduzione (f)   *introduction*
invece   *instead*
inverno   *winter*
invidia   *envy*
invidiabile   *enviable*
invidiare   *to envy*
invitare   *to invite*
invito   *invitation*
ipotetico, -ci   *hypothetical*
irregolare   *irregular*
irrigazione (f)   *irrigation*
isola   *island*
isolamento   *isolation*
isolato   *isolated; block (of houses)*
ispezione (f)   *inspection*
ispirazione (f)   *inspiration*
istituire   *to institute, to establish*
istituto   *institute*
istruzione (f)   *instruction, education*
italiano   *Italian*
itinerario   *itinerary*

L

là *there*
lacrimare (lagrimare) *to weep, to shed tears*
ladro *thief*
laggiù *down there, over there*
lagnarsi *to complain*
lago, -ghi *lake*
lama *blade*
lamentarsi *to complain*
lamento *lament, complaint*
lampada *lamp*
lampo *lightning*
lana *wool*
largo, -ghi *wide, broad*
lasciare *to leave, to let;* lasciare in pace *to leave alone;* lasciar fare *to let (someone) do (something);* lasciar stare *not to disturb, to let be;* lasciar da parte *to leave aside*
lassù *up there*
latifondo *large land estate*
lato *side*
latte (m) *milk*
lavagna *blackboard*
lavanderia *laundry (place)*
lavare *to wash*
lavorare *to work*
lavoro *work*
leccare *to lick*
legare *to tie, to bind*
legge (f) *law*
leggere (irr) *to read*
leggero *light (weight), frivolous*
leggio, -ii *reading stand*
legislativo *legislative*
legittimità (invar) *legitimacy*
legna *fire wood*
legno *wood;* legno compensato *plywood*
lettera *letter*
letterario *literary*
letteratura *literature*
letto *bed*
lettura *reading*
levarsi *to take off*
lezione (f) *lesson, class;* a lezione *in class*
lì *there*

liberale *liberal*
liberare *to free*
libero *free*
libertà *liberty, freedom*
libreria *book store, bookshop, book case*
libro *book*
liceo *licée, senior high school*
lieto *cheerful*
lieve *light, slight*
limitare *to limit*
limite (m) *limit*
lingua *tongue, language*
linguistica *linguistics*
liquore (m) *liqueur, liquor*
lira *lira*
lirica *lyric poetry;* lirico, -ci *lyric*
lista *list*
litania *litany*
locale (m) *place, premises;* (adj) *local*
locusta *locust*
lodare *to praise*
lontano *distant, far*
lotta *fight, struggle*
lottare *to fight, to struggle*
luce (f) *light*
luglio *July*
lume (m) *lamp, light*
luna *moon*
lunedì (m) *Monday*
lungo, -ghi *long;* a lungo *for a long time;* lungo (il fiume) *along (the river)*
luogo, -ghi *site, place;* aver luogo *to take place*
lusso *luxury;* di lusso *luxurious*

M

ma *but*
macchina *machine, car*
macelleria *butcher's shop*
madre *mother*
maestria *skilfulness, mastery*
magari *would that it were, even, perhaps*
maggio *May*
maggioranza *majority*

maggiọre *greater, bigger*

Magi *Magi*

maglia *sweater;* far la maglia *to knit*

magnętico, -ci *magnetic*

magnetọfono *tape recorder*

magnificęnza *magnificence*

magnįfico, -ci *magnificent*

magro *thin, lean, meagre*

mai *ever, never*

malapęna, a malapena *hardly, with difficulty*

malạto *ill, sick*

malattịa *illness*

male (m) *evil; harm;* (adv) *badly, poorly*

maledịre (irr) *to curse, to damn*

malgrạdo *in spite of, notwithstanding*

mamma *mommy, mother*

mancạre . *to lack, to be missing, to be in need of*

mạncia *tip, gratuity*

mạndria *herd*

mangiạre *to eat*

mano (f), le mani *hand;* mano d'ọpera *labor force*

mantenęre (irr) *to maintain, to support (a family, etc.)*

mare (m) *sea*

marịto *husband*

marmo *marble*

marrọne (invar) *brown*

martedi (m) *Tuesday*

marzo *March*

massa *mass, heap*

mạssimo *extremely great; maximum*

matemạtica *mathematics*

matęria *material, subject matter;* materia prima *raw material*

matrimoniạle *matrimonial*

matrimọnio *marriage, wedding*

mattịna *morning*

matụro *ripe, mature*

mędia *average*

medicịna *medicine*

mędico, -ci *physician*

medievạle *medieval*

męglio (adv) *better, best*

memọria *memory;* imparạre a memoria *to learn by heart*

menạre *to lead*

meno *less, minus;* a meno che *unless;* fare a meno di *to do without*

mentạle *mental*

mentalità *mentality, frame of mind*

mente (f) *mind*

mentre (conj) *while*

menzọgna *lie*

meravịglia *marvel, astonishment, surprise*

meravigliạrsi (di) *to be surprised (at)*

meviglioṣo *marvelous, astonishing*

mercạto *market;* a buọn mercato *cheaply*

merce (f) *merchandise*

mercerịa *notions shop*

mercoledì *Wednesday*

mercụrio *mercury*

meridionạle *southern*

mescolạre *to mix*

mese (m) *month*

messaggęro *messenger*

mesto *sad*

metà *half*

metạllo *metal*

metạno *methane*

męttere (irr) *to put, to place;* metterci a (fare) *to put time or effort in (doing);* mettere in rilięvo *to bring out, to emphasize;* mettersi *to put on;* mettersi a (fare) *to start (to do), to set about (doing);* mettersi d'accọrdo *to come to an agreement;* mettersi in mente *to have a fixed idea, to make up one's mind*

mezzanọtte (f) *midnight*

mezzo *means;* (adj) *half;* in mezzo (a) *in the middle (of)*

mezzogiọrno *noon; Southern Italy*

microscọpio *microscope*

miglịaio *about one thousand;* migliaia (f plur) *thousands*

mịglio (m) le miglia *mile*

migliorạre *to ameliorate, to improve*

miglịọre (adj) *better*

milịọne (m), un milione *one million*

militạre *military*

mille, mila *one thousand, two thousand, etc.*

minerạle (m) *mineral*

mịnimo *extremely small, least; minimum*

ministro *minister*
minoranza *minority*
minore *smaller, lesser; minor, secondary*
miope *myopic, short-sighted*
miracolo *miracle*
missile (m) *missile*
misura *measure, measurement*
mite *mild*
modernizzare *to modernize*
moderno *modern*
modificare *to modify*
modo *manner, way;* in modo che *so that*
moglie, mogli *wife*
molto *much,* (plur) *many;* (adv) *much, very*
momento *moment*
monarchia *monarchy*
mondiale (adj) *world, world-wide*
mondo *world*
monello *street boy, boy*
moneta *coin*
monopolio *monopoly*
montagna *mountain*
montuoso *mountainous*
monumento *monument*
morale (f) *moral (conclusion);* (m) *morale;*
  (adj) *moral*
morbido *soft*
morboso *morbid*
morire (irr) *to die*
morte (f) *death*
mosaico, -ci *mosaic*
mostrare *to show, to exhibit*
moto *movement, motion*
motocicletta *motorcycle*
movimento *movement, motion*
mucca *cow*
mucchio *pile, heap*
municipio *town hall*
muovere (irr) *to move*
muro *wall;* le mura *ramparts*
museo *museum*
musica *music*
musicista (m f) *musician*
musicologia *musicology*

N

narratore (m) *narrator, fiction writer*
nascere (irr) *to be born*
nastro *ribbon, tape;* nastro magnetico *magnetic tape*
Natale (m) *Christmas*
natura *nature*
nazionale *national*
nazione (f) *nation*
nè ... nè *neither ... nor*
neanche *neither, not even*
necessario *necessary*
negare *to deny*
negligente *negligent*
negozio *shop*
nemico, -ci *enemy*
nemmeno *neither, not even*
nero *black*
nessuno *nobody, no one;* (adj) *not one*
neve (f) *snow*
nevicare *to snow*
niente *nothing, not anything*
nipote (m f) *nephew, niece*
nipotino *grandchild*
no *no*
nobile *noble*
nodo *knot*
noia *boredom, tedium;* dar noia *to trouble, to disturb*
noioso *boring, tedious*
nome (m) *noun, name*
nominare *to nominate, to appoint*
non *not;* non c'è male *not bad*
nonna *grandmother*
nonno *grandfather*
nono *ninth*
nord (m) *north*
nota *note*
notare *to note, to notice*
notevole *remarkable, considerable*
notizia *news (one piece)*
notte (f) *night*
novanta *ninety*
nove *nine*
novella *tale*
novembre (m) *November*

novenario   *nine syllable verse*
nozione (f)   *rudiment*
nozze (f plur)   *nuptials, wedding*
nudo   *naked*
nulla   *nothing, not anything;* nulla di (male)   *nothing (bad)*
nullatenente (m f)   *have-not*
numero   *number*
numeroso   *numerous*
nuotare   *to swim*
nuovo   *new;* di nuovo   *again*
nutrire *   *to nourish*
nuvola   *cloud*

O

o   *or*
obbedire   *to obey*
obbligare   *to oblige, to compel*
obbligatorio   *compulsory*
obliquo   *slanting*
occhiali   *eye-glasses*
occhio   *eye*
occidentale   *western*
occorrere (irr)   *to need, to be in need of, to be necessary*
occupare   *to occupy*
occupato   *occupied, busy*
offrire, offerto   *to offer*
oggi   *today*
ogni (invar)   *each;* ogni tanto   *every now and then, occasionally*
ognuno   *each one*
oltre   *beyond, further;* oltre (a)   *in addition, besides*
ombra   *shadow, shade*
ombrello   *umbrella*
onorare   *to honor*
opera.   *opera, work*
operaio   *worker, laborer*
opinione (f)   *opinion*
opporre (irr)   *to oppose, to set against*
opportuno   *opportune, advisable, proper*
oppure   *or*

ora   *hour;* a che ora?   *at what time? (adv) now;* or ora   *just now*
orario   *schedule, timetable;* in orario   *on time*
ordinare   *to order*
ordinario   *ordinary, common*
ordine (m)   *order;* ordine del giorno   *agenda*
orecchio   *ear*
organizzare   *to organize*
organizzazione (f)   *organization*
organo   *organ*
orientale   *eastern, oriental*
ormai   *by now, by this time*
orologio   *watch, clock*
orribile   *horrible*
osare   *to dare*
oscillare   *to oscillate, to swing*
ospedale (m)   *hospital*
ospite (m f)   *guest, host*
osservazione (f)   *observation, remark*
ostacolare   *to hinder, to obstruct*
ostacolo   *obstacle*
ottanta   *eighty*
ottavo   *eighth*
ottenere (irr)   *to obtain*
ottimo   *extremely good, excellent*
otto   *eight*
ottobre (m)   *October*
ovest (m)   *west*
ovvio   *obvious*
ozio   *idleness*

P

pacco, -chi   *package*
pace (f)   *peace*
padre (m)   *father*
padri   *forefathers*
padrone (m)   *boss, master, owner*
paesaggio   *landscape*
paese (m)   *country, village*
pagare   *to pay*
pagina   *page*
paio, le paia   *pair*
palazzo   *palace, apartment house*
palo   *pole*

pane (m) *bread*
panetteria *bread shop, bakery*
pantaloni *trousers, slacks*
pantofole *slippers*
papa (m) *pope*
pappagallo *parrot*
paradiso *paradise*
paradosso *paradox*
paragonare *to compare·*
paragone (m) *comparison*
parallelo *parallel*
parco, -chi *park*
parecchio *a lot of, several*
parente (m f) *relative*
parentesi (f invar) *parenthesis*
parimenti *equally*
parlamento *parliament*
parlare *to speak, to talk*
parola *word*
parte (f) *part, share, side;* da parte di *on the part of, in the name of*
partecipare *to participate*
partecipazione (f) *participation*
partenza *departure;* in partenza *about to depart*
particolare *particular, special*
partire * *to leave, to depart;* a partire da *starting from*
partita *game, match*
partito *party (political)*
Pasqua *Easter*
passaggio *passage way*
passeggiata *walk, stroll, drive, ride*
passo *step, pass; printed passage*
pasta *pastry, paste, noodles (of all kinds)*
pasticceria *pastry shop*
patria *fatherland*
paura *fear*
paziente (m f) *patient*
pazienza *patience*
peccato *sin;* che peccato! *what a shame! too bad!*
pedone (m) *pedestrian*
peggio (adv) *worse, worst*
peggiore *worse*
pena *pain, distress; penalty*
pendente *sloping, leaning*

pendio, -ii *slope*
penisola *peninsula*
penna *plume, feather, pen*
pennello *brush (painting)*
pensare *to think*
pensatore (m) *thinker*
pensiero *thought;* stare in pensiero *to worry*
pentirsi * *to repent*
pentola *cooking pot, pan*
per *for, in order to, through; for the purpose of;* (tre) per (tre) *(three) multiplied by (three)*
perchè *why, because*
perciò *therefore*
perdere *to lose*
perdita *loss*
perdono *forgiveness, pardon*
perfetto *perfect*
perfino *even*
pericolo *danger*
periodico, -ci *periodical;* (adj) *recurring*
periodo *sentence (grammatical), period (time)*
perire *to perish*
permesso *permission, permit*
permettere (irr) *to permit*
però *but, however*
perpetuo *perpetual, unending, endless*
persona *person*
personaggio *personage, character (of fiction)*
pesante *heavy*
pesce (m) *fish*
peso *weight*
pessimo *extremely bad, worst*
petrolio *petroleum*
pettinare *to comb*
pezzo *piece*
piacere (irr) *to please, to like;* non piacere *to dislike;* (n) *pleasure;* per piacere *please;* piacere *pleased to meet you*
piacevole *pleasing, pleasant*
pianeta (m) *planet*
piangere (irr) *to weep, to cry*
piano *floor (first, second, etc.), plane, plan;* (adj) *flat, level;* (adv) *softly, low, slowly*
pianta *plant*
pianura *plain*

piątto *plate, dish;* (adj) *flat*
piązza *square (city)*
piccolo *small, little*
pięde (m) *foot*
piemontęse *Piedmontese*
pięno *full*
pietà *pity, compassion*
pietǫso *compassionate, pitiful*
pigro *lazy*
piǫggia *rain*
piǫvere (irr) *to rain*
pirǫscafo *steamship, ship*
pittǫre (m) *painter*
pittųra *painting*
più *more, plus;* più o meno *more or less*
piuttǫsto *rather*
plurąle *plural*
pneumątico, -ci *tire*
poco, -chi *little, few;* a poco a poco *slowly, gradually;* (adv) *little*
poęma (m) *poem (narrative)*
poesįa *poetry, poem (lyric)*
poęta (m) *poet*
poetęssa *poetess*
poi *later*
poichè *since, inasmuch as*
polącco, -chi *Polish*
polįtica *politics, policy*
polįtico, -ci *political*
polizįa *police*
poltrǫna *armchair*
polvere (f) *dust, powder*
pomerįggio *afternoon*
pǫpolo *people, population, populace*
porre (irr) *to place, to put*
porta *door*
portabagągli *porter*
portalęttere (m f) *letter carrier*
portąre *to carry, to bring, to wear;* portar via *to take away, to take out*
portięre (m) *doorman*
porto *port, harbor*
posizįǫne (f) *position, location*
possįbile *possible*
posta *mail, post office*
postąle *postal*
postįno *mailman*

posto *place, seat*
potąbile *potable*
potęnte *powerful*
potęre (m) *power*
potęre (irr) *to be able*
pǫvero *poor;* poverįno *poor soul*
pranzo *noon meal, dinner*
precedęnte *preceding, precedent*
precędere *to precede*
precįso *precise, accurate*
preferįre *to prefer*
preferįto *favorite*
prefettųra *prefecture (county)*
prefįggere (irr) *to pre-establish;* prefiggersi *to set a goal for oneself*
prefįsso *prefix*
pregąre *to pray, to beg, to entreat, to request*
prego *you are welcome*
pręmio *prize*
premurǫso *attentive, eager*
pręndere (irr) *to take, to seize, to get, to fetch, to catch;* prendere il sopravvęnto *to gain the upperhand*
prenotąre *to reserve (rooms, tickets)*
preoccupąrsi *to be worried, to be concerned*
preparąre *to prepare*
preposizįǫne (f) *preposition*
prescęlto *chosen, pre-selected*
presentąre *to present, to introduce (a person)*
presidęnte (m f) *president*
prestąre *to lend*
presto *early, soon, quickly;* al più presto *as soon as possible*
prevalęnte *prevalent*
prevalęre (irr) *to prevail*
prevedęre (irr) *to foresee, to forecast; to include*
prevedįbile *foreseeable*
previsįǫne (f) *foresight, anticipation*
preziǫso *precious*
prezzo *price*
prima *before, earlier;* dapprįma *at first*
primavęra *spring*
primo *first;* primo minįstro *prime minister, premier*
prįmula *primrose*
principąle *principal, main*

principato   *principality*
principio, -ii   *principle; beginning*
privato   *private*
privilegiato   *privileged*
privilegio   *privilege*
problema (m)   *problem*
proclamare   *to proclaim*
prodotto   *product*
produrre (irr)   *to produce*
professore (m)   *professor*
professoressa   *professor*
profondità   *profundity, depth*
profondo   *profound, deep*
progetto   *project*
programma (m)   *program*
progressivo   *progressive*
progresso   *progress*
proibire   *to prohibit, to prevent*
promettere (irr)   *to promise*
pronome (m)   *pronoun*
pronto   *ready; hello (on telephone);* pronto a
   fare   *ready to do*
pronuncia   *pronunciation*
pronunciare   *to pronounce*
propenso   *inclined, willing, disposed*
proporre (irr)   *to propose*
proposizione (f)   *clause, proposition*
proposta   *proposal;* su proposta   *on the re-*
   commendation
proprietà   *property; propriety*
proprio   *own;* (adv) *properly, exactly;* proprio
   così   *just so*
prosa   *prose*
proseguire *   *to continue, to carry on*
prosperità   *prosperity*
prossimo   *next, coming*
protrarre (irr)   *to protract*
prova   *evidence, trial, test, rehearsal*
provare   *to prove, to demonstrate, to experi-*
   ence, to try
provenire (irr)   *to come from*
provincia   *province*
provinciale   *provincial*
provvidenza   *providence*
pseudonimo   *pseudonym*
psicologia   *psychology*
pubblico, -ci   *public; audience (of a lecture,*

   etc.)
pulire   *to clean*
pulito   *clean*
punizione (f)   *punishment*
punto   *point, period (stop);* due punti   *colon*
purchè   *provided that*
purgatorio   *purgatory*
purtroppo   *alas, unfortunately*

Q

qua   *here*
quaderno   *notebook*
quadrato   *square*
quadro   *picture;* nel quadro di   *within the*
   framework of
quaggiù   *down here*
qualche (sing)   *some, any, a few*
qualcosa   *something;* qualcosa di bello
   something beautiful
qualcuno, -a   *someone*
quale   *which;* il quale   *who, which, that*
qualunque   *any, whatever*
quando   *when*
quantità   *quantity*
quanto   *how much;* (plur) *how many;* per
   quanto   *no matter how much*
quantunque   *although*
quaranta   *forty*
Quaresima   *Lent*
quartina   *quatrain*
quarto   *fourth*
quasi   *almost*
quassù   *up here*
quattordici   *fourteen*
quattro   *four*
quello   *that, that one;* quello che   *that which,*
   what
questione (f)   *topic, question, controversial*
   point
questo   *this, this one*
questura   *police office*
qui   *here*
quiete (f)   *quiet, repose*
quindici   *fifteen*
quinto   *fifth*

R

raccọgliere (irr) *to assemble, to collect, to gather together, to pick up*

raccomandạre *to recommend, to entrust; to register (a letter)*

raccontạre *to narrate*

raccọnto *short story, story, tale*

radicạle *radical*

radịce (f) *root*

rạdio (f invar) *radio;* radiogiornạle *radio news*

radiọlogo, -gi *radiologist*

rado *thin, sparse;* di rado *rarely*

rafforzamẹnto *reinforcement, strengthening*

raffreddọre (m) *headcold*

ragạzzo, -a *boy, girl*

rạggio *ray; radius*

raggiụngere (irr) *to reach (aim, person), to overtake*

ragionạre *to reason*

ragiọne (f) *reason;* aver ragione *to be right*

rallegramẹnti *congratulations*

rallegrạre *to cheer;* rallegrarsi (con) *to congratulate*

rallentạre *to slow down*

rammendạre *to mend (clothes)*

rammentạre *to remind*

ramo *branch*

rạpido *rapid, fast*

rapịre *to kidnap, to snatch*

rappọrto *report, rapport, connection, relationship*

rappresentạre *to represent*

rappresentạnte *representative, representing*

rappresentatịvo *representative*

rappresentaziọne (f) *show (play, movie), representation*

raro *rare*

rasọio *razor*

re (invar) *king*

reạle *real; royal*

realtà *reality*

reaziọne (f) *reaction*

recẹnte *recent;* di recente *recently*

rẹduce *war veteran, survivor*

regạlo *gift*

regịna *queen*

regiọne (f) *region*

registrạre *to record*

regịstro *record book*

regnạre *to reign*

rẹgola *rule, norm*

regolạre *to regulate;* (adj) *regular*

religiọne (f) *religion*

religiọso *religious*

rẹndere (irr) *to return, to give back; to render;* rendersi conto *to be aware*

repụbblica *republic*

repubblicạno *republican*

resistẹnza *resistance, endurance;* Resistenza *resistance against Fascism and Nazism*

resịstere (irr) *to resist, to endure*

respịro *breathing, breath*

responsạbile *responsible*

restạre *to remain*

resto *remainder, change (money)*

rete (f) *net*

riassụmere (irr) *to make a resumé*

riassụnto *resumé, summary*

ribassạre *to reduce (prices), to lower*

ricchẹzza *wealth, richness*

ricco, -chi *rich, wealthy*

ricẹrca *search, research*

ricẹtta *prescription, recipe*

ricẹvere *to receive*

ricevụta *receipt*

richiẹsta *request*

riconọscere (irr) *to recognize*

ricordạre *to remember;* ricordare (a qualcụno) *to remind (someone)*

ricostruịre *to reconstruct, to rebuild*

rịdere (irr) *to laugh*

ridụrre (irr) *to reduce*

riempịre (irr) *to fill*

rievocạre *to evoke, to recall*

riflessịvo *reflexive*

rifọrma *reform*

riga *line; written, printed line; ruler (drawing)*

riguardạre *to look again, to look over; to concern*

riguạrdo a *in regard to*

riliẹvo *relief;* bassoriliẹvo *bas-relief*

rima   *rhyme*
rimandare   *to postpone; to send back*
rimanere (irr)   *to remain*
rimpiangere (irr)   *to mourn, to lament, to regret (with disappointment)*
rimpianto   *regret, longing*
Rinascimento   *Renaissance*
rinfrescare   *to refresh, to cool*
rinfresco, -chi   *refreshment*
ringraziare   *to thank*
rinnovamento   *renewal, renovation*
rinnovare   *to renew, to renovate*
rinunciare   *to renounce*
riparare   *to repair*
ripetere   *to repeat*
riposare   *to rest, to relax*
riposo   *rest, relaxation*
riscuotere (irr)   *to cash, to collect (taxes)*
riserva   *reserve, reservation*
riso   *laughter; rice*
risolvere (irr)   *to resolve*
Risorgimento   *period of Italian unification*
risorsa   *resource*
risparmiare   *to save (money, time, effort)*
rispecchiare   *to reflect, to mirror*
rispetto   *respect;* rispetto a   *in regard to*
rispondere (irr)   *to answer, to respond*
risposta   *answer*
ristabilire   *to re-establish;* ristabilirsi   *to recover (from illness)*
ristorante (m)   *restaurant*
risultato   *result, consequence*
risurrezione (f)   *resurrection*
ritardo   *delay;* in ritardo   *late (for appointment, etc.)*
ritirare   *to retire, to withdraw, to collect*
ritornare   *to return*
ritrarre (irr)   *to retract, to depict, to portray*
riunione (f)   *meeting, gathering, reunion*
riunirsi   *to reunite, to assemble*
riuscire (irr)   *to succeed*
riverire   *to revere*
rivista   *periodical, review, magazine*
rivolgersi (irr)   *to address oneself*
rivoluzione (f)   *revolution*
romanzo   *novel*
rompere (irr)   *to break*

rosa   *rose;* (adj invar)   *pink, rose*
rosso   *red*
rovina   *ruin*
rovinare   *to ruin*
rozzo   *crude, coarse, rough*
rubare   *to steal*
rumore (m)   *noise*

S

sabato   *Saturday*
sacrificio   *sacrifice*
saggio   *essay;* (adj)   *wise*
sala   *hall, large living room*
sale (m)   *salt*
salice (m)   *willow tree*
salire (irr)   *to climb, to ascend*
salotto   *living room*
saltare   *to jump, to skip*
salutare   *to greet; to say good-bye*
salute (f)   *health*
saluto   *greeting*
salvare   *to save, to rescue*
salvezza   *salvation*
sancire   *to decree, to ordain, to ratify*
santo   *saint*
sapere (irr)   *to know (with one's mind);* saper fare   *to know how to do;* (n, m)   *knowledge*
sapone (m)   *soap*
saraceno   *Sarrasin*
sardo   *Sardinian*
satellite (m)   *satellite*
savio   *wise*
sbagliare   *to make a mistake, to err;* sbagliarsi   *to be wrong*
sbaglio   *mistake, error;* per sbaglio   *by mistake*
sbarco, -chi   *debarcation*
sboccare   *to empty (of rivers)*
sbuffare   *to puff, to snort*
scaffale (m)   *shelf*
scandaloso   *scandalous*
scarpa   *shoe*
scarso   *scarce*

scạtola *box*
scatto *jerk, outburst, dash*
scẹgliere (irr) *to choose*
scelta *choice*
scena *scene*
scẹndere (irr) *to descend*
schema (m) *outline, pattern, plan*
scherzo *joke*
sciạme (m) *swarm*
sciạre *to ski*
sciạrpa *scarf*
scientịfico, -ci *scientific*
scienza *science*
scienziạto *scientist*
sciọcco, -chi *foolish*
sciọpero *strike*
scivolạre *to slip, to slide*
scolạro *school child, pupil*
scọmodo *uncomfortable*
scontẹnto *discontented, dissatisfied*
scontrịno *check*
scontro *collision, clash*
scopẹrta *discovery*
scopo *end, aim, purpose*
scoppiạre *to explode, to burst*
scoprịre * scopẹrto *to discover, to uncover*
scọrgere (irr) *to perceive, to notice*
scọrrere (irr) *to flow*
scorso (adj) *past*
scrittọre (m) *writer*
scrittrịce (f) *writer*
scrittụra *writing, hand writing*
scrivanịa *desk*
scrịvere (irr) *to write*
scrutạre *scrutinize*
scultọre (m) *sculptor*
scuọla *school*
scuro *dark (in color), obscure*
scusa *excuse*
scusạre *to excuse*
se *if*
sebbẹne *although*
secọnda, a seconda *in conformity with, according to*
secondạrio *secondary, subordinate*
secọndo *second;* (adv) *according to*
sede *main office;* Santa Sede *Holy See*

sedẹre (irr) *to sit;* sedersi *to sit down*
sẹdia *chair*
sedicẹnte *self-styled*
sẹdici *sixteen*
seducẹnte *seducing, fascinating, charming*
sedụrre (irr) *to seduce*
sedụta *session, meeting*
sega *saw*
segnạre *to mark*
segretạrio *secretary*
segrẹto *secret*
seguẹnte *following*
seguịre * *to follow*
sẹguito *following, continuation, entourage;* di seguito *in succession, without interruption*
sei *six*
selva *forest, wood*
selvạggio *savage, untamed*
semạforo *traffic light*
sembrạre *to seem, to appear*
semestrạle (adj) *semester*
semẹstre (m) *semester*
sẹmplice *simple*
semplificạre *to simplify*
sempre *always*
senạto *senate*
senatọre (m) *senator*
senso *sense*
sensuạle *sensual*
sentẹnza *verdict, judgment*
sentimẹnto *feeling, sentiment*
sentịre *to hear, to feel;* sentirsi (bene) *to feel (well)*
senza *without;* senz'altro *without fail*
sera *evening*
serạta *all evening long; evening party*
sẹrio *serious*
servịle *servile*
servịre *to serve;* servirsi di *to use, to make use of*
servịzio *service*
sessạnta *sixty*
sesto *sixth*
seta *silk*
settạnta *seventy*
sette *seven*
settẹmbre (m) *September*

settenario   *seven syllable line*
settentrionale   *northern*
settimana   *week;* Settimana   Santa   *Holy Week*
settimo   *seventh*
severo   *severe, strict*
sfortuna   *misfortune, lack of fortune*
sforzarsi   *to make the effort*
sforzo   *effort*
sguardo   *glance*
sì   *yes*
siciliano   *Sicilian*
sicurezza   *security, assurance, safety*
sicuro   *sure, reliable, secure*
siderurgico, -ci   *iron-working*
significato   *meaning, significance*
signora   *Mrs., lady*
signore   *Mr., gentleman*
signorina   *Miss, young lady, unmarried woman*
silenzio   *silence*
simbolo   *symbol*
simile   *similar*
simpatico, -ci   *congenial, agreeable, nice*
simultaneo   *simultaneous*
sindacato   *labor union*
sindaco, -ci   *mayor*
sinfonia   *symphony*
sinistra   *left;* a sinistra   *at, to the left*
sintetico, -ci   *synthetic*
sistema (m)   *system*
situazione (f)   *situation*
smarrire   *to lose, to mislay*
smettere (irr)   *to give up, to stop (doing)*
smorzato   *muffled*
snello   *slim, nimble*
sociale   *social*
società   *society*
sociologia   *sociology*
soddisfare   *to satisfy*
sofferenza   *suffering, pain*
soffiare   *to blow*
soffitto   *ceiling*
soffrire, sofferto   *to suffer*
soggiorno   *sojourn, stay; living area (in a house)*
sognare   *to dream*

sogno   *dream*
soldato   *soldier*
soldo   *sou, penny;* soldi   *money*
sole (m)   *sun*
solito   *usual;* di solito   *usually*
sollievo   *relief, alleviation*
solo (adj)   *alone;* (adv)   *only;* da solo   *by oneself*
sonetto   *sonnet*
sonno   *sleep*
sopportare   *to bear, to endure, to tolerate*
sopra   *above, over*
soprattutto   *above all, mainly*
sopravvento, prendere il sopravvento   *to gain the upper hand*
sorella   *sister*
sorgere (irr)   *to arise*
sormontare   *to overcome, to surmount*
sorridere (irr)   *to smile*
sorriso   *smile*
sorte (f)   *fate, lot*
sospeso   *suspended, undecided*
sospettare   *to suspect*
sospetto   *suspicion*
sospiro   *sigh*
sosta   *pause; stop*
sostenere (irr)   *to sustain, to support, to hold up*
sotto   *below, under, underneath*
sottoporre (irr)   *to submit*
sottovoce   *in a low tone of voice*
sottrarre (irr)   *to subtract, to deduct, to remove (clandestinely)*
sovente   *often*
sovranità   *sovereignty*
spaghetti   *spaghetti*
spagnolo   *Spanish*
spalla   *shoulder*
spaventare   *to frighten*
spaventoso   *frightening, dreadful*
spaziale   *spatial;* volo spaziale   *space flight*
spazio   *space*
spazzola   *brush*
specializzarsi   *to specialize, to major*
specie (f invar)   *species, kind*
specifico, -ci   *specific*
spedire   *to send (by mail)*

spęndere (irr) *to expend, to spend*
spento *extinguished*
sperąre *to hope*
sperąnza *hope*
speranzọso *full of hope, hopeful*
spesa *expenditure;* far la spesa *to go marke-*
  ting; far le spese *to go shopping*
spesso *often*
spiegąre *to explain*
spiegaziọne (f) *explanation*
spịngere (irr) *to push, to shove*
spịrito *spirit*
splęndere (irr) *to shine*
sporcąre *to soil, to dirty*
sporgęnte *protruding;* zigomo sporgente
  high cheek bone
sportęllo *small door (car), window (office)*
sposąrsi *to get married*
sposo *bridegroom;* sposa *bride*
sprecąre *to waste, to squander*
spronąre *to spur, to goad*
spuntąre *to spring up, to show oneself*
squilịbrio *unbalance, imbalance*
stabilimęnto *plant, factory, establishment*
stabilịrsi *to establish oneself, to settle*
stagiọne (f) *season*
stamattịna *this morning*
stanco, -chi *tired*
stanza *room; stanza*
stare (irr) *to stay, to remain;* come sta? *how*
  are you? star facęndo *to be in the midst of*
  doing; stare per fare *to be about to do;* star
  zitto *to be quiet;* stare in pensięro *to be*
  worried
stasęra *this evening*
stato *state*
staziọne (f) *station*
stecco *dry twig, stick*
stella *star*
stęndere (irr) *to spread, to spread out, to un-*
  fold, to draw up
stęsso *same*
stimąre *to esteem, to estimate*
stirpe (f) *race, family*
stivąle (m) *boot*
stoffa *cloth*
stọmaco, -chi *stomach*

stọria *history, story*
strada *road, street;* autostrąda *highway*
stranięro *stranger, foreigner;* (adj) *foreign*
strano *strange*
straordinąrio *extraordinary*
stretto *strait;* (adj) *narrow*
strilląre *to shriek, to shout, to scream*
strofa *stanza*
strumęnto *instrument, implement*
struttụra *structure*
studęnte (m) *student*
studentęssa *student*
studiąre *to study*
studiọso *scholar;* (adj) *studious*
stufa *heater*
stụpido *stupid*
su *on, upon;* su per giù *more or less*
sụbito *immediately, at once*
succędere (irr) *to happen, to succeed (come*
  after)
successiọne (f) *succession, sequence*
successịvo *successive, ensuing*
sud (m) *south*
suffịsso *suffix*
suffrągio *suffrage*
suggerịre *to suggest, to prompt*
suonąre *to play (instrument), to ring (bell)*
suọno *sound*
superficiąle *superficial*
superfịcie (f) *surface, area*
superiọre *superior, higher*
superiorità *superiority*
supermercąto *supermarket*
suppọrre (irr) *to suppose*
supremazịa *supremacy*
supręmo *supreme, extremely high*
sussịdio *subsidy, aid*
sussụrro *whisper*
svanịre *to vanish*
svantąggio *disadvantage*
svedęse *Swedish*
svegliąrsi *to awaken*
svęglio *wide-awake, alert, awake*
svelto *quick*
sviluppąre *to develop*
svilụppo *development*
svincoląre *to free, to release*

svolgere (irr)   *to unfold, to develop*

svolgimento   *development (of a thesis), unfolding (of events)*

T

tabaccheria   *tobacco shop*

tagliare   *to cut*

tale   *such*

tanto   *so much;* (plur)   *so many*

tardi   *late*

tasca   *pocket*

tassa   *tax*

tassi   *taxi*

tasso   *rate*

tavola   *table*

tavolo   *table*

tazza   *cup*

teatro   *theater*

tedesco, -chi   *German*

teglia   *baking pan*

telefonata   *telephone call*

telefonico, -ci   *telephonic*

telefono   *telephone*

telegiornale (m)   *TV news*

telegrafo   *telegraph*

telegramma (m)   *telegram*

televisione (f)   *television*

televisore (m)   *television set*

tema (m)   *theme*

temere   *to be afraid*

temperatura   *temperature*

tempesta   *tempest, storm*

tempo   *time; weather*

temporale (m)   *thunder storm*

temporaneo   *temporary*

tenere   *to hold, to keep;* tenersi al corrente   *to keep up to date*

tennis (m)   *tennis*

terminare   *to terminate, to end*

termine (m)   *term, limit, end*

teologo, -gi   *theologian*

teoria   *theory*

terra   *earth, ground, land;* per terra, in terra   *on the ground, on the floor*

terremoto   *earthquake*

terreno   *land, soil;* (adj)   *earthly, mundane*

terzina   *tiercet*

terzo   *third*

tesi (f invar)   *thesis*

tesoro   *treasure, treasury*

tessile (adj)   *textile*

tessuto (n)   *fabric;* (animal)   *tissue*

testa   *head*

testo   *text*

timido   *shy, timid*

tipo   *type*

tirare   *to pull, to haul, to throw;* tira vento   *the wind blows*

toccare   *to touch, to be within one's competence*

togliere (irr)   *to remove*

tomba   *tomb*

tornare   *to return*

torre (f)   *tower*

torto   *fault, wrongness;* aver torto   *to be in the wrong*

tortuoso   *tortuous*

tossire   *to cough*

tra   *between, among*

tradizionale   *traditional*

tradizione (f)   *tradition*

tradurre (irr)   *to translate*

traduzione (f)   *translation*

tragedia   *tragedy*

tralasciare   *to omit, to pass over*

tram (m invar)   *trolley car*

tramontare   *to set (sun), to decline, to disappear*

tranne   *except*

trarre (irr)   *to drag, to haul, to pluck*

trascurare   *to neglect*

trasferirsi   *to transfer oneself*

trasformare   *to transform*

trattare   *to treat, to deal with*

tratto   *trait;* tutto ad un tratto   *suddenly*

tre   *three*

tredici   *thirteen*

tremare   *to tremble, to quiver, to shiver*

treno   *train*

trenta   *thirty*

tribunale (m)   *tribunal, court*

triste   *sad*

tronco, -chi   *trunk (tree)*

troppo   *too   much;*   (plur)   *too   many;*
(adv)   *too*

trovare   *to find;* trovarsi   *to find oneself, to
feel*

tumore (m)   *tumor*

turista (m f)   *tourist*

turno   *turn (of duty);* a turno   *one after the
other, in turn*

tuttavia   *yet, still*

tutto   *all;* (n)   *everything*

tuttora   *still, till now*

U

ubbidire   *to obey*

uccidere (irr)   *to kill*

udire (irr)   *to hear*

ufficiale   *officer;* (adj)   *official*

ufficio   *office*

uguaglianza   *equality*

uguale   *equal*

ulcera, le ulceri   *ulcer*

ultimo   *last, latest*

umido   *damp, humid*

un, uno, una   *one; an, a*

undicesimo   *eleventh*

undici   *eleven*

unico, -ci   *only, sole, unique*

unificare   *to unify*

unificazione (f)   *unification*

unione (f)   *union*

unità   *unity*

universo   *universe*

uomo, uomini   *man*

uovo, le uova   *egg*

urlo   *shout, scream*

usanza   *usage, custom*

usare   *to use*

uscire (irr)   *to exit, to go out*

uscita   *exit*

usignuolo   *nightingale*

uso   *use*

utile   *useful*

V

vacanza   *vacation, holiday*

vagare   *to wander, to roam*

vago, -ghi   *vague; delightful, charming; desirous*

valigia   *suitcase, valise*

valle (f)   *valley*

valore (m)   *valor, worth*

valoroso   *valorous, brave*

vantaggio   *advantage*

vantarsi   *to boast*

variabile   *variable, changeable*

vario   *varied, various*

vasto   *vast*

vecchiaia   *old age*

vecchio, -chi   *old*

vedere (irr)   *to see, to view;* non veder l'ora
(di)   *to be hardly able to wait (for)*

vegetazione (f)   *vegetation*

vendere   *to sell*

venerare   *to venerate, to revere*

venerdì (m)   *Friday*

veneto   *Venetian (from the region of Veneto)*

venire (irr)   *to come*

venti   *twenty*

ventina   *about twenty*

ventitreesimo   *twenty-third*

vento   *wind*

veramente   *truly, truthfully*

verbale   *verbal (of verb);* (n m)   *minutes (of a
meeting)*

verbo   *verb*

verde   *green*

verdura   *vegetables, greens*

vergogna   *shame, disgrace*

vergognarsi   *to be ashamed*

verità   *truth*

vermiglio   *vermilion, ruddy*

vero   *true, genuine;* vero? non è vero?   *isn't it
so?*

verso   *line (poetry);* (prep)   *towards*

vestire   *to dress, to clothe*

vestito   *dress, suit*

via   *street, road;* (adv)   *away;* via di mezzo
halfway, middle road; per via   *in the
street*

viaggiare   *to travel*
viaggiatore (m)   *traveler*
viaggio   *trip, journey*
vicinanza   *vicinity*
vicino   *neighbor;* (adj)   *near;*   vicino (a)
   near
vidimare   *to stamp, to certify*
vigile (m)   *policeman*
vigilia   *eve, vigil*
vigore (m)   *vigor*
villaggio   *village*
vincere (irr)   *to win, to vanquish, to conquer*
vincitore (m)   *winner*
vino   *wine*
viola   *violet;* (adj invar)   *violet, purple*
violento   *violent*
violenza   *violence*
violetta   *violet*
visione (f)   *vision*
visita   *visit, visitation*
visitare   *to visit*
viso   *face*
vista   *sight, view*
visto   *seen; seeing; visa*
vita   *life; waist*
vittoria   *victory*
vivace   *vivacious, lively*
vivacità   *vivacity*
vivere (irr)   *to live*
vivo   *alive, vivid*
vizio   *vice*
voce (f)   *voice;* ad alta voce   *aloud*
volentieri   *willingly, gladly, readily*

volere (irr)   *to wish, to want;* voler bene a   *to love;* volerci a (fare)   *to take time or effort in (doing)*
volgare   *vulgar;* italiano volgare   *old Italian language*
volgere (irr)   *to turn*
volo   *flight*
volontà   *will*
volta   *occasion;* uno alla volta   *one at a time;* una volta al giorno   *once a day;* a volte   *at times*
voltare   *to turn*
volume (m)   *volume*
votare   *to vote*
votazione (f)   *vote; voting*
voto   *vote, vow; grade*
vulcano   *volcano*
vuoto   *empty; emptiness*

Z

zebra   *zebra*
zero   *zero*
zia   *aunt*
zigomo   *cheek bone*
zingaro   *gipsy*
zio   *uncle;* zii   *uncles, uncle and aunt*
zitto   *silent*
zolfo   *sulphur*
zucchero   *sugar*

A

a, an   *un, uno, una*
abandon   *abbandonare, lasciare*
ability   *capacità, abilità*
able   *capace, abile*
abolish   *abolire*
about (approx)   *circa;* (around)   *intorno, in-torno a*
abrupt   *brusco, -chi*
absence   *assenza*
absent-minded   *distratto*
absolute   *assoluto*
absolutism   *assolutismo*
abstain   *astenersi, fare a meno di*
accept   *accettare*
accident   *incidente (m)*
accompany   *accompagnare*
accomplish   *compiere*
according (to)   *secondo*
account   *conto;* to give an account   *dare (irr) un resoconto*
accursed   *maledetto*
accustom   *abituare*
acquaintance   *conoscenza*
acquire   *acquistare, comprare*
act (n)   *atto*
act (v) (in a play)   *recitare; agire*
active   *attivo*
actor   *attore*
actress   *attrice*
actually   *realmente, in verità*
acute   *acuto*
adapt   *adattare*
add   *aggiungere (irr)*
addition, in addition   *inoltre, oltre a*
address (n)   *indirizzo*
address (v) oneself   *rivolgersi (irr)*
adequate   *adeguato*
adjust   *aggiustare, accomodare*
admire   *ammirare*

admit   *ammettere (irr)*
adolescence   *adolescenza*
adolescent   *adolescente (m f)*
adult   *adulto*
advantage   *vantaggio;*   to   take   advan-tage   *approfittarsi*
advertisement   *réclame (f), cartello pubblici-tario, pubblicità (coll)*
advice   *consiglio*
advisable   *opportuno*
advise   *consigliare*
affection   *affetto*
affectionate   *affettuoso*
affirm   *affermare*
after   *dopo, poi, in seguito; dietro (a);*   after all   *infine, dopo tutto*
afternoon   *pomeriggio, dopopranzo*
afterwards   *dopo, poi, in seguito*
again   *di nuovo*
against   *contro*
age   *età*
agency   *agenzia*
agenda   *ordine (m) del giorno*
agent   *agente (m f)*
agitate   *agitare*
ago   *fa;*   an hour ago   *un'ora fa*
agree   *essere d'accordo, mettersi d'accordo*
agreement   *accordo;*   in agreement   *d'accordo*
agriculture   *agricoltura*
ahead (in space)   *davanti (a);*   (in time)   *a-vanti (a)*
aid (n)   *aiuto ;*   financial aid   *sussidio*
aid (v)   *aiutare*
aim   *scopo, fine (m)*
air   *aria*
airplane   *aereo, aeroplano*
airport   *aeroporto*
alert   *sveglio*
alive   *vivo*
all   *tutto*
alleviation   *sollievo*
alliance   *alleanza*

allied   *alleato*
allow   *permettere (irr)*
allude   *alludere (irr)*
allusion   *allusione (f)*
almost   *quasi*
alone   *solo*
along (the wall)   *lungo (il muro)*
alphabet   *alfabeto*
already   *già*
also   *anche*
although   *benché, quantunque, sebbene*
always   *sempre*
ambassador   *ambasciatore (m)*
ambiguity   *ambiguità*
amendment   *emendamento*
American   *americano*
among   *fra, tra*
ample   *ampio*
analysis   *analisi (f invar)*
analyze   *analizzare*
ancient   *antico, -chi;* antiquity   *Evo Antico*
and   *e, ed*
anecdote   *aneddoto*
angry   *adirato;* to become angry   *adirarsi*
anguish   *angoscia*
anniversary   *anniversario*
announce   *annunciare, annunziare*
annoy   *annoiare, dar noia*
answer (n)   *risposta*
answer (v)   *rispondere (irr)*
anthology   *antologia*
antiquity   *Evo Antico, antichità*
anxious   *ansioso, impaziente*
any   *qualche (sing), alcuni; qualunque*
anyway   *comunque, ad ogni modo*
anywhere   *dovunque, dappertutto*
apartment   *appartamento;* apartment house   *palazzo*
apologize   *domandare scusa; scusarsi*
appear   *sembrare, parere (irr)*
appearance   *aspetto, comparsa*
appoint   *nominare*
approve   *approvare*
April   *aprile (m)*
apt   *adatto*
archeologist   *archeologo, -gi*
archeology   *archeologia*

arid   *arido; secco, -chi*
arise   *sorgere (irr)*
arm   *braccio, le braccia; arma, le armi*
armchair   *poltrona*
armed   *armato*
army   *esercito*
around   *intorno (a)*
arrange   *disporre (irr)*
arranged   *disposto*
arrive   *arrivare, giungere (irr)*
art   *arte (f)*
article   *articolo*
artist   *artista (m f)*
as   *come;* as if   *come se, quasi*
ascend   *salire (irr), ascendere (irr)*
ash   *cenere (f);* Ash Wednesday   *Ceneri, mercoledì delle Ceneri*
ashamed, to be ashamed   *vergognarsi*
ask   *domandare;* to ask a question   *fare una domanda*
asleep, to fall asleep   *addormentarsi*
aspect   *aspetto*
assemble   *riunire, riunirsi, raccogliere (irr)*
assignment   *compito*
assist   *assistere, assistito*
assistance   *assistenza, soccorso*
assume   *assumere (irr)*
assurance   *sicurezza*
astronaut   *astronauta (m f)*
at   *a, ad, in*
attain   *conseguire*
attend (school, church, etc.)   *frequentare*
attention   *attenzione*
attentive   *attento*
attract   *attirare, attrarre (irr)*
audience (of theatre, lecture)   *pubblico, -ci*
August   *agosto*
aunt   *zia*
Austrian   *austriaco, -ci*
author   *autore (m), autrice (f)*
automobile   *automobile (f), auto (f), macchina*
autonomous   *autonomo*
autumn   *autunno*
average   *media*
avoid   *evitare*
awake   *sveglio*
aware   *consapevole;* to become aware   *ac-*

B

baby *bambino;* overgrown baby *bambinone (m)*
background *sfondo;* (environment) *ambiente (m)*
bad *cattivo;* extremely bad *pessimo;* (adv) *male;* too bad! *(che) peccato!*
badly *male*
bag *borsa, valigia;* handbag *borsetta*
balance *equilibrio*
ball (dance) *ballo;* (to play) *palla*
bank *banca*
baptistry *battistero*
barely *appena*
barrier *barriera*
base *base (f); (adj) infimo*
basic *fondamentale*
bas-relief *bassorilievo*
bath *bagno*
bathe *fare il bagno*
be *essere (irr)*
beat *battere, picchiare*
beautiful *bello*
beauty *bellezza*
because *perchè, a causa (di); dato che*
become *diventare, divenire (irr)*
bed *letto*
bedroom *camera*
beer *birra*
before *davanti (a), prima (di)*
beg *pregare*
begin *cominciare, incominciare*
beginning *principio, -ii; inizio;* from the beginning *da capo*
behind *dietro (a), indietro (a)*
believe *credere*
bell *campana, campanello*
bell boy *fattorino*
bell tower *campanile (m)*
belong *appartenere (irr)*

below *sotto*
benevolent *benevolente*
besides *oltre a; inoltre*
best *il migliore; (adv) meglio*
better *migliore; (adv) meglio*
between *fra, tra; di mezzo*
beverage *bevanda*
beyond *oltre*
bicycle *bicicletta*
big *grande*
bigger *maggiore*
biggest *il maggiore*
bilingual *bilingue (m f)*
bill *conto, fattura*
birth *nascita*
birthday *compleanno, festa*
bitter *amaro, aspro*
black *nero*
blackboard *lavagna*
blow *soffiare*
blue *azzurro, blu;* pale blue *celeste*
blush *arrossire*
board (of trustees, etc.) *consiglio*
boast *vantarsi*
boat *barca*
book *libro*
bookshop *libreria*
border *confine (m); limite (m)*
bored *annoiato;* to be bored *annoiarsi*
boring *noioso*
born, to be born *nascere (irr)*
borrow *prendere (irr) in prestito*
both *tutti e due, ambedue*
bother (v) *dar noia*
bottle *bottiglia*
bottom *fondo;* at the bottom *in fondo (a)*
box *scatola*
boy *ragazzo;* overgrown boy *ragazzone;* bad boy *ragazzaccio*
branch *ramo*
bread *pane (m)*
break *rompere (irr)*
breakfast *colazione (f)*
breath *respiro*
brief *breve*
briefly *in breve, brevemente*
bring *portare;* to bring back *riportare;* to

bring out *mettere (irr) in rilievo*
broad *largo, -ghi*
brother *fratello;* little brother *fratellino*
brown *marrone (invar)*
brush (n) *spazzola;* (painting) *pennello*
brush (v) *spazzolare*
bubble *bolla*
build *costruire, fabbricare*
building *edificio*
bulky *grosso*
bunch (gang) *branco;* (flowers, cards, etc.) *mazzo*
bureaucracy *burocrazia*
buried *sepolto, seppellito*
burn *bruciare*
burst *scoppiare*
bury *seppellire*
bus *autobus (m invar)*
business *affare (m);* it's my business *sono affari miei*
busy *occupato*
but *ma, però*
buy *comprare, acquistare*
by *da, per;* by oneself *da solo;* by now *ormai*
Byzantine *bizantino*

C

cabinet *gabinetto, credenza*
cake *dolce (m)*
call *chiamare*
capitalist *capitalista (m f)*
car *automobile (f), macchina*
card (postcard) *cartolina;* (note) *biglietto;* (playing) *carta*
care (n) *cura*
care (v) *curare*
career *carriera*
careful *attento, accurato, diligente*
carelessness *negligenza, distrazione (f)*
carnival *carnevale (m)*
carriage *carrozza*

carry *portare;* to carry on *proseguire*
case *caso;* in the case that *nel caso che*
cash *riscuotere (irr)*
cashier *cassiere, -a*
catalogue *catalogo, -ghi*
catastrophe *catastrofe (f)*
catch *prendere, afferrare;* to catch up *mettersi (irr) in pari*
cathedral *cattedrale (f), duomo*
cease *smettere (irr)*
ceiling *soffitto*
celebrate *festeggiare*
celebrity *celebrità*
cemetery *cimitero*
census *censimento*
cent *soldo*
center *centro*
central *centrale*
century *secolo*
certain *certo*
certainty *certezza*
certify *vidimare*
chain *catena*
chair *sedia*
chalk *gesso*
chance *opportunità;* by chance *per caso*
change (n) *cambiamento;* (money) *spiccioli,* (to return) *resto*
change (v) *cambiare;* (clothes) *cambiarsi*
changeable *variabile*
chapter *capitolo*
character *carattere (m);* (of fiction) *personaggio*
charge (entrust) *incaricare*
charming *affascinante, delizioso, seducente*
chat *chiacchierare*
check (bank) *assegno;* (bill) *conto*
cheek *guancia;* cheek bone *zigomo*
cheer *rallegrare*
cheerful *lieto*
cheese *formaggio*
chemistry *chimica*
chief *capo, duce (m)*
child *bambino*
childhood *infanzia*
chocolate *cioccolato*
choice *scelta;* by choice *a scelta*

choose   *scegliere (irr)*
Christ   *Cristo*
Christmas   *Natale (m)*
church   *chiesa*
circle   *circolo, cerchio*
circumstance   *circostanza*   .
citizen   *cittadino*
city   *città;* city-state   *Comune (m)*
civil   *civile*
civilian   *civile (m f)*
civilization   *civiltà*
class   *classe (f), lezione (f);* in class   *a lezione*
classic   *classico, -ci*
classmate   *compagno*
classroom   *aula*
clean   *pulire*
clear   *chiaro, limpido*
clerk   *impiegato;* (of a store)   *commesso*
client   *cliente (m f)*
climate   *clima (m)*
climb   *salire (irr)*
clock   *orologio*
close (n)   *fine (f);* (near)   *vicino (a)*
close (v)   *chiudere (irr)*
cloth   *stoffa*
clothes   *vestiti, abiti*
cloud   *nuvola, nube (f)*
club   *circolo*
coast   *costa*
coat   *cappotto*
cobbler   *calzolaio*
coffee   *caffè (m invar);* coffee shop   *caffè*
coin   *moneta*
cold   *freddo;* (head cold)   *raffreddore (m);* to be cold   *aver freddo*
collar (of a coat)   *bavero;* (of a shirt)   *colletto*
colleague   *collega (m f), -ghi*
collect   *raccogliere (irr), ritirare;* (money)   *riscuotere (irr)*
collision   *scontro*
color   *colore (m)*
column   *colonna*
comb   *pettinare*
come   *venire (irr);* to come from   *provenire*
comedy   *commedia leggera, commedia*
comfortable   *comodo;* to make oneself comfortable   *accomodarsi*

comic   *comico, -ci*
command (n)   *comando*
command (v)   *comandare*
commemorate   *commemorare*
communicate   *comunicare*
communication   *comunicazione (f)*
communism   *comunismo*
communist   *comunista (m f)*
companion   *compagno*
companionship   *compagnia*
company   *compagnia*
compare   *paragonare*
comparison   *paragone (m), comparazione (f)*
compel   *obbligare, costringere (irr)*
competence   *competenza*
complain   *lamentarsi, lagnarsi*
complaint   *lamento, lagnanza*
complete   *completare, compiere*
complicate   *complicare*
compose   *comporre (irr)*
comprehensive   *vasto, esauriente*
concept   *concetto*
concern (n)   **preoccupazione** *(f);* (business) *ditta;* to be concerned   *preoccuparsi, essere preoccupato*
concern (v)   *riguardare*
concert   *concerto*
conclude   *concludere (irr)*
conclusion   *conclusione (f);*   in conclusion   *insomma*
condition   *condizione (f)*
conductor   *conducente (m f)*
confess   *confessare*
confidence   *fiducia;* in confidence   *in confidenza*
confirm   *confermare*
confuse   *confondere (irr)*
confused   *confuso*
confusion   *confusione (f)*
congenial   *simpatico, -ci*
congratulate   *rallegrarsi (con)*
congratulations   *rallegramenti*
congressman   *deputato*
conquer   *conquistare, vincere (irr)*
conquest   *conquista*
conscience   *coscienza*
consciously   *coscientemente*

consequence *conseguenza*
consequently *di conseguenza, dunque*
consist *consistere, consistito*
consistent *coerente, conseguente*
constitution *costituzione (f)*
constitutional *costituzionale*
construct *costruire, fabbricare*
consult *consultare*
contain *contenere (irr)*
contemporary *contemporaneo*
content (n) *contenuto; (adj) contento*
continent *continente (m)*
continue *continuare, proseguire*
continuous *continuo*
continuously *di continuo, di seguito*
contract (n) **contratto**
contract (v) *contrarre (irr)*
contradictory *contraddittorio*
contrary *contrario;* on the contrary *anzi*
contrast (n) *contrasto*
contrast (v) *contrastare, mettere (irr) in contrasto*
contribute *contribuire*
control *controllo;* self-control *dominio di sè*
conversation *conversazione (f)*
convert *convertire* *
convince *convincere (irr)*
cook (n) *cuoco, -chi*
cook (v) *cucinare, cuocere (irr)*
cool *fresco, -chi*
copy (n) *copia*
copy (v) *copiare*
cordial *cordiale*
correct (adj) *corretto, giusto*
correct (v) *correggere (irr)*
corridor *corridoio*
cosmonaut *cosmonauta (m f)*
cost (n) *costo*
cost (v) *costare*
costly *caro*
cotton *cotone (m)*
council *consiglio*
counsel *consiglio*
counter (n) *banco, -chi; (adv) contro*
country *paese (m);* countryside *campagna;* in the country *in campagna*
couple *coppia*

courage *coraggio*
course *corso*
court *corte (f)*
courteous *cortese*
courtesy *cortesia*
cousin *cugino*
cover (n) *copertura;* under cover *al coperto*
cover (v) *coprire *, coperto*
cow *mucca, vacca*
crack *fessura*
crafts *artigianato*
create *creare*
crime *delitto*
crisis *crisi (f invar)*
cross (n) *croce (f)*
cross (v) *attraversare;* (someone's path) *incrociare*
crossroad *traversa*
crowd *folla*
crucify *crocifiggere (irr)*
crude *rozzo*
cry (n) *urlo, grido*
cry (v) *gridare, urlare, piangere (irr)*
cultivated *colto*
culture *cultura*
cup *tazza*
cure (n) *cura*
cure (v) *curare, guarire*
curiosity *curiosità*
curious *curioso*
current *corrente (f)*
custodian *custode (m f)*
cut (n) *taglio*
cut (v) *tagliare*

D

daddy *babbo, papà*
damage *danno*
damp *umido*
dance (n) *ballo*
dance (v) *ballare*
danger *pericolo*
dare **osare**
dark *scuro, oscuro*

darkness *oscurità*

date (calendar) *data*

daughter *figlia, figliola*

day *giorno;* all day long, day's wages, day's work *giornata;* day after tomorrow *dopodomani;* day before yesterday *ieri l'altro, l'altro ieri*

dead *morto*

deal (with) *trattare (di)*

dear *caro*

death *morte (f)*

deceive *ingannare;* (oneself) *illudersi, farsi un'illusione*

December *dicembre (m)*

decide *decidere (irr)*

decline *tramontare, decadere (irr)*

decree *decretare*

dedicate *dedicare*

deduce *dedurre (irr)*

deep *profondo*

defend *difendere (irr)*

degree *grado*

delay (n) *ritardo*

delay (v) *ritardare*

delight *gioia*

deliver *consegnare, salvare, liberare*

delude *deludere (irr)*

delusion *delusione (f)*

democracy *democrazia*

demonstrate *dimostrare, provare*

denounce *denunciare, denunziare*

dentist *dentista (m f)*

deny *negare*

depart *partire;* one who departs *partente;* about to depart *in partenza*

departure *partenza*

depend *dipendere (da) (irr)*

depict *ritrarre (irr)*

depth *profondità*

deputy *deputato*

derive *derivare*

descend *scendere (irr)*

describe *descrivere (irr)*

description *descrizione (f)*

desert *deserto*

desire (n) *desiderio*

desire (v) *desiderare*

desirous *desideroso*

desk *scrivania*

destroy *distruggere (irr)*

detain *trattenere (irr)*

determine *decidere (irr), stabilire, determinare*

detract *detrarre (irr), sottrarre (irr)*

devastate *devastare*

develop *sviluppare, svolgere (irr)*

development *sviluppo, svolgimento*

dialogue *dialogo, -ghi*

dictator *dittatore (m)*

dictatorship *dittatura*

dictionary *dizionario, vocabolario*

die *morire (irr)*

different *differente, diverso*

difficult *difficile*

diligent *diligente*

dinner *pranzo;* (evening) *cena*

direct *dirigere (irr)*

director *direttore (m)*

dirty (adj) *sporco, -chi, sudicio, -ci*

disabled *invalido*

disadvantage *svantaggio*

disagreeable *antipatico, -ci*

disappointed *deluso;* to be disappointed *rimaner (irr) deluso, essere deluso*

disappointment *delusione (f)*

disaster *disastro*

discontended *scontento*

discount *ribasso, riduzione (f)*

discourse *discorso*

discourteous *scortese*

discover *scoprire *, **scoperto***

discovery *scoperta*

discreet *moderato, discreto*

discretion *moderazione (f), discrezione (f)*

discussion *discussione (f)*

disengage (oneself) *disimpegnarsi*

disgrace *vergogna*

disgusting *disgustoso*

dish *piatto, pietanza*

disillusion *delusione (f)*

disillusioned ***deluso***

dislike *non piacere (irr)*

disorder *disordine (f)*

disposal *disposizione (f),* at the disposal *a*

disposizione

dispose *disporre (irr)*

dissatisfied *scontento*

dissimilar *dissimile*

dissolve *sciogliere (irr)*

distant *lontano;* to be distant *distare*

disturb *disturbare*

divide *dividere (irr)*

divine *divino*

division *divisione (f), separazione (f)*

do *fare (irr);* to be about to do *stare (irr) per fare;* to be in the midst of doing *star facendo;* to do without *fare a meno (di)*

doctor *dottore (m), dottoressa, medico, -ci*

document *documento*

doll *bambola*

dollar *dollaro*

dominate *dominare*

domination *dominazione (f), dominio*

door *porta;* doorman *portiere (m);* doorbell *campanello*

doubt (n) *dubbio;* to be doubtful ***essere dubbio***

doubt (v) *dubitare*

down *giù;* down there *laggiù;* down here *quaggiù;* down with *abbasso*

dozen *dozzina*

draft (a paper, minutes, etc.) *stendere (irr)*

drama *dramma (m)*

dramatic *drammatico, -ci*

draw *disegnare*

drawing *disegno*

dream (n) *sogno*

dream (v) *sognare*

dress (n) *vestito, abito*

dress (v) *vestire* *

drink (n) *bevanda;* (soft) *bibita*

drink (v) *bere (irr)*

drinkable *potabile*

drive (n) *gita*

drive (v) *guidare*

drown *affogare*

dry (adj) *asciutto, asciugato, secco, -chi*

dry (v) *asciugare, seccare*

during (prep) ***durante***

duty *dovere (m);* custom duty *dogana*

E

each ***ciascuno, ogni***

ear *orecchio*

earlier *prima, più presto*

early *presto, in anticipo*

earn *guadagnare*

earth *terra*

earthly *terreno*

earthquake *terremoto*

ease *facilità*

east *est (m), oriente (m)*

Easter *Pasqua*

eastern *orientale*

easy *facile*

eat *mangiare*

economic *economico, -ci*

economics *economia*

economy ***economia***

edifice ***edificio***

education *educazione (f), istruzione (f)*

effect *effetto*

effectively *efficacemente*

efficient *efficace, efficiente*

effort *sforzo*

egg *uovo, le uova*

eight *otto*

eighteen *diciotto*

eighteenth *diciottesimo*

eighty *ottanta*

elect *eleggere (irr)*

election *elezione (f)*

electric *elettrico, -ci;* electric home appliances *elettrodomestici*

electricity *elettricità*

elegance *eleganza*

elegant *elegante*

element *elemento*

elementary *elementare*

elevate *elevare, innalzare*

elevator *ascensore (m)*

eleven *undici*

eleventh *undicesimo*

else *altro*

elsewhere *altrove*

ember *brace (f)*

emigrant *emigrante (m f)*

emit *emettere (irr), mandar fuori*

emphasize *dar (irr) rilievo (a), mettere (irr) in rilievo*

empire *impero*

employee *impiegato*

empty *vuoto*

enchanted (with) *innamorato (di), affascinato, incantato*

enclosed *compreso*

encounter (n) *incontro*

encounter (v) *incontrare*

end (n) *fine (f);* (purpose) *fine (m), scopo*

endure *sopportare*

enemy *nemico, -ci*

energy *energia*

engage *impegnare;* to become engaged *fidanzarsi*

engagement *impegno, fidanzamento*

English *inglese (m f)*

enjoy *godere (irr);* to enjoy oneself *divertirsi* *

enough *abbastanza;* to be enough *bastare*

enrichment *arricchimento*

enter *entrare (in)*

enthusiastic *entusiasta (m f)*

entrust *affidare, incaricare*

envelope *busta*

enviable *invidiabile*

environment *ambiente (m)*

Epiphany *Epifania, Befana*

episode *episodio*

epoch *epoca*

equal *eguale, uguale*

equality *uguaglianza, eguaglianza*

equipped *attrezzato*

eraser (blackboard) *cancellino*

errand *commissione (f)*

escape *fuggire*

especially *specialmente, in modo particolare*

essay *saggio*

essentially *essenzialmente, in fondo*

establish *stabilire*

establishment *stabilimento, potere costituito*

European *europeo*

eve *vigilia*

even *anche, perfino, magari;* even if *anche se;* not even *neanche, neppure, nemmeno*

evening *sera;* all evening long *serata;* evening party *serata;* this evening *stasera*

event *avvenimento*

ever *mai*

every *ciascuno, ogni (invar)*

everything *tutto*

everywhere *dappertutto*

evident *evidente*

evil *male (m)*

exactly *proprio, esattamente*

examination *esame (m)*

example *esempio*

excellent *eccellente, ottimo*

except *eccetto, tranne*

exclaim *esclamare*

exclude *escludere (irr)*

excursion *gita, escursione (f)*

excuse (n) *scusa*

excuse (v) *scusare*

executive *esecutivo (adj)*

exercise (n) *esercizio*

exercise (v) *esercitarsi, fare (irr) esercizio*

exhort *esortare*

exist *esistere, esistito*

expect *aspettarsi*

expend *spendere (irr)*

expenditure *spesa*

explain *spiegare*

explanation *spiegazione (f)*

explode *scoppiare, esplodere (irr)*

explore *esplorare*

explosion *esplosione (f)*

expose *esporre (irr)*

express *esprimere (irr)*

express train *rapido*

extend *estendere (irr)*

exterior *esteriore*

extinguish *spengere (irr)*

extract *estrarre (irr)*

extraordinary *straordinario*

eye *occhio*

eye-glasses *occhiali*

F

face (n) *faccia, viso*
face (v) *affrontare*
fact *fatto;* in fact *infatti, di fatto*
factory *fabbrica, stabilimento*
fail *mancare, non riuscire (irr)*
fairy tale *fiaba*
faith *fede (f);* to have faith *aver fiducia*
fall (n) *caduta*
fall (v) *cadere (irr);* to fall in love *innamorarsi*
fame *fama*
family *famiglia*
famous *famoso*
fanciful *fantasioso, fantastico, -ci*
far *lontano*
farmer *contadino*
farther *oltre*
fascinate *affascinare*
fascinating *affascinante, incantevole, seducente*
fascism *fascismo*
fascist *fascista (m f)*
fast *presto;* (adj) *veloce, rapido*
fate *destino, sorte (f)*
father *padre*
fault *torto, sbaglio, fallo;* it is his fault *è colpa sua*
favor *piacere (m), favore (m)*
favorite *preferito*
fear *paura, spavento, timore (m)*
feast *festa*
February *febbraio*
feeble *debole*
feel *sentire, sentirsi*
feeling *sentimento*
fell *abbattere (irr)*
fellow *compagno, individuo*
festival *festa*
fetch *prendere (irr)*
feudal *feudale*
fever *febbre (f)*
few *pochi;* a few *alcuni, qualche (sing)*
fiber *fibra*
fiction writer *narratore (m), narratrice (f)*
field *campo;* (of study) *materia*

fierce *fiero, feroce, violento*
fifteen *quindici*
fifth *quinto*
fifty *cinquanta*
fight (n) *lotta*
fight (v) *lottare, combattere*
fill *riempire (irr)*
final *finale*
finally *infine, finalmente*
finance *finanziare*
find *trovare*
finger *dito, le dita*
finish (n) *fine (f)*
finish (v) *finire, terminare*
fire *fuoco, -chi;* fire wood *legna*
firm (business) *ditta*
first *primo*
fish *pesce (m)*
fit *adatto*
fitness *proprietà, capacità*
five *cinque*
fix (one's attention) *fissare;* (repair) *accomodare, aggiustare*
flee *fuggire*
flight *volo*
floor *pavimento;* (first, second, etc.) *piano*
flow *scorrere (irr)*
flower *fiore (m)*
flowing *corrente*
follow **seguire***
following *seguente*
food *cibo;* (and lodging) *vitto e alloggio*
foolish *sciocco, -chi*
foolishness **sciocchezza**
foot *piede (m)*
for *per*
forefathers *padri*
forehead *fronte (f)*
foreign **straniero**
foresee **prevedere (irr)**
forget *dimenticare*
form *forma*
fortune *fortuna, sorte (f)*
forty *quaranta*
forward *avanti*
foundation **fondazione (f)**
fountain *fontana*

four   *quattro*
fourteen   *quattordici*
fourth   *quarto*
frail   *debole, fragile*
frailness   *debolezza*
free   *libero*
freeze   *gelare*
French   *francese*
frequent   *frequentare*
frequently   *spesso*
fresco   *affresco, -chi*
fresh   *fresco, -chi*
Friday   *venerdì*
friend   *amico, -ci*
from   *da*
front, in front (of)   *'davanti (a); di fronte (a)*
frost   *gelo*
full   *pieno*
fun   *divertimento;* to have fun   *divertirsi**
function   *funzionare*
fundamental   *fondamentale*
funny   *buffo*
further   *oltre*
furthermore   *inoltre*

G

gain (n)   *guadagno, profitto*
gain (v)   *guadagnare;* to gain the upperhand *prendere (irr) il sopravvento*
gallery   *galleria*
game   *giuoco, -chi, gioco, -chi; partita*
garden   *giardino*
gasoline   *benzina;* (station) *distributore (m) di benzina;* (attendant) *benzinaio;* (tank) *serbatoio (della benzina)*
gather   *riunire, riunirsi;* (flowers, fruit) *cogliere (irr);* (put together, pick up) *raccogliere (irr)*
gathering (n)   *riunione (f)*
general (n)   *generale (m); (adj) generale*
genius   *genio*
gentleman   *signore*
genuine   *vero, genuino*
geography   *geografia*

German   *tedesco, -chi*
gesticulate   *gesticolare*
get   *prendere (irr);* to get up   *alzarsi*
gift   *regalo, dono*
gigantic   *gigantesco, -chi*
girl   *ragazza, fanciulla;* overgrown girl   *ragazzona*
give   *dare (irr);* to give pleasure   *far (irr) piacere;* to give up   *smettere (irr), rinunciare*
glad   *contento, lieto*
gladly   *volentieri*
glance (n)   *sguardo*
glance (v)   *dare (irr) uno sguardo*
glass   *bicchiere (m)*
glasses   *occhiali*
gloomy   *cupo, triste*
glove   *guanto*
go   *andare (irr);* (away) *andarsene, andare via;* (around) *andare in giro;* (out) *uscire;* (inside) *entrare*
goddess   *dea*
good   *buono, bravo;* to be good (behave) *star (irr) buono;* good-bye   *arrivederci;* good evening   *buona sera;* good-for-nothing   *buono a nulla;* goods   *beni;* (adv) *bene*
govern   *governare, reggere (irr)*
government   *governo*
grab   *afferrare*
grace   *grazia*
gradually   *a poco a poco, gradatamente, gradualmente*
granddaughter   *nipote, nipotina*
grandfather   *nonno*
grandmother   *nonna*
grandson   *nipote, nipotino*
grass   *erba*
grateful   *grato*
grave   *tomba; (adj) grave*
gravely   *gravemente*
great   *grande*
greater   *maggiore*
greatest   *massimo*
Greek   *greco, -ci*
green   *verde*
greens   *verdura*
greet   *salutare*

greeting *saluto*
grief *dolore (m)*, *pena*
ground *terra;* on the ground *per (in) terra*
group *gruppo*
grow *crescere (irr);* to grow old *invecchiare*
grown up *adulto, grande*
guest *ospite (m f), invitato*
guide *guida*

H

hail *grandine (f)*
hair *capello (usually used in plur)*
half *metà; (adj) mezzo*
hall *sala, salone (m)*
hand *la mano, le mani;* to hand over *consegnare*
handbag *borsetta, borsa*
handkerchief *fazzoletto*
hang *appendere (irr)*
happen *accadere (irr), avvenire (irr), succedere (irr)*
happiness *felicità*
happy *felice*
hard *duro*
hardship *sofferenza, fatica, difficoltà*
harm *male (m)*
harmony *armonia*
haste *fretta*
hasten *affrettarsi*
hat *cappello*
hatchet *accetta*
haul *tirare, trarre (irr)*
have *avere (irr);* the haves and the have nots *gli abbienti e i nullatenenti*
head *testa, capo;* headache *mal di testa;* head cold *raffreddore (m)*
health *salute (f)*
hear *sentire *; udire (irr)*
heart *cuore (m)*
heat *riscaldare*
heater *stufa*
heaven *cielo*
heavy *pesante*

heir *erede (m f)*
hell *inferno*
hello (telephone) *pronto*
help (n) *aiuto*
help (v) *aiutare*
hemlock *cicuta*
herd *mandria*
here *qui, qua;* here is *ecco*
heredity *eredità*
hero *eroe*
heroine *eroina*
high *alto;* extremely high *supremo*
high school *scuola media, scuola superiore, liceo*
higher *superiore*
highway *autostrada*
hill *collina, colle (m)*
historical *storico, -ci*
history *storia*
hold *tenere (irr);* to hold up *sostenere (irr), sorreggere (irr)*
holiday *festa, vacanza*
holy *santo;* Holy Week *Settimana Santa*
home *casa;* homework *compito*
hook *gancio*
hooray *evviva*
hope (n) *speranza*
hope (v) *sperare*
hopeful *speranzoso*
horrible *orribile*
horror *orrore (m)*
horse *cavallo*
hospital *ospedale (m)*
host *ospite (m f)*
hotel *albergo, -ghi*
hour *ora*
house *casa*
how *come;* how much *quanto;* how many *quanti*
however *però, tuttavia*
hundred, one hundred *cento;* five hundred *cinquecento;* hundreds *centinaia (f)*
hunger *fame (f);* to be hungry *aver fame*
hurry *fretta;* to be in a hurry *aver fretta*
hurt *far male;* to hurt oneself *farsi male;* to hurt one's (foot) *farsi male (al piede)*
husband *marito*

I

ice *ghiaccio*
ice cream *gelato*
idea *idea*
idleness *ozio*
if *se*
ignorance *ignoranza*
ignore (not to know) *ignorare*
ill-fated *disgraziato*
illiterate *analfabeta (m f)*
illness *malattia;* to be ill *esser malato;* to become ill *ammalarsi*
illusion *illusione (f)*
illustrate *illustrare*
illustration *illustrazione (f)*
image *immagine (f)*
imaginary *immaginario*
imaginative *fantasioso*
imagine *immaginare*
imbalance *squilibrio*
immature *immaturo, acerbo*
immediately *subito*
immoral *immorale*
implement (n) *strumento*
implement (v) *effettuare, mettere (irr) in effetto, far (irr) entrare in vigore*
imply *sottintendere (irr)*
import (n) *importazione (f)*
import (v) *importare*
importance *importanza*
important *importante;* to be important *importare*
impose *imporre (irr)*
impoverishment *impoverimento*
in *in;* in case *nel caso*
inadvisable *inopportuno*
inattentive *disattento*
inclined *disposto, propenso (a fare)*
include *includere (irr), comprendere (irr)*
income *entrata, reddito, rendita*
increase (n) *aumento*
increase (v) *aumentare, ingrandire, accrescere (irr)*
independence *indipendenza*
indicate *indicare*

indifferent *indifferente*
individual (n) *individuo;* (adj) *individuale*
industrial *industriale*
industrialist *industriale (m f)*
industry *industria*
inferior *inferiore*
influence *influenza, influsso*
inform *informare*
information *informazione (f)*
inopportune *inopportuno*
inquire *indagare*
inside *dentro, all'interno*
inspection *ispezione (f)*
inspiration *ispirazione (f)*
inspire *ispirare, incutere (irr)*
installation *impianto*
instead *invece*
institute *istituire*
institution *istituzione (f), istituto*
instruction *istruzione (f)*
instrument *strumento*
insurance *assicurazione (f)*
insure *assicurare*
intelligence *intelligenza*
intelligent *intelligente*
intense *intenso, teso*
intention *intenzione (f)*
interest (n) *interesse (m)*
interest (v) *interessare*
interesting *interessante*
interrupt *interrompere (irr)*
introduce *introdurre (irr), presentare*
introduction *introduzione (f), presentazione (f)*
invade *invadere (irr)*
invasion *invasione (f)*
invent *inventare*
invention *invenzione (f)*
investigate *indagare*
investigation *indagine (f)*
invitation *invito*
invite *invitare*
iron *ferro*
island *isola*
isolation *isolamento*
issue (result) *risultato, esito;* (of a periodical) *numero;* (controversial point) *questione (f)*
Italian *italiano*

J

jacket   *giacca*
January   *gennaio*
Japanese   *giapponese (m f)*
jargon   *gergo*
jerk   *scatto, scossa;* jerky   *a scatti*
Jesus   *Gesù*
Jew   *ebreo;* (rare) *giudeo*
jewel   *gioia, gioiello*
Jewish   *ebreo, ebraico, -ci*
join   *unire, collegare*
joke (n)   *scherzo*
joke (v)   *scherzare*
journey   *viaggio*
joy   *gioia*
judge (n)   *giudice (m)*
judge (v)   *giudicare*
judgment   *giudizio*
July   *luglio*
jump (n)   *salto*
jump (v)   *saltare*
June   *giugno*
just   *giusto, corretto;* (adv) *proprio*
justice   *giustizia*

K

keep   *tenere (irr)*
keeper   *custode (m f)*
key   *chiave (f)*
kidnap   *rapire*
kilometer   *chilometro,* (abbr) *km.*
kind (n)   *specie (f invar);* (adj) *gentile*
kindness   *gentilezza, cortesia*
king   *re (invar)*
kingdom   *regno, reame (m)*
kitchen   *cucina*
knife   *coltello*
knit   *far (irr) la maglia, lavorare a maglia*
know (to be acquainted with)   *conoscere (irr);*
  (intellectually)   *sapere (irr)*

L

labor   *lavoro;* labor force   *mano d'opera;* labor union   *sindacato*
lack   *mancare*
lady   *signora;* young lady   *signorina*
lake   *lago, -ghi*
lament   *rimpiangere (irr), lamentarsi, lagnarsi*
lamp   *lume (m), lampada;* (street) *lampione (m)*
land   *terra, terreno*
landscape   *paesaggio*
language   *lingua, linguaggio*
large   *grande;* (bulky) *grosso*
last (adj)   *ultimo*
last (v)   *durare*
lastly   *infine, da ultimo*
late   *tardi; in ritardo*
later   *poi, dopo, più tardi*
latest   *ultimo*
laugh (n)   *riso*
laugh (v)   *ridere (irr)*
leaf   *foglia*
leap year   *anno bisestile*
learn   *imparare;* to learn by heart   *imparare a memoria*
least   *minimo;* at least   *almeno*
leave   *lasciare, abbandonare;* (on a trip) *partire *;* (go away) *andarsene, andar via*
lecture   *conferenza*
lecturer   *conferenziere (m), conferenziera*
left   *sinistra;* at (to) the left   *a sinistra*
leg   *gamba*
legitimacy   *legittimità*
lend   *prestare*
Lent   *Quaresima*
less   *meno*
lesser   *minore*
lesson   *lezione (f)*
let   *lasciare;* (rent) *affittare*
letter   *lettera*
level   *livello*
liar   *bugiardo*
liberation   *liberazione (f)*
liberty   *libertà*
library   *biblioteca*
lick   *leccare*

lie (n)   *menzogna, bugia*
lie (v)   *mentire*
life   *vita*
lift (n)   *ascensore (m)*
lift (v)   *alzare, sollevare*
light (n)   *luce (f), lume (m); of car   fanale
(m); (adj)* (weight) *leggero;* (color) *chiaro*
light (v)   *accendere (irr)*
lightly   *leggermente*
lightning   *lampo*
like   *come*
like (v)   *piacere (irr)*
limit (n)   *limite (m)*
limit (v)   *limitare*
line   *riga; fila, linea;* (poetry) *verso*
linen (personal or household)   *biancheria*
lip   *labbro, le labbra*
lira   *lira*
list   *lista, elenco, -chi*
listen (to)   *ascoltare*
literary   *letterario*
literature   *letteratura*
little (size)   *piccolo;* (quantity) *poco, -chi;* little
by little   *a poco a poco*
live   *vivere (irr);* (reside) ***abitare***
lively   *vivace.*
living room   *salotto, soggiorno*
load   *carico, -chi*
loan   *prestito*
lobby   *atrio*
local   *locale*
long   *lungo, -ghi*
look (at)   *guardare;* to look for   *cercare;* to
look over   *riguardare*
lose   *perdere, smarrire*
loss   *perdita*
loud   *rumoroso;* loud voice   *alta voce*
loudspeaker   *altoparlante (m);* loudspeaking
altoparlante
love (n)   *amore (m)*
love (v)   *amare, voler (irr) bene a;* to fall in
love with   *innamorarsi di*
low   *basso*
lower   *inferiore*
lowest   *infimo*
luck   *fortuna*
luggage   *bagaglio*

luxurious   *di lusso*
luxury   *lusso*

M

machine   *macchina*
magazine   *rivista*
Magi   *Magi, i Re Magi*
magnificent   ***magnifico, -ci***
magnify   *ingrandire*
mail (n)   *posta*
mail (v)   *spedire, imbucare, impostare*
mailman   *postino, portalettere (m invar)*
main   *principale*
maintain   *mantenere (irr)*
major (v)   *specializzarsi*
majority   *maggioranza*
make   *fare (irr);* to make someone do something   *far fare qualcosa a qualcuno*
man   *uomo, uomini*
manager   *dirigente (m f)*
manner   *modo, maniera*
manufacture   *confezionare, fabbricare*
manufacturer   *fabbricante (m f)*
many   *molti;* so many   *tanti*
map   *carta geografica, cartina*
marble   *marmo*
mark (n)   *segno;* (grade) *voto*
mark (v)   *segnare*
market   *mercato*
marriage   *matrimonio*
marry   *sposare;* to get married   *sposarsi*
marvelous   *meraviglioso*
mass (of people, things)   *massa;* (church) *messa*
match (game)   *partita*
material   *materia, materiale (m)*
mathematics   *matematica*
May   *maggio*
may, it may be   *può darsi*
mayor   *sindaco, -ci*
meaning   *significato*
means   *mezzo*
meanwhile   *nel frattempo*
measure   *misura*

meat   *carne (f)*
medicine   *medicina*
medieval   *medievale*
mediocre   *mediocre*
meet (encounter)   *incontrare*
meeting   *riunione (f), incontro*
member (body)   *membro, le membra;* (family, etc.) *membro, i membri* (club) *socio*
memory   *memoria, ricordo*
mended   *rammendato*
mentality   *mentalità*
merchandise   *merce (f)*
merchant   *commerciante (m f), mercante (m)*
messenger   *messaggero, fattorino*
microscope   *microscopio*
middle   *centro, mezzo;* in the middle of   *in mezzo a;* Middle Ages   *Medio Evo*
midnight   *mezzanotte (f)*
migraine   *emicrania*
mild   *mite, dolce*
militarily   *militarmente*
milk   *latte (m)*
million, one million   *un milione;* five million liras   *cinque milioni di lire*
mind (n)   *mente (f)*
mind (v)   *dispiacere (irr);* (to watch) *badare*
mineral   *minerale (m)*
minister   *ministro;* prime minister   *primo ministro*
minority   *minoranza*
miracle   *miracolo*
misfortune   *sfortuna, disgrazia*
mishap   *disgrazia*
Miss   *signorina*
missile   *missile (m)*
missing, to be missing   *mancare, sentire la mancanza*
mistake   *sbaglio;* to make a mistake   *sbagliare, sbagliarsi*
misunderstand   *fraintendere (irr)*
mix   *mescolare*
moderate   *discreto, moderato*
moderation   *discrezione (f), moderazione (f)*
modern   *moderno;* Modern Age   *Evo Moderno*
moment   *momento;* at this moment   *in questo momento;* in a moment   *fra un momento*

mommy   *mamma*
monarchy   *monarchia*
Monday   *lunedì (m)*
money   *denaro, soldi (plur)*
monopoly   *monopolio*
month   *mese (m)*
monument   *monumento*
moon   *luna*
moral   *morale;* (n) *morale (f)*
morale   *morale (m)*
morbid   *morboso*
more   *più;* some more   *di più;* more and more   *sempre più;* more or less   *su per giù, più o meno*
morning   *mattina;* this morning   *stamattina*
mosaic   *mosaico, -ci*
mother   *madre (f)*
motion   *movimento, moto*
motionless   *immobile*
mountain   *monte (m), montagna*
mountainous   *montuoso*
mourn   *rimpiangere (irr)*
mouth   *bocca;* (of a river) *foce (f)*
move   *muovere*
movement   *movimento*
movie   *film (m invar);* movie theatre   *cinema (m invar)*
Mr.   *signore;* Mr. & Mrs.   *signori*
Mrs.   *signora*
much   *molto;* as much   *altrettanto;* so much   *tanto*
museum   *museo*
music   *musica*
musician   *musicista (m f)*
musicology   *musicologia*

N

name (n)   *nome (m)*
name (v)   *chiamare;* to be named   *chiamarsi*
narrate   *narrare*
narrow   *stretto*
nation   *nazione (f)*
national   *nazionale*
natural   *naturale*

nature *natura*

naughty *cattivo*

near *vicino, vicino a;* near-sighted *miope, corto di vista*

nearby *vicino, nelle vicinanze*

nearly *quasi, circa*

necessary *necessario;* to be necessary *occorrere (irr), esser necessario, bisognare*

need (n) *bisogno*

need (v) *aver bisogno (di)*

neglect *trascurare*

negligent *negligente*

neighbor *vicino*

neither *neanche, nemmeno, neppure;* neither... nor *nè... nè*

nephew *nipote*

never *mai, non... mai*

nevertheless *tuttavia*

new *nuovo*

New Year's Day *Capodanno*

news (one piece) *notizia*

newspaper *giornale (m)*

next *prossimo*

niece *nipote*

night *notte (f);* all night long *nottata;* last night *ieri notte, ieri sera;* tonight *stanotte*

nightingale *usignuolo*

nine *nove*

nineteen *diciannove*

ninety *novanta*

ninth *nono*

no *no*

nobody *nessuno*

noise *rumore (m)*

nonsense *sciocchezza*

noon *mezzogiorno*

north *nord (m)*

northern *settentrionale*

not *non;* not at all *affatto;* not even *neanche;* not any, not one *nessuno*

note *biglietto*

notebook *quaderno*

nothing *nulla, niente (m);* nothing bad *nulla di male*

notice (n) *avviso*

notice (v) *accorgersi (irr)*

nourish *nutrire*

novel *romanzo*

November *novembre (m)*

now *ora, adesso;* just now *or ora, proprio ora;* by now *ormai*

number *numero*

numerous *numeroso*

nuptials *nozze (f plur)*

nurse *infermiere (m), infermiera (f)*

O

obedient *obbediente, ubbidiente*

obey *obbedire, ubbidire*

object (n) *oggetto;* (aim) *fine (m), scopo*

object (v) *obbiettare*

obligation *obbligo, -ghi; impegno*

oblige (compel) *obbligare, costringere (irr)*

obscure (adj) *oscuro*

obscure (v) *oscurare*

obstacle *ostacolo*

obtain *ottenere (irr)*

obvious *ovvio*

occupy *occupare*

occurrence *avvenimento*

October *ottobre (m)*

of *di*

offend *offendere (irr)*

offer *offrire, offerto*

office *ufficio; carica; incarico, -chi*

officer *ufficiale, funzionario, vigile (m)*

official *ufficiale*

often *spesso*

oil (vegetable) *olio;* (mineral) *petrolio*

okay *va bene*

old *vecchio*

omen *augurio*

on *su*

once *una volta;* once again *di nuovo, ancora una volta*

one *un, uno, una*

only (adj) *solo, unico, -ci;* (adv) *solo, solamente, soltanto*

open (adj) *aperto;* in the open air *all'aperto*

open (v) *aprire*, aperto*

opening   *apertura*
opera   *opera*
opinion   *opinione (f)*
opponent   *avversario*
opportune   *opportuno*
oppose   *opporre (irr)*
opposition   *opposizione (f);* in opposition   *in contrasto*
or   *o, oppure*
orange   (fruit) *arancio;* (color) *arancione (m)*
order   (n) *ordine (m)*
order   (v) *ordinare*
ordinarily   *di solito*
ordinary   *ordinario, comune*
organization   *organizzazione (f)*
organize   *organizzare*
origin   *origine (f)*
other   *altro*
otherwise   *altrimenti*
out   *fuori (di)*
outdoors   *all'aperto*
outside   *fuori*
over   *sopra;* over there   *laggiù;* over here   *qua, qui*
overnight   *durante la notte, per la notte*
overtake   *sorpassare, raggiungere (irr)*
owe   *dovere (irr)*
own   *possedere (irr)*
owner   *padrone (m), padrona (f), proprietario*

P

package   *pacco, -chi*
page   *pagina*
pain   *dolore (m), pena*
paint   *dipingere (irr)*
painter   *pittore (m), pittrice (f)*
painting   (n) *pittura, quadro*
pair   *paio, le paia*
palace   *palazzo*
palpitation   (of the heart) *batticuore (m)*
panorama   *panorama (m)*
paradise   *paradiso*
paradox   *paradosso*
paragraph   *paragrafo*

parents   *genitori*
park   *parco, -chi*
part   *parte (f);* on the part of   *da parte di*
Parthenon   *Partenone (m)*
participant   *partecipante (m f)*
participate   *partecipare, prender (irr) parte*
particular   *particolare*
party   (political) *partito;* (social) *ricevimento, festa, serata*
pass   (n) *passo*
pass   (v) *passare;* pass over   *sorvolare*
passage   (written) *passo, brano;* passage way   *passaggio*
passerby   **passante (m f)**
passport   *passaporto*
past   (n) *passato;* (adj) *passato, scorso*
pastry   *pasta, pasticcino;* pastry shop   *pasticceria*
patent   (n) *brevetto*
patent   (v) *brevettare*
patience   *pazienza*
patient   *paziente (m f);* to be patient   *aver pazienza*
pause   (n) *sosta, pausa*
pause   (v) *sostare, fermarsi*
pawn   *impegnare*
pay   (n) *paga*
pay   (v) *pagare*
peace   *pace (f)*
peasant   *contadino*
pedestrian   *pedone (m)*
peep   (through) *occhieggiare, spuntare*
pen   *penna*
pencil   *matita, lapis (m invar)*
penetrate   *penetrare*
peninsula   *penisola*
penny   *soldo*
people   *gente (f coll)*
pepper   *pepe (m)*
perceive   *accorgersi (irr)*
perch   *appollaiarsi*
perfect   *perfetto*
performance   *spettacolo, rappresentazione (f)*
perhaps   *forse*
peril   *pericolo*
period   *periodo;* (stop) *punto*
periodical   **periodico, -ci, rivista**

perish *perire, morire (irr)*
permission *permesso*
permit (n) *permesso*
permit (v) *permettere (irr)*
person *persona*
personage *personaggio*
pharmacist *farmacista (m f)*
pharmacy *farmacia*
philosophy *filosofia*
photograph *fotografia*
phrase *frase (f)*
physician *medico, -ci*
physics *fisica*
piano *pianoforte (m)*
pick *cogliere (irr), raccogliere (irr)*
picture *quadro*
piece *pezzo*
pile *mucchio*
pink *rosa (invar)*
pitiful *pietoso, compassionevole*
pity *pietà, compassione (f)*
place (n) *luogo,-ghi, posto;* to take place *aver luogo*
place (v) *mettere (irr), porre (irr)*
plain (n) *pianura; (adj) piatto, piano, liscio*
plan *piano, progetto*
planet *pianeta (m)*
plant (business) *fabbrica, stabilimento; (veg) pianta*
plant (v) *piantare*
plastic *plastico, -ci*
plate *piatto*
play (n) *giuoco, gioco, -chi; commedia, rappresentazione (f)*
play (v) *giocare; rappresentare; (music) suonare*
pleasant *piacevole*
please *piacere (irr), far (irr) piacere, dar (irr) piacere*
pleased *contento, soddisfatto;* pleased to meet you *piacere*
pluck *cogliere (irr), trarre (irr)*
plural *plurale*
plus *più*
plywood *legno compensato*
pocket *tasca*
poem (lyric) *poesia; (narrative) poema (m)*

poet *poeta (m), poetessa (f)*
poetry *poesia*
point *punto*
police *polizia;* policeman *vigile (m)*
policy *politica*
political *politico, -ci*
politics *politica*
pollution *inquinamento*
poor *povero, misero*
pope *papa (m)*
popular *popolare*
population *popolo, popolazione (f)*
port *porto*
porter *portabagagli (m invar), facchino*
portrait *ritratto*
portray *ritrarre (irr)*
position *posizione (f)*
possess *possedere (irr)*
possible *possibile*
postage stamp *francobollo*
postal *postale*
postcard *cartolina*
poster *cartellone (m)*
postman *postino, portalettere (m invar)*
post office *ufficio postale, posta*
postpone *rimandare*
potential *potenziale (m)*
pour *versare*
power *potere (m)*
powerful *potente*
praise (n) *lode (f)*
praise (v) *lodare*
pray *pregare*
precede *precedere*
precious *prezioso*
precise *preciso, accurato*
precision *precisione (f), accuratezza*
prefer *preferire*
prepare *preparare*
prescription *ricetta*
present (gift) *dono, regalo; (time) presente (m);* at present *attualmente*
preserve *conservare*
president *presidente (m), presidentessa (f)*
pretend *pretendere (irr); (feign) far (irr) finta*
pretty *carino*
prevent *impedire*

price   *prezzo*
principal   *principále*
principality   *principáto*
principle   *princípio, -ii*
private   *priváto*
privilege   *privilégio*
privileged   *privilegiáto*
prize   *prémio*
problem   *probléma*
proclaim   *proclamáre*
produce   *prodúrre (irr)*
product   *prodótto*
production   *produzióne (f)*
professor   *professóre (m), professoréssa (f)*
profit   *approfittáre, guadagnáre*
profound   *profóndo*
profundity   *profondità*
progress   *progrésso*
prohibit   *proibíre*
project   *progétto*
promise (n)   *prom'éssa*
promise (v)   *prométtere (irr)*
promoter   *fautóre (m) fautríce (f)*
pronounce   *pronunciáre, pronunziáre*
pronunciation   *pronúncia, pronúnzia*
proper   *appropriáto, opportúno*
property   *proprietà*
propose   *propórre (irr)*
prose   *prósa*
protract   *protrárre (irr)*
protrude   *spórgere (irr)*
protruding   *sporgénte*
prove   *prováre*
provided that   *purchè*
providence   *provvidénza*
province   *província*
public   *púbblico, -ci*
puff   *sbuffáre*
pull   *tiráre*
punishment   *punizióne (f)*
purgatory   *purgatório*
purple   *viòla (invar)*
push (n)   *spínta*
push (v)   *spíngere (irr)*
put   *méttere (irr), pórre (irr);* to put time or effort (in doing)   *métterci... (a fáre);* to put on   *méttersi*

Q

quality   *qualità*
quantity   *quantità*
quarry   *cava*
question (n)   *dománda;* to ask a question   *fare (irr) una domanda*
question (v)   *domandáre, méttere (irr) in dúbbio*
quick   *svelto, rápido, svéglio*
quickly   *rapidaménte, presto*
quiet   *quiéte (f); (adj)* **quiéto;** to be quiet   *stare (irr) zitto*

R

race   *stirpe (f), razza; corsa, gara*
radio   *rádio (f invar);* radio news   *giornále radio, radiogiornále (m)*
railroad   *ferrovía*
rain (n)   *pióggia*
rain (v)   *pióvere (irr)*
raincoat   *impermeábile (m)*
raise   *alzáre, solleváre*
rape   *violentáre*
rapid   *rápido, velóce*
rapport   *rappórto*
rare   *raro*
rarely   *di rado*
rate   *tasso*
rather   *piuttósto, anzi*
ratify   *sancíre*
razor   *rasóio*
reach (a destination)   *raggiúngere (irr), giúngere (irr)*
reactionary   **reazionário**
read   *léggere (irr)*
readily   *volentiéri*
reading stand   **leggío, -ii**
readjust   *riassestáre*
ready   *pronto;* ready to do   *pronto a fare*
real   *reále*
reality   *realtà*
realize   *réndersi (irr) conto, realizzáre*

reason (n) *ragiọne (f)*
reason (v) *ragionạre*
receipt *ricevụta*
receive *ricẹvere*
recent *recẹnte*
recently *di recẹnte*
reception *ricevimẹnto*
recipe *ricẹtta*
recognize *ricọnoscere (irr)*
recommend *raccomandạre*
reconstruct *ricostruịre*
record (victrola) *disco, -chi;* record player
  giradịschi (m invar); record book *re-*
  gistro
record (v) *registrạre*
recording machine *registratọre (m)*
recording tape *nastro magnẹtico, -ci*
recover (from illness) *guarịre, rimẹttersi (irr)*
red *rosso*
reduce *ridụrre (irr)*
refer *allụdere (irr)*
reference *allusiọne (f);* in reference to *con*
  riferimẹnto a
reflect *riflẹttere, rispecchiạre*
refresh (oneself) *rinfrescạrsi, riposạrsi*
refreshment *rinfrẹsco, -chi*
region *regiọne (f)*
regret (n) *rimpiạnto*
regret (v) *rimpiạngere (irr), dispiacẹre (irr)*
regular *regolạre*
regulation *rẹgola, regolamẹnto*
rehearsal *prova*
reign (n) *regno*
reign (v) *regnạre*
relation *rappọrto*
relationship *rappọrto, relaziọne (f)*
relative *parẹnte (m f)*
release *svincolạre*
relief *solliẹvo, soccọrso, riliẹvo*
religion *religiọne (f)*
religious *religiọso*
relive *rivịvere (irr)*
remain *restạre, rimanẹre (irr)*
remainder *resto*
remember *ricordạre*
remind *ricordạre*
Renaissance *Rinascimẹnto*

render *rẹndere (irr)*
renounce *rinunciạre, rinunziạre*
renovate *rinnovạre*
renovation *rinnovamẹnto*
repair *accomodạre, aggiustạre*
repeat *ripẹtere*
repent *pentịrsi* *
report *relaziọne (f)*
representation *rappresentaziọne (f);* *rappre-*
  sentạnza
request (n) *richiẹsta*
request (v) *richiẹdere (irr), pregạre*
research *indạgine (f), ricẹrca*
reservation *prenotaziọne (f)*
reserve (n) *risẹrva, risẹrbo*
reserve (v) *riservạre, prenotạre*
reside *abitạre*
resign *dimẹttersi (irr), dare (irr) le dimissiọni*
resistance *resistẹnza*
resource *risọrsa*
respect (n) *rispẹtto*
respect (v) *rispettạre*
respectable *rispettạbile*
responsibility *responsabilità*
responsible *responsạbile*
rest (n) *ripọso*
rest (v) *riposạre*
restaurant *ristorạnte (m), trattorịa*
restrain *trattenẹre (irr)*
result *risultạto*
resumé *riassụnto*
resurrect *risọrgere (irr)*
resurrection *risurreziọne (f)*
retract *ritrạrre (irr), ritirạre*
return (n) *ritọrno*
return (v) *tornạre, ritornạre;* (take back) *ri-*
  portạre
reunion *riuniọne (f)*
revolution *rivoluziọne (f)*
ribbon *nastro*
rich *ricco, -chi*
right (n) *dirịtto;* (adj) *giụsto, corrẹtto;* (hand)
  destra; at (to) the right *a destra*
ring (n) *anẹllo*
ring (v) *suonạre*
rise *sọrgere (irr), insọrgere (irr), alzạrsi*
river *fiụme (m)*

road   *via, strada*
roast (n)   *arrosto*
roast (v)   *arrostire*
room   *stanza; posto; spazio*
roommate   *compagno*
roomy   *spazioso*
root   *radice (f)*
rope   *corda, fune (f)*
rose   *rosa (invar as adj)*
ruin (n)   *rovina*
ruin (v)   *rovinare*
rule (n)   *regola*
rule (v)   *governare, regnare*
ruler   *governante (m f); (drawing) riga*
run (n)   *corsa*
run (v)   *correre (irr)*
Russian   *russo*
rustle   *fruscio, -ii*

S

sacrifice (n)   *sacrificio, sacrifizio*
sacrifice (v)   *sacrificare*
sad   *triste*
sadness   *tristezza*
safe   *sicuro*
safety   *sicurezza*
salad   *insalata*
salt   *sale (m)*
salvation   *salvezza*
same   *stesso*
satellite   *satellite (m)*
satisfaction   *soddisfazione (f)*
satisfy   *soddisfare (irr)*
Saturday   *sabato*
savage   *selvaggio*
save (money)   *risparmiare; (rescue) salvare*
say   *dire (irr)*
scandalous   *scandaloso*
scarce   *scarso*
scarf   *sciarpa*
scene   *scena*
schedule   *orario*
scholar   *studioso*
scholarship   *borsa di studio*

school   *scuola*
schoolmate   *compagno*
science   *scienza*
scientific   *scientifico, -ci*
scientist   *scienziato*
scold   *sgridare*
scrutinize   *scrutare, esaminare con attenzione*
sea   *mare (m)*
season (n)   *stagione (f)*
season (v)   *condire*
second   *secondo*
secondary   *secondario*
secret   *segreto*
section   *sezione (f)*
security   *sicurezza*
see   *vedere (irr)*
seek   *cercare*
seem   *sembrare, parere (irr)*
seize   *prendere (irr), afferrare*
seldom   *di rado*
selected   *scelto, prescelto*
self-styled   *sedicente*
sell   *vendere*
semester   *semestre (m)*
senator   *senatore (m)*
send   *mandare, spedire;* to send back   *rimandare*
sensible   *sensato, di buon senso*
sensual   *sensuale*
sentence   *sentenza; (gramm) periodo, frase*
sentiment   *sentimento*
separate   *separare*
September   *settembre (m)*
series   *serie (f invar)*
serious   *serio*
serve   *servire ** *
service   *servizio*
session   *seduta, sessione (f)*
set (sun)   *tramontare;* to set going   *avviare;* to set out   *avviarsi;* to set about   *mettersi (irr) a*
settle (in a place)   *stabilirsi*
seven   *sette*
seventeen   *diciassette*
seventh   *settimo*
seventy   *settanta*
several   *parecchi, parecchie; diversi*

severe *sevęro*
shake *agitąre, scuọtere (irr); tremąre*
shame *vergọgna;* for shame *che vergogna*
shave *rądersi (irr)*
sheet (paper) *fọglio*
shelf *scaffąle (m)*
shine **splęndere, brilląre;** (shoes etc.) *lustrąre*
ship *nave (f), pirọscafo*
shipyard *cantięre (m) navąle*
shirt *camịcia*
shoe *scarpa*
shoemaker *calzoląio*
shop (n) *negọzio*
shop (v) *far (irr) le spese*
short *basso, breve, corto*
shoulder *spalla*
shout *strilląre, gridąre, urląre*
show (n) *rappresentaziọne (f), spettącolo*
show (v) *mostrąre*
shower (bath) *dọccia*
shy *tịmido*
siege *assędio*
sight *vista*
sign (n) *segno*
sign (v) *firmąre*
silence *silęnzio*
silk *seta*
similar *sịmile*
similarity *somigliąnza*
simple *sęmplice*
simplify *semplificąre*
sin *peccąto*
since *dato che;* since (yesterday) *da (ięri)*
sing *cantąre*
singular *singoląre*
sister *soręlla;* little sister *sorellịna*
sit *sedęre (irr);* to sit down *sedęrsi*
site *luọgo, -ghi*
situation *situaziọne (f), posiziọne (f)*
six *sei*
sixteen **sędici**
sixty *sessąnta*
ski **sciąre**
skillful *bravo*
skirt *gonna;* miniskirt **minigọnna**
sky *cięlo*
sleep (n) *sonno;* to be sleepy **aver** *sonno;* to

fall asleep *addormentąrsi*
sleep (v) *dormịre* *
slender *snello*
slice *fetta*
slide *scivoląre, sdruccioląre*
slip *scivoląre*
slope *pendịo, -ii*
slow *lento;* to slow down *rallentąre*
slums *bassifọndi*
small *pịccolo*
smaller *minọre*
smile (n) *sorrịso*
smile (v) *sorrịdere (irr)*
smoke (n) *fumo*
smoke (v) *fumąre*
snow (n) *neve (f)*
snow (v) *nevicąre*
so *cosị;* so that *affinchè, in modo che;* so called *cosiddętto;* so so *così così*
soap *sapọne (m)*
soccer *cąlcio*
social *sociąle*
socialist *sociąlista (m f)*
society *societą̀*
soft *mọrbido;* soft drink *bịbita*
soil (n) *terra*
soil (v) *sporcąre*
soldier *soldąto*
sole *ụnico, -ci*
solve *risọlvere (irr)*
some *quąlche (sing); alcụni*
someone *qualcụno, qualcụna*
something *qualcọsa*
son *fịglio, figliọlo*
song *canzọne (f)*
soon *presto;* as soon as *appęna*
sorrow *dolọre (m), dispiacęre (m)*
sorry, to be sorry *dispiacęre (irr)*
sound *suọno, rumọre (m)*
source *fonte (f)*
south *sud (m)*
southern *meridionąle;* Southern Italy Development Fund *Cassa del Mezzogiọrno*
sovereignty *sovranità̀*
space *spązio*
Spanish *spagnọlo*
speak *parląre*

speaker *conferenziere (m), conferenziera (f)*
specialize *specializzarsi*
species *specie (f)*
specific *specifico, -ci, particolare*
spectacle *spettacolo*
spectacular *spettacoloso*
speech (discourse) *discorso*
speed *velocità;* at top speed *a gran carriera*
speedily *rapidamente, velocemente*
spend *spendere (irr);* (time) *passare, trascorrere (irr)*
spin *giro*
spirit *spirito*
spite, in spite of *malgrado, nonostante*
spread *diffondere (irr), spargere (irr)*
spring *primavera*
spur *spronare*
squander *sprecare*
square (city) *piazza;* (geom) *quadrato*
stammer *balbettare*
stand (n) *bancarella; posizione (f)*
stand (v) *stare (irr) in piedi*
stanza *strofa, stanza*
star *stella*
start *cominciare, incominciare, iniziare*
state (n) *stato*
state (v) *affermare*
station *stazione (f)*
stay *restare, stare (irr)*
steal *rubare*
step *passo*
still *ancora, tuttora*
stomach *stomaco, -chi*
stop (n) *fermata*
stop (v) *fermare, fermarsi;* to stop (doing) *smettere (irr) (di fare)*
storm *tempesta, temporale (m)*
story *racconto, storia, novella*
stove *stufa;* (kitchen) *fornello*
straight *diritto;* (adv) *direttamente*
strange *strano*
stranger *straniero, sconosciuto*
street *via, strada*
strength *forza*
strike *sciopero*
stroll *passeggiata*
strong *forte*

structure *struttura*
struggle (n) *lotta*
struggle (v) *lottare*
stubborn *cocciuto, ostinato*
student *studente (m), studentessa (f)*
study (n) *studio*
study (v) *studiare*
stupid *stupido*
subject (for discussion) *argomento*
submit *sottoporre (irr), sottomettere (irr)*
substantial *considerevole, notevole*
subtract *sottrarre (irr)*
succeed *riuscire (irr)*
successive *successivo, di seguito*
such *tale*
sudden *improvviso;* all of a sudden *tutto ad un tratto*
suddenly *d'improvviso*
suffer *soffrire *, sofferto*
suffering (n) *sofferenza, dolore (m)*
suffrage *suffragio*
sugar *zucchero*
suggest *suggerire*
suit *abito, vestito*
suitable *adatto*
suitcase *valigia*
sultry *afoso*
summarize *riassumere (irr)*
summer *estate (f)*
summit *cima, vertice (m)*
sun *sole (m)*
Sunday *domenica*
superior *superiore*
superiority *superiorità*
supper *cena*
support (n) *appoggio, sostegno*
support (v) *appoggiare, sostenere (irr), mantenere (irr)*
supporter *fautore (m), fautrice (f)*
suppose *supporre (irr); figurarsi*
supreme *supremo*
sure *sicuro*
surface *area, superficie (f)*
surgeon *chirurgo, -ghi*
surmount *sormontare*
surprise (n) *sorpresa*
surprise (v) *sorprendere (irr);* to be surprised

meravigliạrsi
surprising *sorprendẹnte*
suspect *sospettạre*
suspicion *sospẹtto*
Swedish *svedẹse (m f)*
sweet *dolce; (n) dolce (m)*
swim *nuotạre*
swing *oscillạre*
Swiss *svịzzero*
symbol *sịmbolo*
sympathy *simpatịa*
synthetic *sintẹtico, -ci*
system *sistẹma (m)*

T

table *tạvola, tạvolo*
tackle *affrontạre*
take *prẹndere (irr);* to take off *levạrsi, togliẹrsi (irr);* to take place *aver luọgo;* to take (time or effort in doing) *volẹrci (irr) (a fare);* to take away, out *portạre via*
tale *novẹlla, raccọnto*
tall *alto*
tape *nastro, fettụccia*
tape recorder *magnetọfono, registratọre (m)*
task *cọmpito, incạrico, -chi*
taste (n) *gusto*
taste (v) *assaggiạre, gustạre*
tax *tassa*
taxi *tassì (m)*
teach *insegnạre*
teacher *insegnạnte (m f), maẹstro*
telegram *telegrạmma (m)*
telephone (n) *telẹfono;* (call) *telefonạta*
telephone (v) *telefonạre*
telephonic *telefọnico, -ci*
television *televisiọne (f);* (set) *televisọre (m);* (news) *telegiornạle (m)*
temperature *temperatụra*
temporary *temporạneo*
ten *diẹci*
tennis *tẹnnis (m)*
tenth *dẹcimo*

term *tẹrmine (m)*
terrible *terrịbile*
terror *terrọre (m)*
test *prova*
text *testo*
textile *tẹssile*
thank *ringraziạre*
thankful *grato*
thankless *ingrạto*
thanks *ringraziamẹnto;* thanks to *grạzie a;* thank you *grạzie*
that (pron) *che, il quạle; (adj) quẹllo; (conj) che;* that is *cioè*
theatre *teạtro;* movie theatre *cịnema (m invar)*
theft *furto*
theme *tema (m)*
then *allọra, dụnque;* (later) *poi, dopo*
theologian *teọlogo, -gi*
theory *teorịa*
there *là, lì*
therefore *perciò*
thesis *tesi (f invar)*
thick *spesso, fitto, folto*
thief *ladro*
thin *magro, fino*
thing *cosa*
think *pensạre*
thinker *pensatọre (m), pensatrịce (f)*
third *terzo*
thirst *sete (f)*
thirteen *trẹdici*
thirty *trenta*
this *quẹsto*
thought *pensiẹro*
thousand, one thousand *mille, (plur) mila; migliạia*
thread *filo*
three *tre*
throat *gola*
through *per, attravẹrso*
throw *gettạre, tirạre, lanciạre*
thunder *tuọno*
thunderbolt *fụlmine (m)*
Thursday *giovedì (m)*
thus *così*
ticket *bigliẹtto;* (office) *biglietterịa*

tie *legare*
time *tempo, volta;* what time is it? *che ora
è?;* ahead of time *in anticipo;* on time
in orario; at times *a volte, qualche volta;*
by this time *ormai;* once upon a time *una
volta*
timely *tempestivo*
timetable *orario*
timid *timido*
tip (money) *mancia*
tire (car) *gomma, pneumatico, -ci*
tired *stanco, -chi*
tissue (animal) *tessuto*
title *titolo*
to *a, ad*
today *oggi*
together *insieme*
toilet *gabinetto*
tomb *tomba*
tomorrow *domani*
tongue *lingua*
tonight *stanotte*
too *troppo;* too much *troppo;* too many
troppi; (also) *anche*
tooth *dente (m);* toothache *mal di denti;*
toothpaste *dentifricio*
top *cima;* at the top of *in cima a*
topic *argomento*
tortuous *tortuoso*
touch *toccare;* (lightly) *sorvolare*
tour *giro*
tourist *turista (m f)*
towards *verso*
tower *torre (f)*
town *città, cittadina*
track (railroad) *binario*
trade (n) *commercio;* trade union *sindacato*
trade (v) *commerciare, trafficare*
trader *commerciante (m f)*
tradition *tradizione (f)*
traditional *tradizionale*
traffic light *semaforo*
tragedy *tragedia*
train *treno*
transfer (n) *trasferimento*
transfer (v) *trasferire*
transform *trasformare*

translate *tradurre (irr)*
travel *viaggiare*
treasure *tesoro*
treat *trattare, curare*
tree *albero*
tremble *tremare*
trifle *sciocchezza*
trip *viaggio*
trolley car *tram (m invar)*
trouble (n) *disturbo, guaio*
trouble (v) *disturbare, dar (irr) noia*
trousers *pantaloni (m plur)*
true *vero*
trunk *baule (m);* (tree) *tronco, -chi*
trust *fiducia*
truth *verità*
try *cercare, provare*
Tuesday *martedì (m)*
tumor *tumore (m)*
turn (n) *giro, svolta*
turn (v) *girare, voltare, volgere (irr)*
twelfth *dodicesimo;* Twelfth Night *Epifania,
Befana*
twelve *dodici*
twenty *venti*
twenty-one *ventuno*
twenty-third *ventitreesimo*
twig *stecco, -chi, ramoscello*
two *due*
type *tipo, specie (f invar)*

U

ugly *brutto*
ulcer *ulcera, le ulceri*
umbrella *ombrello*
unaware *inconsapevole*
unbalance *squilibrio*
uncertainty *incertezza*
uncle *zio, -ii*
uncomfortable *scomodo*
uncongenial *antipatico, -ci*
unconscious *inconscio*
uncover *scoprire *, scoperto*
undeniable *innegabile*

under *sotto*
understand *capire*
unemployed *disoccupato*
unfit *inadatto*
unfold *svolgere (irr)*
unfortunate *sfortunato, disgraziato*
unfriendly *antipatico, -ci, nemico, -ci*
unhappy *scontento, infelice*
unification *unificazione (f)*
unify *unificare*
unique *unico, -ci*
unity *unità*
universe *universo*
university *università*
unjust *ingiusto*
unless *a meno che*
unlucky *sfortunato*
unnamed *innominato*
unpleasant *spiacevole, antipatico, -ci*
unreal *irreale*
until *fino a, finchè non;* until now *finora*
up *su;* up here *quassù;* up there *lassù*
uprising *sommossa*
use (n) *uso*
use (v) *usare; servirsi * (di)*
useful *utile*
usefulness *utilità*
useless *inutile*
usual *usuale, solito*
usually *di solito*

vermilion *vermiglio*
verse *verso*
very *molto*
veteran *reduce (m), veterano*
vice *vizio*
vicinity *vicinanza;* in the vicinity *nelle vicinanze*
victory *vittoria*
view (n) *veduta, vista*
view (v) *vedere (irr), guardare*
vigil *vigilia, veglia*
vigor *vigore (m)*
village *villaggio, paese (m)*
violence *violenza*
violent *violento*
violently *violentemente*
violet *violetta, viola*
violin *violino*
violinist *violinista (m f)*
vision *visione (f), vista*
vivacious *vivace*
vivacity *vivacità*
voice *voce (f);* in a loud tone of voice *ad alta voce;* in a low tone of voice *sottovoce*
volume *volume (m)*
vote (n) *voto*
vote (v) *votare*
vow *voto*
vowel *vocale (f)*
vulgar *triviale, volgare*

V

vacation *vacanza*
valley *valle (f)*
valor *valore (m)*
value *valore (m)*
vanish *sparire, svanire*
vanquish *vincere (irr)*
varied *vario*
various *vario*
vast *vasto, ampio*
vegetables *verdura (f coll)*
vegetation *vegetazione (f)*
verb *verbo*

W

wait *aspettare*
waiter *cameriere (m)*
waitress *cameriera*
walk (n) *passeggiata*
walk (v) *camminare, passeggiare*
wall *muro;* walls (city) *le mura*
wander *vagare, errare*
want *volere (irr)*
war *guerra;* world war *guerra mondiale*
warm *caldo;* to be warm *aver caldo*
warmth *caldo, calore (m)*
warn *avvertire **

wash   *lavare*
waste   *sprecare*
watch (n)   *orologio*
watch (v)   *guardare*
water   *acqua*
way (manner)   *modo;* (road) *via*
weak   *debole*
weakness   *debolezza*
wealth   *ricchezza*
wealthy   *ricco, -chi, agiato*
wear   *portare, indossare*
weather   *tempo;* what is the weather   *che tempo fa*
wedding   *matrimonio*
Wednesday   *mercoledì (m)*
week   *settimana;* last week   *la settimana passata (scorsa);* next week   *la settimana prossima;* the following week   *la settimana seguente (successiva)*
weep   *piangere (irr)*
weight   *peso*
welcome   *accogliere (irr), dare (irr) il benvenuto;* you are welcome   *prego*
welfare   *benessere (m)*
well   (adv) *bene;* (n) *pozzo;* well-to-do *benestante (m f);* well-being *benessere (m)*
west   *ovest (m)*
western   *occidentale*
what?   *che? che cosa? cosa?*
what (that which)   *quello che*
whatever   *qualunque*
when   *quando*
where   *dove*
wherever   *dovunque*
which   *che, il quale*
while   *mentre (conj)*
who?   *chi?*
who   *che, il quale*
whoever   *chiunque, chi*
whole (n)   *l'insieme;* on the whole   *nell'insieme, insomma*
whole (adj)   *intero*
whom   *cui* (preceded by prep)
whom?   *chi?*
whomever   *chiunque, chi*
why   *perchè*

wide   *largo, -ghi*
wife   *moglie, (plur) mogli*
will   *volontà*
willing   *disposto*
willingly   *volentieri*
willingness   *buona volontà*
willow   *salice (m)*
win   *vincere (irr)*
wind   *vento*
winding   *tortuoso*
window   *finestra;* (of car) *finestrino;* (of office) *sportello*
wine   *vino*
winner   *vincitore (m), vincitrice (f)*
winter   *inverno*
wisdom   *saggezza, giudizio*
wise   *savio, saggio*
wish (n)   *desiderio;* (presented to others) *augurio*
wish (v)   *desiderare, volere (irr), augurare*
with   *con*
withdraw   *ritirare, ritrarre (irr)*
within   *entro, dentro*
without   *senza;* without fail *senz'altro;* to do without   *fare (irr) a meno*
woman   *donna;* bad woman   *donnaccia;* little woman   *donnina*
wonder   *domandarsi*
wood   *legno;* firewood *legna (f coll);* (of trees) *bosco, -chi*
wool   *lana*
word   *parola*
work (n)   *lavoro, opera*
work (v)   *lavorare*
worker   *operaio, lavoratore (m), lavoratrice (f)*
world   *mondo;* (adj) *mondiale*
worldly   *terreno*
worry (n)   *preoccupazione (f)*
worry   (v)   *importunare;* to be worried   *preoccuparsi, stare (irr) in pensiero*
worse   *peggiore;* (adv) *peggio*
worst   *il peggiore*
worth   *valore (m)*
worthy   *degno*
wound (n)   *ferita*
wound (v)   *ferire*
write   *scrivere (irr)*

writer *scrittore (m), scrittrice (f)*

wrong (n) *torto;* to be wrong *sbagliarsi;* to
be in the wrong *aver torto*

Y

yard (work) *cantiere (m)*
year *anno*
yellow *giallo*
yes *sì*
.yesterday *ieri*

yet *ancora;* not yet *non ancora*
young *giovane;* young man *giovanotto;*
young woman *signorina, giovane donna*
youth *gioventù (f invar), giovinezza, giova-
nezza*

Z

zeal *impegno, zelo*
zebra *zebra*
zero *zero*

INDEX (Indice analitico)

L'italiano per stranieri

Amato
Mondo italiano
testi autentici sulla realtà sociale
e culturale italiana
• libro dello studente
• quaderno degli esercizi

Ambroso e Di Giovanni
L'ABC dei piccoli

Ambroso e Stefancich
Parole
10 percorsi nel lessico italiano
esercizi guidati

Avitabile
Italian for the English-speaking

Balboni
GrammaGiochi
per giocare con la grammatica

Ballarin e Begotti
Destinazione Italia
l'italiano per operatori turistici
• manuale di lavoro
• 1 audiocassetta

Barki e Diadori
Pro e contro
conversare e argomentare in italiano
• 1 liv. intermedio - libro dello studente
• 2 liv. intermedio-avanzato - libro dello studente
• guida per l'insegnante

Battaglia
Grammatica italiana per stranieri

Battaglia
**Gramática italiana
para estudiantes de habla española**

Battaglia
Leggiamo e conversiamo
letture italiane con esercizi per la conversazione

Battaglia e Varsi
Parole e immagini
corso elementare di lingua italiana
per principianti

Bettoni e Vicentini
Passeggiate italiane
lezioni di italiano - livello avanzato

Bettoni e Vicentini
Imparare dal vivo **
lezioni di italiano - livello avanzato
• manuale per l'allievo
• chiavi per gli esercizi

Buttaroni
Letteratura al naturale
autori italiani contemporanei
con attività di analisi linguistica

Camalich e Temperini
Un mare di parole
letture ed esercizi di lessico italiano

Carresi, Chiarenza e Frollano
L'italiano all'Opera
attività linguistiche attraverso 15 arie famose

Cherubini
L'italiano per gli affari
corso comunicativo di lingua e cultura aziendale
• manuale di lavoro
• 1 audiocassetta

Chiappini e De Filippo
Un giorno in Italia 1
corso di italiano per stranieri - primo livello
• libro dello studente con esercizi + CD audio
• guida per l'insegnante

Cini
Strategie di scrittura
quaderno di scrittura - livello intermedio

Deon, Francini e Talamo
Amor di Roma
Roma nella letteratura italiana del Novecento
testi con attività di comprensione
livello intermedio-avanzato

Diadori
Senza parole
100 gesti degli italiani

du Bessé
PerCORSO GUIDAto guida di **Roma**
con attività ed esercizi di italiano

du Bessé
PerCORSO GUIDAto guida di **Firenze**
con attività ed esercizi di italiano

du Bessé
PerCORSO GUIDAto guida di **Venezia**
con attività ed esercizi di italiano

Gruppo META
Uno
corso comunicativo di italiano - primo livello
• libro dello studente
• libro degli esercizi e grammatica
• guida per l'insegnante
• 3 audiocassette

Gruppo META
Due
corso comunicativo di italiano - secondo livello
• libro dello studente
• libro degli esercizi e grammatica
• guida per l'insegnante
• 4 audiocassette

Gruppo NAVILE
Dire, fare, capire
l'italiano come seconda lingua
• libro dello studente
• guida per l'insegnante
• 1 audiocassetta

Humphris, Luzi Catizone, Urbani
Comunicare meglio
corso di italiano
livello intermedio-avanzato
• manuale per l'allievo
• manuale per l'insegnante
• 4 audiocassette

**Istruzioni per l'uso
dell'italiano in classe** *1*
88 suggerimenti didattici per attività comunicative

**Istruzioni per l'uso
dell'italiano in classe** *2*
111 suggerimenti didattici per attività comunicative

**Istruzioni per l'uso
dell'italiano in classe** *3*
22 giochi da tavolo

Jones e Marmini
Comunicando s'impara
esperienze comunicative
• libro dello studente
• libro dell'insegnante

Maffei e Spagnesi
Ascoltami!
22 situazioni comunicative
• manuale di lavoro
• 2 audiocassette

Marmini e Vicentini
Passeggiate italiane
lezioni di italiano - livello intermedio

Marmini e Vicentini
Imparare dal vivo *
lezioni di italiano - livello intermedio
• manuale per l'allievo
• chiavi per gli esercizi

Marmini e Vicentini
Ascoltare dal vivo
manuale di ascolto - livello intermedio
• quaderno dello studente
• libro dell'insegnante
• 3 audiocassette

Paganini
ìssimo
quaderno di scrittura - livello avanzato

Pontesilli
I verbi italiani
modelli di coniugazione

Quaderno IT - n. 3
esame per la certificazione
dell'italiano come L2 - livello avanzato
prove del 1998 e del 1999
• volume+audiocassetta

Quaderno IT - n. 4
esame per la certificazione
dell'italiano come L2 - livello avanzato
prove del 2000 e del 2001
• volume+audiocassetta

Radicchi
Corso di lingua italiana
livello elementare
• manuale di lavoro
• 1 audiocassetta

Radicchi
Corso di lingua italiana
livello intermedio

Radicchi
In Italia
modi di dire ed espressioni idiomatiche

Spagnesi
**Dizionario dell'economia
e della finanza**

Stefancich
Cose d'Italia
tra lingua e cultura

Stefancich
Tracce di animali
nella lingua italiana tra lingua e cultura

Svolacchia e Kaunzner
Suoni, accento e intonazione
corso di ascolto e pronuncia
• manuale
• set di 5 audio CD

Totaro e Zanardi
Quintetto italiano
approccio tematico multimediale
livello avanzato
• libro dello studente con esercizi
• libro per l'insegnante
• 2 audiocassette
• 1 videocassetta

Ulisse
Faccia a faccia
attività comunicative
livello elementare-intermedio

Urbani
Senta, scusi...
programma di comprensione auditiva
con spunti di produzione libera orale
• manuale di lavoro
• 1 audiocassetta

Urbani
Le forme del verbo italiano

Verri Menzel
La bottega dell'italiano
antologia di scrittori italiani del Novecento

Vicentini e Zanardi
Tanto per parlare
materiale per la conversazione
livello medio-avanzato
• libro dello studente
• libro dell'insegnante

Linguaggi settoriali

Dica 33
il linguaggio della medicina
• libro dello studente
• guida per l'insegnante
• 1 audiocassetta

L'arte del costruire
• libro dello studente
• guida per l'insegnante

Una lingua in pretura
il linguaggio del diritto
• libro dello studente
• guida per l'insegnante
• 1 audiocassetta

Pubblicazioni di glottodidattica

Celentin, Dolci - **La formazione di base del docente di italiano per stranieri**

I libri dell'Arco

1. Balboni • **Didattica dell'italiano a stranieri**

2. Diadori • **L'italiano televisivo**

3. Micheli • **Test d'ingresso di italiano per stranieri**

4. Benucci • **La grammatica nell'insegnamento dell'italiano a stranieri**

5. AA.VV. • **Curricolo d'italiano per stranieri**

6. Coveri et al. • **Le varietà dell'italiano**

Classici italiani per stranieri

testi con parafrasi a fronte* e note

1. Leopardi • **Poesie***
2. Boccaccio • **Cinque novelle***
3. Machiavelli • **Il principe***
4. Foscolo • **Sepolcri e sonetti***
5. Pirandello • **Così è (se vi pare)**
6. D'Annunzio • **Poesie***
7. D'Annunzio • **Novelle**
8. Verga • **Novelle**
9. Pascoli • **Poesie***
10. Manzoni • **Inni, odi e cori***
11. Petrarca • **Poesie***
12. Dante • **Inferno***
13. Dante • **Purgatorio***
14. Dante • **Paradiso***
15. Goldoni • **La locandiera**
16. Svevo • **Una burla riuscita**

Libretti d'Opera per stranieri

testi con parafrasi a fronte* e note

1. **La Traviata***
2. **Cavalleria rusticana***
3. **Rigoletto***
4. **La Bohème***
5. **Il barbiere di Siviglia***
6. **Tosca***
7. **Le nozze di Figaro**
8. **Don Giovanni**
9. **Così fan tutte**
10. **Otello***

Letture italiane per stranieri

1. Marretta • **Pronto, commissario...? 1**
16 racconti gialli con soluzione ed esercizi per la comprensione del testo

2. Marretta • **Pronto, commissario...? 2**
16 racconti gialli con soluzione ed esercizi per la comprensione del testo

3. Marretta • **Elementare, commissario!**
8 racconti gialli con soluzione ed esercizi per la comprensione del testo

Mosaico italiano

racconti italiani su 4 livelli

1. Santoni • **La straniera** - liv. 2
2. Nabboli • **Una spiaggia rischiosa** - liv. 1
3. Nencini • **Giallo a Cortina** - liv. 2
4. Nencini • **Il mistero del quadro di Porta Portese** - liv. 3
5. Santoni • **Primavera a Roma** - liv. 1
6. Castellazzo • **Premio letterario** - liv. 4
7. Andres • **Due estati a Siena** - liv. 3
8. Nabboli • **Due storie** - liv. 1
9. Santoni • **Ferie pericolose** - liv. 3
10. Andres • **Margherita e gli altri** - liv. 2 e 3

Bonacci editore

Finito di stampare nel mese di settembre 2002 dalla TIBERGRAPH s.r.l. Città di Castello (PG)